THE TEACH YOURSELF BOOKS

RUSSIAN

Uniform with this volume
and in the same series

Teach Yourself Afrikaans
Teach Yourself Arabic
Teach Yourself Colloquial Arabic
Teach Yourself Bengali
Teach Yourself Chinese
Teach Yourself Comparative Linguistics
Yeach Yourself Czech
Teach Yourself Danish
Teach Yourself Dutch
Teach Yourself English for Swahili-speaking People
Teach Yourself English Grammar
Teach Yourself Good English
Teach Yourself Old English
Teach Yourself Esperanto
Teach Yourself Finnish
Teach Yourself French
Teach Yourself Everyday French
Teach Yourself French Grammar
Teach Yourself German
Teach Yourself: A First German
Teach Yourself German Grammar
Teach Yourself More German
Teach Yourself Greek
Teach Yourself Modern Greek
Teach Yourself New Testament Greek
Teach Yourself Hausa
Teach Yourself Hebrew
Teach Yourself Icelandic
Teach Yourself Indonesian
Teach Yourself Irish
Teach Yourself Italian
Teach Yourself Japanese
Teach Yourself Latin
Teach Yourself Latvian
Teach Yourself To Learn a Language
Teach Yourself Malay
Teach Yourself Maltese
Teach Yourself Norwegian
Teach Yourself Modern Persian
Teach Yourself Polish
Teach Yourself Portuguese
Teach Yourself Russian Through Reading
Teach Yourself Samoan
Teach Yourself Serbo-Croat
Teach Yourself Spanish
Teach Yourself Everyday Spanish
Teach Yourself Swahili
Teach Yourself Swedish
Teach Yourself Turkish
Teach Yourself Urdu
Teach Yourself Welsh
Teach Yourself Yoruba

TEACH YOURSELF

RUSSIAN

Diarmuid Ó Giolláin,
Carraig Macaire Rois,
Contae Muineacáin,
Éire.

MAXIMILIAN FOURMAN, LL.B.

(University of Kiev)

Тчеррий Гилан,
Каррикмакросс,
Монаган,
Ирландия.

THE ENGLISH UNIVERSITIES PRESS LTD
ST PAUL'S HOUSE WARWICK LANE
LONDON EC4

First Printed – – 1943
This Impression – 1968

SBN 340 05813 7

Printed in Great Britain for the English Universities Press, Limited
by Elliott Bros. & Yeoman Ltd., Liverpool.

FOREWORD

QUALIFIED Russian teachers are still scarce in England. Consequently not many evening school classes in Russian are held for adults. Moreover, there are many who cannot attend what classes there are, and would be glad to put in an hour or two studying Russian when they have any spare time. For such beginners this book is intended.

Many, though they can speak and write their own language correctly, have never bothered to study grammar : the grammatical notes given in this book will make some of the rough places plain for them. Students who know the grammar of their own or any other language will be able to skip such notes.

Each lesson consists of the bare elements of Russian grammar, of a selection of words in everyday use, and of ample exercises made up of colloquial sentences, and finally of short reading extracts in prose and verse. Such material would, in our opinion, be sufficient for a student to prepare himself for a more thorough study of the Russian language.

The exercises have been made long for the express purpose of enabling the student to repeat the same words and learn the use of grammatical rules until he has acquired the habit of saying what he knows fluently and correctly.

AT THE END OF THE BOOK IS A COMPLETE KEY GIVING TRANSLATIONS OF ALL THE EXERCISES. THE

STUDENT IS ADVISED TO PREPARE THE EXERCISES, FIRST USING THE KEY FREELY, SO AS TO ARRIVE AT THE MEANING OF THE WORDS AND THE GRAMMATICAL NOTES, NOT BY ROTE, BUT BY COMPARING EVERY PECULIARITY OF THE RUSSIAN WITH HIS MOTHER TONGUE. WHEN AN EXERCISE HAS BEEN FULLY ASSIMILATED WITH THE HELP OF THE KEY, IT CAN BE DONE AGAIN INDEPENDENTLY OF THE KEY, TO MAKE SURE THAT ALL THE WORDS HAVE BEEN LEARNT, TOGETHER WITH THEIR GRAMMATICAL RELATION IN THE SENTENCES.

The material in the Key can, of course, be used as additional exercises and worked so that the main part of the book is turned into a Key.

The advantage of this book when used in evening classes is that students missing lessons can easily catch up by preparing the exercises and using the Key, and this will prevent them from dropping out of their class.

The author wishes to express his thanks for the valuable help given by his friends Walter J. Read, F.I.L., and John O. Burtt, M.A.

INTRODUCTION

AT the mere sight of Russian print an English person is apt to exclaim: "How funny the Russian letters look, rather like ours upside down." This first impression of the Russian alphabet as something peculiar and grotesque is followed as likely as not by the request: "Say something in Russian," and when I repeat a few verses of a Russian poem, my English friends are often quite astonished at the sounds, which seem to them completely strange. Their usual comment when the performance ends is: "Good gracious! I could never learn to speak Russian. It must be a fearfully difficult language." Nevertheless, some of them, with characteristic British determination, have taken up Russian with enthusiasm as a fascinating hobby. They have done so probably because it is the language of a country which at the present time is stirring the minds of men and women in all walks of life, in England and probably in the rest of the world. They soon find out that Russian is no harder than any other language commonly studied in this country. True, it has its peculiarities for English students, just as English has peculiarities for Russians, and the grammar is rather more complicated than the English. But it has one great advantage: Russian words are comparatively easy to learn to pronounce since the language is virtually phonetic, that is to say, most of the letters can be pronounced in only one way. This means that although, in English, the letter "a" represents as many as seven different sounds, "e" and "i" six, "o" eight, and "u" seven, the corresponding letters in Russian stand, on the whole, for only one sound each.

Every language presents some difficulties in grammar and pronunciation which can only be overcome by patient work and concentration, but Russian makes no greater demand on the student in this respect than French, Spanish or any other European language.

Every year now one meets a growing number of people who know one or more languages besides their own, and this is also true of the English-speaking nations, who are no worse linguists than the men and women of other countries if they take up a foreign language as a hobby and persist in their efforts to master it. There is this further advantage in Russian: it is amazingly uniform; the same language is spoken over the vast extent of the globe where the flag of the Union of Soviet Socialist Republics flies; and you will be understood whether you are speaking to a peasant or a University professor. There are no dialects to bother you, although, of course, there are parts of the Soviet Union where Russian may be spoken rather differently, as, for instance, English is spoken differently by a Londoner, a Scot, a Welshman, an Irishman, or natives of Yorkshire and Cornwall. In some parts Russian is spoken with a slight drawl; in others a kind of sing-song is adopted; some speak lightly, others heavily, and so on; but they all speak the same Russian. Even the numerous peoples forming Republics of their own, although they possess every facility for cultivating their native languages, speak Russian as well as their own tongue.

To sum up: the student may rest assured that the pronunciation of Russian is simpler than it appears and if all the directions given in this book are followed and the words carefully read aloud, a reasonably high standard of pronunciation will soon be achieved without the help of a tutor, and in a short time the language will begin to sound quite natural and harmonious.

Similarly, owing to the fact that Russian is a phonetic language, you can easily write down any word you know, for the spelling is very straightforward, particularly since the Soviet Educational Authorities abolished redundant letters and generally simplified the spelling and grammar. A student of average intelligence, who is willing to attend and persevere, can soon acquire a working knowledge of the language.

After mastering the contents of this book you should certainly be able to understand much of what you hear and read and to express yourself on simple topics. If, after making this start, you continue to study and manage occasionally to meet Russian people, or can spend a holiday in the Soviet Union, you will eventually get a really useful knowledge of Russian, which in the post-war world is becoming of great cultural and commercial importance and may soon be as popular as the languages more generally studied now.

Those who are learning the language in order to understand scientific works will find that, like English, it has adopted a vast number of words, many derived from Greek and Latin and some from other European languages. Quite a large proportion of them have been taken from English, especially where they concern seamanship or mechanics. Those who are studying it either for purely business purposes, or with the desire to read Russian literature, or else with the intention of visiting the Soviet Union, will find that the vocabulary is much less rich than the English, which means that the student has fewer words to learn.

Finally it should be borne in mind that Russian belongs to a family of Slavonic languages, the members of which are closely related to each other, and, once you are familiar with it, you will find little difficulty in learning one or more of the sister languages, if you care to try them, namely, Polish, Bulgarian, Serbian and Czech.

CONTENTS

PART I

THE RUSSIAN ALPHABET

The Russian alphabet contains 32 letters. These are given below in their correct order, which you should learn as you will soon be looking up words in a dictionary :—

Аа, Бб, Вв, Гг, Дд, Ее, Жж, Зз, Ии, Йй Кк, Лл, Мм, Нн, Оо, Пп, Рр, Сс, Тт, Уу, Фф, Хх, Цц, Чч, Шш, Щщ, Ъъ, Ыы, Ьь, Ээ, Юю, Яя,

Of the 32 letters in the alphabet nine are called vowels. A vowel sound is one produced by the voice only. There are in Russian hard and soft vowels. Each hard vowel has its corresponding soft vowel.

Hard vowels are: а, э, о, ы, у;
Soft vowels are: я, е, ё, и, ю;
One letter й is called a semi-vowel.
The hard and soft signs ъ and ь are called mutes.

The remaining 20 letters are called " consonants," that is to say, their sounds are produced not merely by the voice but also by movements of the tongue, teeth or lips.

The letters can be conveniently divided into four groups :—

GROUP 1.—Those alike in Russian and English. There are six of these :—

Аа, Ее, Оо, Кк, Мм, Тт

(1) А а is always pronounced in Russian like the long "a" in English, as in the word RATHER.

(2) Е е is pronounced like "ye" in the English word YET, for instance дело (*dyelo*—business); but when it has two dots over it, it is pronounced like "yo" in the English YONDER. For instance мёд (*myod*—honey).

(3) О о is pronounced like the English "o" in the word ON.

(4) К к is pronounced like the "c and "k" in the word CAKE.

(5) М м is pronounced like "m" in the word MANY.

(6) Т т is pronounced like "t" in the word TAKE.

GROUP 2.—Letters which look like English letters but represent different sounds in Russian. There are six of these :—

В в, Н н, Р р, С с, У у, Х х.

1. В в serves to denote the English sound "v," like V in the word VICTORY.
2. Н н „ „ „ „ „ „ "n," like N in the word NOON.
3. Р р „ „ „ „ „ „ "r," like R in the word RUM.
4. С с „ „ „ „ „ „ "s," like S in the word SALT.
5. У у „ „ „ „ „ „ "oo," in the word BOOT.
6. Х х „ „ „ „ „ „ "ch," in the Scottish word LOCH.

GROUP 3 contains the following 16 letters :—

1. Б б stands for the sound of the English letter " b " in BABY.
2. Г г „ „ „ „ „ „ „ „ " g " in GLORY.
3. Д д „ „ „ „ „ „ „ „ " d " in DADDY.
4. Ж ж „ „ „ „ „ „ „ „ " s " in PLEASURE.
5. З з „ „ „ „ „ „ „ „ " z " in ZERO.
6. И и „ „ „ „ „ „ „ „ " i " in IN.
7. Л л „ „ „ „ „ „ „ „ " l " in LADY.
8. П п „ „ „ „ „ „ „ „ " p " in POT.
9. Ф ф „ „ „ „ „ „ „ „ " f " in FACE.
10. Ц ц „ „ „ „ „ „ „ „ " ts " in WITS.
11. Ч ч „ „ „ „ „ „ „ „ " ch " in CHURCH.
12. Ш ш „ „ „ „ „ „ „ „ " sh " in SHAFT.
13. Щ щ „ „ „ „ „ „ „ „ " sh-ch " in CASH-CHEQUE.
14. Э э „ „ „ „ „ „ „ " e " in PET.
15. Ю ю „ „ „ „ „ „ „ „ " u " in DUKE.
16. Я я „ „ „ „ „ „ „ „ " ya " in YARD.

GROUP 4 contains the remaining letters : ы, ъ, ь, й, which require some special remarks. In the alphabet on page 1 you will have seen that they are shown as small letters only. This is because they are never used at the beginning of a word but only in the middle or at the end.

ь and ъ are entirely mute signs and they do not express any sound at all. They are used as auxiliary signs for the following purposes :—

ь serves to give a soft intonation to the consonant after which it stands. You may see ь in the middle of the word or at its end. The softening effect of the ь on the consonant can be achieved quite well by sounding it as an exceedingly short, fleeting и, thus palatalising the consonant, or uttering it by placing your tongue against the palate. Pronounce the words :—

письмо—(pissymo) ; сталь (staly), with a *very* short English y.

Particular attention must be paid to the presence of ь, at the end of the word since there are pairs of words whose meaning differs when they end in ь or have no ь at the end. For instance уголь means COAL ; угол means CORNER ; брат, BROTHER ; брать TO TAKE, etc.

ъ is not used now at all at the end of a word, though you will find it frequently in books printed before the date of the Soviet Revolution.

But ъ is still used sometimes in the middle of compound words like : объяснение, подъезд, etc., where the second part of the word begins with я, ю or е, to show that both parts объ-яснение, подъ-езд must be pronounced quite distinctly, as, for instance, you say in English—com-memorate.

ы is a hard „и" sound for which there is no special English letter. It is the English sound in KILL or WRIT or BIT or SIN, pronounced shortly with the teeth almost closed.

й is used only in the middle and at the end of a word. It always follows a vowel, and is pronounced very short like the second vowel of the diphthongs : IE in PIE, OY in BOY, AY in GAY, EY in KEY.

There is no letter "H" in Russian ; words which begin in English with the letter "H" begin in Russian with г instead. For instance, the word HAVANA is written Гавана ; the word HAMBURG Гамбург ; HYPNOSIS, гипноз ; HYMN, гимн, and HYDRA, гидра.

The English sound expressed by the letter "W" does not exist in Russian. Instead, the letter в is used and it sounds like the English V.

Вальтер	(WALTER)
Вашингтон	(WASHINGTON)
Вестминстер	(WESTMINSTER)

There were formely four additional letters which were rejected as superfluous at the time of the Revolution. However, you may come across books printed in the pre-revolutionary period and we are therefore giving the rejected letters together with those by which they have been replaced. They are :—

І і = И и ; Ѳ ѳ = Ф ф ; Ѣ ѣ = Е е V = и

The first thing to do is to make yourself familiar with the Russian characters ; and if these printed directions do not enable you to grasp the pronunciation of all the sounds, try to get half an hour's help from a Russian or someone who really knows the language. This, followed by a little practice, should give you a good idea of the pronunciation. You will also find gramophone records of the Russian sounds extremely useful.

The alphabet must be thoroughly mastered so that you can read words correctly and easily. To learn the letters, practise copying them in their printed form, at the same time repeating to yourself the different sounds they represent.

Russian has its own handwriting but for the present we shall confine ourselves to the printed alphabet until you are quite familiar with it.

In all words of more than one syllable, both in English and Russian, one syllable is pronounced with more emphasis than the others. (For instance, in the English word "only" the first syllable has more emphasis than the second, whereas in the word "again" the second syllable is stressed.) There is no rule enabling you to tell on which syllable the emphasis is to be laid in a Russian word, and this knowledge can only be acquired by practice and habit. In this book, the emphasised syllable will be indicated by an accent ; for instance, то́лько *only* ; опя́ть *again*, but in ordinary Russian print no accents are given. It is no use your memorising words unless you take care to learn both the pronunciation and the stress correctly ; but provided you do this, the more Russian words you learn the better. To be master of a language you must learn the grammar, but even disjointed words will often serve to convey your meaning ; and if you concentrate from the outset on building up a large vocabulary, it will serve you in good stead when your knowledge of grammar becomes more complete.

The following reading exercises are intended to give you practice in Russian sounds. The words have been carefully chosen and, as you will see, they become longer as you proceed. Some of them closely resemble the English, and Exercise 3 contains a list of geographical names, most of which can be easily recognised.

It is not necessary to work right through the reading exercises before turning to Lesson 1, but if you omit any part of them now you should return to it later and not consider that you can read properly until you can pronounce all the words and phrases given there without difficulty.

Each section should be gone over several times and each different sound carefully studied and practised. Try to enunciate the words clearly making full use of your tongue and lips. Particular attention should be paid to the following sounds:

ж, ч, ш, щ, ц, ы, ай, ой, яй, ей, ый, ий, уй, юй.

Notice that in the combinations ые, ие, ое the vowels are sounded quite separately (ы-е; и-е; о-е).

Reading Exercise I

Винт, обед, цирк, спирт, центр, тигр, волк, слон, сад, двор, мак, там, дам, нам, сам, как, газ, кит, гипс, пять, кот, край, вой, свой, бой, чай, лай, нить, ночь, нрав, пой, пар, парк, пасть, пень, пёс, петь, печь, пир, план, плач, плащ, плен, плод, плот, плут, плюс, под, пол, полк, порт, пост, пруд, прут, прядь, прясть.

Пусть, путь, пух, пыл, пыль, рад, раз, рак, рай, рёв, речь, рис, ров, род, рожь, рок, роль, рост, рот, руль, ряд, сам, свет, свист, свод, свой, связь, серп, соль, сеть, скот, скрип, след, слезть, слечь, смех, сок, сорт, спирт, спорт, спрос, срок, стать, ствол, степь, сто, стог, стол, столь, стон, стул, стук, стыд, суд, сук, сход, счёт, съезд, так, такт, тем, темп, тип.

Тигр, тиф, толк, том, три, ты, тюк, ум, факт, флаг, фронт, хвост, хлеб, хлам, хлев, хлыст, хмель, ход, холм, храм, хрип, хрящ, цель, цепь, цинк, часть, час, чей, чем, честь, чех, чин, что, чуть, шаг, шар, швед, шерсть, шлем, шнур, штраф, шов, штык, шут, щи.

Reading Exercise II

Абрико́с, авантю́ра, автома́т, автомоби́ль, авторите́т, адмира́л, акаде́мия, аква́риум, аккура́тно, акроба́т, амфитеа́тр, анализи́ровать, англи́йский, аргу́мент, ва́жный, бы́стрый, бу́йный, бо́дрый, великоду́шный, покрови́тель, споко́йный, я́ркий, я́рмарка, я́корь, эпилепси́я, энтузиа́зм, эмансипа́ция.

Экстраордина́рный, экспеди́ция, экза́мен, шестна́дцать, шёлковый, чистосерде́чный, чу́вство, чуде́сный, челове́ческий, цивилиза́ция, хризанте́ма, хроно́метр, хму́рый, хло́пковый, фо́сфор, фотогра́фия, филантро́пия, упря́мый, услу́жливый, угрю́мый, вода́, молоко́, па́лка, кро́шка, коро́бка, спи́чка, папиро́са, таба́к, граммофо́н, газе́та, телегра́мма, телефо́н, маши́на, силуэ́т.

Панора́ма, пирами́да, аппети́т, хи́мия, до́ктор, инжене́р, меха́ник, капита́н, библиоте́ка, програ́мма, теа́тр, конце́рт, трамва́й, локомоти́в, бензи́н, элеме́нт, ла́мпа, магни́т, ко́мпас, диагра́мма, ка́рта, материа́л, контра́кт, конду́ктор, ста́нция, баро́метр, термо́метр, температу́ра, конденса́тор, аэропла́н, ко́мната, бараба́н, фа́брика, вино́, пи́во, пистоле́т, фунт, крокоди́л, фи́зика, университе́т, мини́стр, пу́шка, архи́в, двор.

Щади́ть, щека́, щу́ка, учи́лище, щит, щу́риться, ро́ща, шить, у́ши, шурша́ть, ша́пка, шелуха́, шо́пот, шу́мный, черта́, чистота́, чек, чита́тель, хорово́д, хорошо́, хозя́ин, хри́плый, рю́мка, руба́ха, зуб, зима́, здоро́вый, зано́за, разбо́йник, жёлтый, жизнь, же́ртва, весёлый, поросёнок, плёнка, пень, де́ньги.

Note that a word consisting of a single consonant such as в, *meaning* *in*, к = *to*, с = *with*, *merges in pronunciation with the following word* : в ко́мнате, *in the room*, к отцу́, *to the father*, с ним, *with him*.

Reading Exercise III

А́фрика, И́ндия, Ма́нчестер, Дне́стр, Галифа́кс, Занзиба́р, Нил, Ча́там, Парагва́й, Виннипе́г, Иерусали́м, Кипр, Цю́рих, Оде́сса, Я́ва, Сми́рна, Маро́кко, Ду́блин, Гватема́ла, Цейло́н, Евро́па, Тегера́н, Лапла́ндия, Варша́ва, Палести́на, Да́ния, Ма́льта, Зела́ндия, Перу́, Сиби́рь, Монтреа́ль, Ита́лия, Га́мбург, Иорда́н, Ни́цца, Гельсингфо́рс, Пеки́н, Роде́зия, Аберди́н, Лио́н, Индоста́н, Барсело́на, Кавка́з, Пана́ма, Ке́мбридж, Вальпара́йзо, Ле́стер, Испа́ния, Ва́шингтон, Ньюка́стль, Абиси́ния, Ка́пштадт, И́псвич, Белгра́д, Чика́го, Ри́га, Ливо́рно, Афганиста́н, Месси́на, Христиа́ния, Адриано́поль, Нева́, Еги́пет, И́тон, Гано́вер, Днепр, Ве́на, А́зия, Неа́поль, Пале́рмо, Алба́ния, Бе́льгия, Ирла́ндия, Ве́нгрия, Квебе́к, Дувр, Ме́ксика, Александри́я, Исла́ндия, Евфра́т, Жиро́нда, Рейн, Филаде́льфия, Гренла́ндия, Калифо́рния, Ме́льбурн, Алжи́р, О́ксфорд, Тринида́д, Амстерда́м, Укра́йна Сици́лия, Москва́, Румы́ния, Нидерла́нды, Шотла́ндия, Эльза́с, Че́стер, То́кио, А́нглия, Бра́дфорд, Да́нциг, Антве́рпен, Туни́с, Осте́нде, Болга́рия, Пернамбу́ко, Ха́рьков, Гибралта́р, Лиссабо́н, Арха́нгельск, О́сло, Далма́ция, Япо́ния, Роттерда́м, Афи́ны, Барбадо́с, Ки́ев, Ла́дога, Ютла́ндия, Э́тна, Берли́н, Севасто́поль, Яма́йка, Э́динбург, Шпицбе́рген, Чи́ли, Фра́нция, Бордо́, Норве́гия, Стокго́льм, Босфо́р, Верса́ль, Суэ́з, Брази́лия, Во́лга, Гло́стер, Константино́поль, Ло́ндон, Бра́йтон, Ро́честер, Флори́да, Ниага́ра, Бре́мен, Ве́ллингтон, Ванку́вер, Брита́ния, Вене́ция, Голла́ндия, Дама́ск, Лю́бек, Мадри́д, Мю́нхен, Брю́ссель, Те́мза, Ура́л.

Copy out the above list of geographical names in alphabetical order taking into consideration the second letter of each name as well as the first.

It is most important to learn to read smoothly and clearly, and you would do well to practise reading the following exercise carefully :—

Reading Exercise IV

Деревя́нный дом. Удо́бная кварти́ра. Дешёвая поку́пка. Ди́кие зве́ри. Гро́мкий разгово́р. Городско́й теа́тр. Дождли́вая пого́да. Осе́нний ве́чер. Знако́мые места́. Несча́стный слу́чай. Иностра́нная печать. Обыкнове́нное сре́дство. Далёкое расстоя́ние. Сере́брянная моне́та. Удовлетвори́тельный отве́т. Внима́тельный учени́к. Необъя́тное простра́нство. Шёлковый плато́к. Рези́новая ши́на. Шерстяно́е пла́тье. Честолюби́вый челове́к. Ще́дрое вознагражде́ние. Устаре́лый зако́н. Цеме́нтный заво́д. Шестна́дцатый день. Чу́ждый язы́к. Целесообра́зная ме́ра. Хо́дкий това́р. Общеупотреби́тельное сре́дство. Трудолюби́вые крестья́не. Распеча́танный конве́рт. Обяза́тельная слу́жба. Максима́льная пла́та.

Бы́стро несе́тся вниз по тече́нию краси́вый и си́льный парохо́д и ме́дленно дви́жутся навстре́чу ему́ берега́ могу́чей краса́вицы Во́лги. Всю́ду блеск воды́, всю́ду просто́р и свобо́да; ве́село-зеле́ны луга́, и ла́сково я́сно-голубо́е не́бо, в споко́йном движе́нии воды́ чу́ется сде́ржанная си́ла; в не́бе над не́ю сия́ет ще́дрое со́лнце ма́я; во́здух напо́ен сла́дким за́пахом хво́йных дере́вьев и све́жей листвы́. А берега́ все иду́т навстре́чу, ласка́я глаза́ и ду́шу свое́й красото́й, и всё но́вые карти́ны открыва́ются на них.

(М. Горький).

We shall now give you the Russian alphabet as it is written :—

Аа, Бб, Вв, Гг, Дд, Ее, Жж, Зз,
Ии, Кк, Лл, Мм, Нн, Оо, Пп, Рр,
Сс, Тт, Уу, Фф, Хх, Цц, Чч, Шш,
Щщ, ъ, ы, ь, Ээ, Юю, Яя.

To learn the written alphabet, it is simplest to take the letters in two groups. The first group contains those which, in the small form at least, are common to the Russian and English alphabets. There are fifteen of these. The second group consists of those signs which are peculiar to Russian.

1. *Аа, Вв, Ее, Зз, Ии, Кк, Мм,*
   Нн, Оо, Пп, Рр, Сс, Тт, Уу, Хх.
2. *Бб, Гг, Дд, Жж, Лл, Фф, Цц,*
   Чч, Шш, Щщ, ъ, ы, ь, Ээ, Юю, Яя.

Note that some people write *д* as *д*; *з* as *з*; *р* as *р*, and *т* as *т*. (Be careful to form the short tails of *ц* and *щ* correctly, so as to distinguish between *и*, *ш* and *у*; notice that the *ш* has three distinct strokes, unlike the English *w*).

In order to familiarise yourself with this writing, first copy out the whole alphabet several times, then practise writing the individual letters in any order until you can write them all, both capital and small, clearly and rapidly.

The following lines will show you how letters are joined to each other in Russian writing :—

Широка страна моя родная,
Много в ней лесов, полей и рек!
Я другой такой страны не знаю,
Где так вольно дышит человек.

LESSON 1

NOUNS

Genders

Having learned to read and write, you can now begin to learn some words. The vocabulary of the First Lesson consists solely of nouns, that is to say, names of persons or things of any kind.

There is no equivalent in Russian for the English words *a*, *an*, or *the*. Therefore, to take only one example, стол can mean either *table*, *a table*, or *the table*, according to the sense.

All the nouns in Russian are divided into three groups called genders : masculine, feminine, or neuter ; and when a noun is used in speech or writing, its gender must be taken into account. The importance of this point will be seen more clearly later.

With the names of living things it is generally easy to determine the gender. Thus матрóс, *sailor ;* дя́дя, *uncle*, are naturally masculine ; and племя́нница, *niece ;* хозя́йка, *hostess*, feminine ; whereas some nouns калéка, *cripple*, скря́га, *miser* and сиротá, *orphan*, can be either masculine or feminine ; but with the great majority of nouns the gender cannot be determined from the meaning. Thus день, *day*, is masculine, ночь, *night*, is feminine, and ýтро, *morning*, is neuter.

However, in such cases there is a clue to the gender, and it lies in the ending of the word. The gender of a word can be determined from the ending as follows :

1. Of masculine gender are words :

   (*a*) ending in a consonant, for instance : стол, *table*,

   and

   (*b*) ending in й, for instance : чай *tea*.

2. Of the feminine gender are words ending in а, я, ь, for instance : лáмпа, *lamp*, ды́ня, *melon*, тень, *shadow*.

3. Of the neuter gender, words ending in о or е, for instance окнó, *window*, пóле, *field*.

There are, however, some exceptions to the above rules. Thus a few words ending in ь are masculine and a few in мя neuter. The gender of such words will be shown as we come across them by the letters (m), (f), or (n) placed after them.

A noun denoting a single person or thing is said to be in the singular number, for instance : кни́га, *book* ; сестра́, *sister*. A noun denoting more than one person or thing is said to be in the plural. The method of forming the plural in Russian will be shown later.

Vocabulary

мир, world
живо́тное, animal
же́нщина, woman
ма́льчик, boy
луна́, moon
бума́га, paper
оте́ц, father
день (*m.*), day
окно́, window
ла́мпа, lamp
вре́мя (*n.*), time
звезда́, star
брат, brother
край, border, edge, region
нож, knife
стол, table
челове́к, human being
ко́рень (*m.*), root
вода́, water
де́вочка, girl
со́лнце, sun
газе́та, newspaper
село́, village
тень, shadow, shade
мать, mother
рой, swarm
ночь, night
ды́ня, melon
мо́ре, sea
не́бо, sky, heaven
сестра́, sister
чай, tea

Exercise I

Copy all the nouns given in the vocabulary and define their gender by their meaning or endings, putting after each word (M.) for masculine, (F.) for feminine, and (N.) for neuter, and then compare your exercise with the answers given on page 213 of the Key.

As has been implied already, you must not allow the study of Russian to become a kind of self-imposed penance and it is therefore important not to put in such long spells on grammar and vocabulary that the work becomes tedious. Be patient and take it easy. Try to treat the study of Russian as a recreation, like any other pleasant hobby. For instance, if you want to learn words, copy some on a strip of paper the size of a visiting card, slip it in your waistcoat pocket or your handbag, as the case may be, and then at odd moments during the day, at lunch, or in the train, say some words over to yourself in a whisper or even aloud if you can manage it. The more words you learn in this way the sooner you will be able to understand a Russian letter or newspaper article, or to say something in the language yourself.

While you are doing this spade work, do not be too worried if the pronunciation and grammar of what you say or write are not impeccably correct. With time, the ease with which you will memorise words and notice the grammatically correct way of saying sentences will grow, and by the time you have worked through this book thoroughly, you will be ready to converse in Russian, and to understand Russian films and books.

Whenever you have an opportunity of saying a few sentences or writing a short note in Russian, even while your stock of words and knowledge of grammar are still poor, say the sentence, or write a note to someone who knows Russian, and ask your friend to correct what you have said or written. Don't wait for perfection before you begin to use the language.

One further point. Try to form a small group for the study of Russian, or find a companion. You will get on far more easily and quickly if you are working with other people, since the language becomes more alive for you and you can begin to practise it directly. Use the Russian you learn. Say здра́вствуйте ? *how do you do ?* and спаси́бо, *thank you,* when you have a chance to do so and you will find that they remain in your mind all the better for it.

LESSON 2

NOUNS (*Continued*)

Vocabulary

страна́, country
ме́сяц, month
приме́р, example, instance
у́жин, supper
каранда́ш, pencil
ска́зка, tale, story
кни́га, book
кра́ска, paint, dye
неде́ля, week
ло́шадь, horse
зе́ркало, mirror
де́рево, tree
гора́, mountain
яд, poison
соба́ка, dog
ко́мната, room
пода́рок, present
час, hour
пти́ца, bird
ту́ча, thunder-cloud
хлеб, bread
река́, river
мину́та, minute
ве́чер, evening
пе́сня, song
дом, house
ма́сло, butter, oil
письмо́, letter
о́стров, island
сад, garden
стул, chair
о́зеро, lake
учи́тель, teacher
доро́га, road, way
го́род, town, city

Exercise 2

Copy the above words in writing and give their gender by putting after each word (M.) for masculine, (F.) for feminine and (N.) for neuter, then compare your exercise with the answers in the Key on page 213.

LESSON 3

ADJECTIVES

Nouns are often accompanied by other words which describe them. For instance, in the phrases *good boy*, *new ring*, *cloudy night*, the words *good*, *new*, and *cloudy* are used to show the qualities applied to the nouns *boy*, *ring*, and *night*. The words which describe nouns are in grammar called adjectives.

In English it is possible to use one noun to describe another, as in the phrases: *winter night* and *iron ring*, where *winter* and *iron*, which are themselves nouns, are used as adjectives to describe the other nouns *night* and *ring*. In Russian one noun cannot be used to describe another. It must first be transformed into an ordinary adjective by a change in ending. Thus in Russian *winter* is зимá, *night* ночь, *iron* желéзо and *ring* кольцо, but you cannot put these words together, as you can in English, to mean *winter night* and *iron ring*. Instead you must say зúмняя ночь and желéзное кольцо.

Adjectives in English are not changed when applied to nouns of different genders. You say: *a good father*, *a good mother*, *a good child*; *good* is the same in all these instances. This is not so with the Russian adjectives. Their endings change according to the gender of the noun which they are describing and correct speech demands that this rule shall be strictly observed. That is why, when we spoke of the division of the nouns into three gender-groups, we said that the gender of every noun must be learned. Adjectives which are applied to masculine nouns end in ый, ий or ой; those applied to feminine nouns in ая, or яя, and those applied to neuter nouns in ое or ее. We therefore say: дóбрый отéц, *good father;* дóбрая мать, *good mother;* дóброе дитя́, *good child;* сúний карандáш, *blue pencil;* сúняя лéнта, *blue ribbon;* сúнее нéбо, *blue sky;* большóй дом, *big house;* большáя комната, *big room;* большóе окнó, *big window*.

Vocabulary

хорóш-ий, ая, ее, good, nice, fine
нóв-ый, ая, ое, new
летн-ий, яя, ее, summer
рéдк-ий, ая, ое, rare
родн-óй, áя, óе, native
стáр-ый, ая, ое, old
больш-óй, áя, óе, big, large
я́сн-ый, ая, ое, clear, bright, distinct
крýгл-ый, ая, ое, round
крáсн-ый, ая, ое, red
богáт-ый, ая, ое, rich
бéдн-ый, ая, ое, poor
глубóк-ий, ая, ое, deep
стáрш-ий, ая, ое, elder
млáдш-ий, ая, ое, younger
сúльн-ый, ая, ое, strong
высóк-ий, ая, ое, high, tall
длúнн-ый, ая, ое, long
óстр-ый, ая, ое, sharp
смешн-óй, áя, óе, funny, ludicrous
стрáнн-ый, ая, ое, strange, odd, queer
холóдн-ый, ая, ое, cold
рабóч-ий, ая, ее, working, worker
красúв-ый, ая, ое, pretty, handsome
дóбр-ый, ая, ое, kind, good
бéл-ый, ая, ое, white
я́рк-ий, ая, ое, bright, vivid
тёмн-ый, ая, ое, dark
дúк-ий, ая, ое, wild
спéл-ый, ая, ое, ripe
сúн-ий, яя, ее, blue
свéж-ий, ая, ее, fresh
óблачн-ый, ая, ое, cloudy
шýмн-ый, ая, ое, noisy
дорог-óй, áя, óе, dear
прилéжн-ый, ая, ое, diligent
вéрн-ый, ая, ое, faithful, certain, sure
мáленьк-ий, ая, ое, small
дешёв-ый, ая, ое, cheap
корóтк-ий, ая, ое, short
пóлн-ый, ая, ое, full, complete
госудáрство, state
корзúна, basket

Exercise 3

Now first read the following sentences aloud, then copy them and finally translate them into English and compare with the Key :—

1. Дóбрый отéц. 2. Дорогáя мать. 3. Прилéжный мáльчик. 4. Прилéжная дéвочка. 5. Роднáя странá. 6. Нóвая кнúга. 7. Стáрая лóшадь. 8. Крýглое зéркало. 9. Красúвое дéрево. 10. Вéрная собáка. 11. Сúнее мóре. 12. Тёмная тýча. 13. Дешёвое мáсло. 14. Óблачное нéбо. 15. Свéжее молокó. 16. Бéлая бумáга. 17. Холóдный вéчер. 18. Глубóкая рекá. 19. Роднóе селó. 20. Крáсный карандáш. 21. Хорóший мáльчик. 22. Нóвый стул.

23. Ре́дкое живо́тное. 24. Но́вый мир. 25. Си́льная ло́шадь. 26. Я́ркая звезда́. 27. Ди́кая пти́ца. 28. Холо́дная вода́. 29. Глубо́кое о́зеро. 30. Ле́тний день. 31. Большо́е окно́. 32. Но́вая ла́мпа. 33. Рабо́чее вре́мя. 34. Ста́рший брат. 35. Бога́тый челове́к. 36. Све́жий ко́рень. 37. Ма́ленькая де́вочка. 38. Бе́дная же́нщина. 39. Шу́мный рой. 40. Бе́дная страна́. 41. Мла́дшая сестра́. 42. Си́няя кра́ска. 43. Хоро́ший приме́р. 44. Си́льный яд. 45. Ди́кий о́стров. 46. Но́вая кры́ша. 47. Высо́кая гора́. 48. Си́няя бума́га. 49. Я́ркое со́лнце. 50. Краси́вая пе́сня. 51. Ле́тний ме́сяц. 52. Зи́мний ве́чер. 53. Спе́лая ды́ня. 54. Коро́ткое письмо́. 55. Стра́нный челове́к. 56. По́лная корзи́на.

Translate the following into Russian, carefully observing the gender of the adjectives applied to the nouns and compare with the Key :—

1. An old song. 2. A summer night. 3. A cloudy day. 4. The old mother. 5. A round window. 6. A new book. 7. An old tree. 8. A pretty house. 9. A high mountain. 10. An old dog. 11. A large room. 12. A bright star. 13. Dear brother. 14. A blue lamp. 15. A summer evening. 16. A winter night. 17. A good melon. 18. A large village. 19. A clear sky. 20. White paper. 21. A pretty song. 22. A working horse. 23. An old mirror. 24. Strong wind. 25. A rich and strong state. 26. A new roof. 27. A high mountain. 28. Blue paper. 29. Bright sun. 30. An old garden. 31. A summer month. 32. A winter evening. 33. An expensive present. 34. Strong poison. 35. A deep lake. 36. A large island. 37. Bright paint. 38. A working week. 39. A savage region. 40. A poor woman. 41. A short day. 42. A small girl. 43. A dark shadow. 44. A blue sky. 45. A strong animal. 46. A diligent boy. 47. A summer day. 48. Funny story. 49. A sharp knife.

LESSON 4.

PRONOUNS

In Russian, as in English, there are certain words which are used instead of nouns for the sake of brevity and in order to avoid repetition, for instance: *we are all working,* мы все рабо́таем.

Nobody is lagging behind, никто́ не отстаёт. *We, all, nobody,* мы, все, никто́, are pronouns.

Some words are used instead of adjectives and numerals, for instance: *the weather was warm. Such weather is rare here.* Пого́да была́ тёплая. Така́я пого́да быва́ет здесь ре́дко. *I have fifteen books. My friend has as many.* Я име́ю пятна́дцать книг. У моего́ дру́га сто́лько-же. *Such* and *many,* така́я, сто́лько, are pronouns. Like Russian adjectives, pronouns must also be of the same gender as the nouns to which they refer. Therefore we say: этот чай, *this tea;* эта вода́, *this water;* это молоко́, *this milk;* наш стол, *our table;* на́ша ла́мпа, *our lamp;* на́ше зе́ркало, *our mirror;* Чей каранда́ш? *Whose pencil?* Чья бума́га? *Whose paper?* Чьё перо́? *Whose pen?*, etc. *This, our, whose,* remain unchanged in English. Some pronouns have one and the same form for all the three genders, for instance: кто? *who?*, что? *what?*

Ты and твой, твоя́, твоё, *thou, thy* and *thine,* are now only used in intimate conversation with relations, friends and children and when addressing animals. Вы, Ваш, Ва́ша, Ва́ше are generally used between acquaintances and strangers. Вы, Ваш, Ва́ша, Ва́ше are written with a capital letter in order to distinguish the singular form from the plural form. For instance: Я прошу́ Вас, *I request you* (one person); Я прошу́ вас (several persons).

Ты, твой used to be applied in pre-revolutionary days when addressing those who were considered as inferior in the social scale. Of course, nowadays no such distinction exists, consequently the polite form of the pronoun Вы, Ваш is used.

His is expressed by его́, *her* or *hers,* её, *its,* его́, *their* or *theirs* их, which in fact mean: *of him, of her, of it, of them.*

Notice that его is pronounced as if it were written ево.

Expressions: *this is, that is, these are, those are,* are all translated in Russian by the single word, это. *Where is ?, where are ?,* are translated где, and *here is, here are, there is, there are,* by вот.

Note that the English sentences, *I am, thou art, he, she, it is, you are, they are,* are translated in Russian so that the words *am, art, is, are,* are omitted. Example: *I am at home* is simply transated я до́ма; *who are they?,* кто они́?; *where is it?,* где э́то?

Vocabulary

я, I
мы, we
ты, thou
вы, you
он, he
она́, she
оно́, it
они́, they
себя́, oneself, myself, himself, etc.
мой (*m.*), моя́ (*f.*), моё (*n.*), my, mine
како́й-ли́бо, кака́я-ли́бо, како́е-ли́бо — some, any
како́й-нибу́дь, кака́я-нибу́дь, како́е-нибу́дь — whatever
кото́рый, ая, ое, which, who
чей, чья́, чьё, whose
ско́лько? how much? how many?
ка́ждый, ая, ое, every one, each
весь, вся, всё, all
вся́кий, ая, ое, any one, anybody
са́мый, ая, ое, the most
сам, сама́, само́, self, same
кто-нибу́дь, some one
кото́рый, кото́рая, кото́рое — нибу́дь, any one
и, and
а, but
где? where?
и́ли, or
здесь, here
а́дрес, address
кры́ша, roof
я́блоко, apple
сло́во, word
ле́нта, ribbon, band
па́лка, stick
мя́со, meat
у́лица, street
рабо́та, work
почти́, almost
зада́ча, problem, task
отдалённ-ый, ая, ое, remote
до́ма, at home
мо́лния, lightning
молоко́, milk
твой (*m.*), твоя́ (*f*), твоё (*n.*), thy, thine
свой, своя́, своё, my, thy, his, etc., own
наш, на́ша, на́ше, our, ours
ваш, ва́ша, ва́ше, your, yours
э́тот, э́та, э́то, this
тот, та, то, that
тако́й, така́я, тако́е, such
сто́лько, so many, so much, as many, as much
кто? who?
что? what?
како́й, кака́я, како́е? what? which?
никто́, nobody
ничто́, nothing
никако́й, а́я, о́е, none, not any
ниче́й, ничья́, ничьё, nobody's
не́что, something
не́кто, some one
не́который, ая, ое, some, certain
не́кий, ая, ое, certain
не́сколько, some, a few, several, somewhat
кто́-то, кто-ли́бо, someone.

что́-то, что-ли́бо, something
чей / чья / чье ли́бо, whose-ever
кое-како́й, ая, ое, some
ко́е-кто, some
ко́е-что, something, a little
бога́тство, wealth, riches
тру́дн-ый, ая, ое. difficult
се́р-ый, ая, ое, grey
там, there
горя́ч-ий, ая, ее, hot
плох-о́й, ая, ое, bad
тёпл-ый, ая, ое, warm
пого́да, weather
пуст-о́й, ая, ое, empty
лёгк-ий, ая, ое, easy, light, slight
тяжёл-ый, ая, ое, heavy, hard, difficult
далёк-ий, ая, ое, distant, far, remote
у́тренн-ий, яя. ее, morning
мо́лот, hammer

Exercise 4

First read the following sentences, then copy and finally translate them into English and compare with the Key :—

1. Что э́то ? 2. Э́то газе́та. 3. Э́то наш дом. 4. Где на́ша кни́га ? 5. Вот она́. 6. Кто э́то ? 7. Это мой сын. 8. Где де́рево ? 9. Вот де́рево. 10. Где кру́глое окно́ ? 11. Вот кру́глое окно́. 12. Я здесь. 13. Вы и они́ там. 14. Где он и она́ ? 15. Вы там, а мой брат здесь. 16. Где дитя́ ? 17. Оно́ здесь. 18. Они́ до́ма. 19. Ва́ша и на́ша ко́мната. 20. Моя́ и его́ сестра́ до́ма. 21. Твой и мой оте́ц. 22. Ваш и наш дом. 23. Моё спе́лое я́блоко. 24. Твой тяжёлый стол. 25. Твоя́ ве́рная соба́ка. 26. Кто твой оте́ц ? 27. Он — рабо́чий. 28. Ее холо́дное молоко́. 29. Его́ горя́чий чай. 30. Ка́ждое но́вое сло́во. 31. Ваш ста́рый а́дрес. 32. Их тру́дная зада́ча. 33. Их тяжёлая па́лка. 34. Кака́я дли́нная у́лица ! 35. Кото́рый ваш дом ? 36. Чья э́то си́льная ло́шадь ? 37. Ее ста́рый оте́ц — бе́дный челове́к. 38. Э́то тру́дное сло́во. 39. Кто здесь ? 40. Это — мы! 41. Что это ? 42. Это у́тренняя газе́та. 43. Кака́я э́то кни́га ? 44. Э́то на́ша кни́га. 45. Э́та рабо́та тру́дная, а та — лёгкая. 46. Те де́вочки — сёстры. 47. Ваш дешёвый каранда́ш. 48. Тако́й большо́й

дом! 49. Его́ кру́глый стол там. 50. Э́та кни́га моя́. 51. Э́то моя́ кни́га. 52. Вся ста́рая кры́ша. 53. Мо́й ста́рший бра́т. 54. Его́ мла́дшая сестра́. 55. Кто здесь? 56. Они́ здесь. 57. Её ру́сская кни́га. 58. Та бе́лая бума́га моя́. 59. Э́та бога́тая страна́. 60. Её дешёвая ла́мпа. 61. Весь наш дом. 62. Ка́ждое но́вое сло́во. 63. Чья э́то ру́сская газе́та? 64. На́ша си́льная страна́. 65. Всё све́жее молоко́. 66. Мы и́ли вы. 67. Её но́вый а́дрес. 68. Ка́ждый приле́жный ма́льчик. 69. Ка́ждая ди́кая пти́ца. 70. Ваш пусто́й дом. 71. Кака́я тёплая пого́да! 72. Э́то я́блоко зелёное, а то спе́лое. 73. Кака́я э́то ле́нта? 74. Э́то си́няя ле́нта. 75. Чья э́то шля́па? 76. Э́то моя́ шля́па. 77. Ва́ша э́та газе́та? 78. Нет, э́то не моя́ газе́та. 79. Ва́ша шля́па се́рая. 80. Его́ тяжёлый мо́лот.

Translate into Russian, carefully observing the gender of the pronoun and adjective applied to the noun :—

1. Where is the window? 2. Here is the window. 3. Where is the mirror? 4. The mirror is here. 5. There is the newspaper. 6. The father is there. 7. The sister is here. 8. Where is the mother? 9. What is this? 10. This is a shadow. 11. The sea is there. 12. Where is the border? 13. The table is here. 14. What is that? 15. That is tea. 16. Where is the newspaper? 17. That difficult time. 18. The whole town. 19. His old mother. 20. Her address. 21. The whole book. 22. Whose stick is it? 23. His diligent pupil. 24. The whole night. 25. What a pretty tree! 26. This Russian newspaper. 27. Whose apple is this? 28. Your easy work. 29. All the meat. 30. Whose newspaper is there? 31. Thy new ring. 32. Thy old mother. 33. This high mountain. 34. That round mirror. 35. Each room. 36. The whole week. 37. The whole evening. 38. The whole time. 39. Every bright star. 40. Their horse. 41. This red pencil is theirs. 42. Where is his chair? 43. This Russian song. 44. Where is the fresh butter? 45. It is here. 46. Whose paper is that over there? 47. It is mine. 48. This rare animal. 49. Whose is that large house? 50. This cold milk is yours and that tea is mine. 51. Her younger sister. 52. Her blue ribbon. 53. Our warm country. 54. This empty room. 55. That iron roof. 56. What a bright flash of lightning!

LESSON 5

DECLENSION OF NOUNS, ADJECTIVES AND PRONOUNS

In the next few lessons we shall extend our study of nouns, adjectives and pronouns so as to become familiar with the changes which they undergo in speech and writing. This is one of the most important sections of Russian grammar and the knowledge of the endings will do much to give us a proper understanding of the language.

Nouns may serve various purposes in a sentence. For example, let us take the word *sister* in the following four sentences :—

My sister is clever	.. ..	Nominative Case
I praise my sister	.. ..	Accusative ,,
This is my sister's book	..	Genitive ,,
I give the book to my sister	..	Dative ,,

In the first of these *my sister* is the subject of the sentence, in the second the direct object. In the third the noun *sister* is shown as the possessor of the " book " and in the fourth *my sister* is the indirect object.

In Russian a noun undergoes changes in its ending according to the part it plays in a sentence. The changes are called DECLENSIONS. The different forms are known as cases. Thus when a noun stands as the subject of a sentence it appears in the NOMINATIVE case, the ordinary form in which you learn it: сестрá, *sister.* When it is the direct object, it is in the ACCUSATIVE case: сестрý, *sister.* The possessive form is called the GENITIVE case: сестры́, *of the sister,* and for the indirect object the DATIVE case is used: сестрé, *to the sister.* So you see that when in English you use *sister's,* or *of the sister,* or *to the sister,* in Russian you have to change the ending as there are no equivalents in Russian similar to the English *of* and *to.* *The son's book,* кни́га сы́на; *the roof of the house,* кры́ша дóма; *greetings to your sister!* привéт сестрé!

Adjectives and pronouns are also declined and have their own endings in the four cases that have been mentioned. They must agree with the noun to which they refer in gender and number as well as in case. Therefore, to return to the four sentences, *my sister* will be in the first sentence: моя́ сестрá, in the second, мою́ сестрý, in the third моéй сестры́, and in the fourth моéй сестрé. Similarly, if in these sentences we had *my elder sister* instead of *my sister,* we should have respectively: моя́ стáршая сестра́, мою́ ста́ршую сестру́, мое́й ста́ршей сестры́, мое́й ста́ршей сестре́.

At present we shall confine ourselves solely to the declension of nouns. Mention has been made so far of four cases :—

Nominative (Subject)	сестра́	*sister, the sister, a sister.*
Accusative (Direct Object)	сестру́	*sister, the sister, a sister.*
Genitive (Possessive	сестры́	*of the sister, of a sister, sister's.*
Dative (Indirect Object)	сестре́	*to the sister, to a sister.*

It will help you to detect the case of the noun and of words relating to it in a sentence if you remember that each case answers one of the following questions :—

Nom. : *Who ?* (кто ?) сестра́ ; or *what?* (что ?) стол, окно́.

Acc. : *Whom?* (кого́ ?) сестру́ ; *what?* (что ?) стол, окно́.

Gen. : *Whose?* (кого́ ?) сестры́ ; *of what?* (чего́ ?) стола́, окна́

Dat. : *To whom?* (кому́ ?) сестре́ ; or *to what?* (чему́ ?) столу́, окну́.

There are two more cases called " Instrumental " and " Prepositional," which will be introduced later.

We shall begin with the Genitive case, and the following three essons, Nos. 5, 6 and 7, will give you practice in the use of it.

Genitive of Masculine Nouns

As has been said before, masculine nouns end in the Nominative case in a consonant, й or ь. The Genitive case of those ending in a consonant is formed by adding а to the Nominative, e.g., ма́льчик, *boy,* ма́льчика, *of a boy.* The Genitive of those ending in й or ь is formed by substituting я for й or ь, e.g., герой, *hero,* геро́я, *of a hero* ; писа́тель *writer,* писа́теля, *of a writer.*

You will notice that in the following Vocabulary the Genitive of some words is shown after them. This is because the Genitive case of these nouns is irregular : either it has lost a vowel which was present in the Nominative, e.g., отца́ from отец, or it has received an extra syllable like вре́мени from вре́мя. In future every irregular Genitive will be shown, because other cases of the noun are formed from the Genitive, but the ending of the Genitive is dropped when forming the other cases, for instance: Nom. оте́ц; Gen. and Accus. отц-а́; Dat. отцу́. Nom. вре́мя; Accus. вре́мя; Gen. and Dat. вре́м-ени.

Vocabulary

учени́к, pupil
ру́чка, handle, penholder
трамва́й, tramway
остано́вка, (the) stop, stopping place
длина́, (the) length
рука́в, sleeve
стари́к, old man
жи́тель, inhabitant
но́мер, number
телефо́н, telephone
руль, rudder
снег, snow
медве́дь, bear
внук, grandson
вну́чка, granddaughter
го́лос, voice
наро́д, people
биле́т, ticket
пассажи́р, passenger
аэропла́н, aeroplane
си́ла, force, strength
ве́тер, ве́тра, wind
стекло́, glass
лимона́д, lemonade
сто́рож, watchman
член, member
клуб, club
и́мя, и́мени, name
цвет, colour
рома́н, novel
писа́тель, writer
прихо́д, arrival
отхо́д, departure
приро́да, nature
рестора́н, restaurant
отве́т, answer, reply
оте́ц, отца́, father
музе́й, museum
оде́жда, clothes
цена́, price
у́голь, угля́, coal
смех, laughter
дитя́, дитя́ти, child
зелёный, ая, ое, green
парохо́д, steamer
капита́н, captain
зда́ние, building
по́езд, train
коне́ц, end
садо́вник, gardener
янва́рь, January
о́тдых, rest
возвраще́ние, return
нача́ло, beginning

Exercise 5

Read this exercise aloud, copy it, and translate it into English :—

1. Час о́тдыха. 2. Коне́ц конце́рта. 3. Нача́ло января́. 4. Член клу́ба. 5. Зда́ние музе́я. 6. Стака́н

лимона́да. 7. Капита́н парохо́да. 8. Си́ла ве́тра. 9. Пода́рок отца́. 10. Смех ребёнка. 11. Цена́ угля́. 12. Биле́т пассажи́ра. 13. Го́лос наро́да. 14. У́лица Ле́нина. 15. Внук старика́. 16. Шку́ра медве́дя. 17. Цвет сне́га. 18. Но́мер телефо́на. 19. Жи́тель го́рода. 20. Вре́мя прихо́да и отхо́да по́езда. 21. А́дрес рестора́на. 22. Но́вый рома́н писа́теля. 23. Длина́ рукава́. 24. Остано́вка трамва́я. 25. Вопро́с учи́теля. 26. Отве́т ученика́. 27. Цвет ча́я. 28. Руль аэропла́на. 29. Сад сосе́да. 30. Каранда́ш ученика́. 31. Кни́га отца́. 32. Ло́моть хле́ба. 33. Ло́шадь садо́вника. 34. Ко́мната сто́рожа. 35. Отдалённый о́стров. 36. Где́ остано́вка трамва́я? 37. Лёгкий ве́тер. 38. Кто э́то? 39. Э́то наш садо́вник. 40. Что э́то? 41. Э́то кра́сная кра́ска. 42. Чьё э́то зе́ркало? 43. Мой оте́ц до́ма. 44. Лимона́д здесь, а пи́во там. 45. Кто там? 46. Это я. 47. Где рестора́н? 48. Он там. 49. Где они́? 50. Где капита́н? 51. Он там. 52. Здесь на́ша сестра́? 53. Да, она́ здесь. 54. Си́ний цвет. 55. Ста́рый медве́дь. 56. Ру́чка ученика́. 57. Оде́жда садо́вника.

Translate into Russian :—

1. The captain's dog. 2. The Club telephone. 3. The teacher's voice. 4. The name of the writer. 5. The pupil's question. 6. The strength of the bear. 7. The colour of coal. 8. The laughter of the sister. 9. The time of rest. 10. The grandson's apple. 11. The gardener's work. 12. The watchman's stick. 13. The beginning of the evening. 14. The boy's book. 15. The end of the day. 16. The colour of the snow. 17. The price of the pencil. 18. The hero's present. 19. The length of the island. 20. The passenger's name. 21. The father's answer. 22. Who is this passenger ? 23. He is a writer. 24. Cold milk. 25. Pretty present. 26. Fresh wind. 27. Dark glass. 28. Whose voice is it ? 29. This is the voice of the teacher. 30. End of January. 31. Where is the blue ribbon ? 32. It is here. 33. This cold beer. 34. Who is she ? 35. She is my sister. 36. The tramway stop is here. 37. Where is your ticket ? 38. Here it is. 39. Where is the steamer's rudder ? 40. The price of coal. 41. Fresh meat. 42. Cold lemonade.

LESSON 6.

Genitive of Feminine Nouns

Feminine nouns, as you have learned already, end in the Nominative case in а, я or ь. The Genitive of those ending in а is formed by changing а to ы, as for example ко́мната, *room;* ко́мнаты, *of a room.* If, however, the а of the Nominative has been taken away so that the word ends with г, к, х, ж, ч, ш or щ, the Genitive will end in и instead of ы. The reason for this is that ы can never stand immediately after any of the seven letters just mentioned. Nouns whose Nominative ends in я or ь change that ending into и in the Genitive, e.g., неде́ля, *week;* неде́ли, *of a week;* дверь, *door;* две́ри, *of a door.*

Vocabulary

буты́лка, bottle
папиро́са, cigarette
ча́шка, cup
назва́ние, title, name
спи́чка, match
вход, entrance
вы́ход, exit
ви́лка, fork
понеде́льник, Monday
страни́ца, page
ло́жка, spoon
гости́ница, hotel
игра́, game
ле́стница, staircase, ladder
конве́рт, envelope
потоло́к, ceiling
ширина́, width, breadth
каю́та, cabin
дочь, до́чери, daughter
бе́рег, bank, coast
берёза, birch
луч, ray
це́ль, aim, purpose
лес, forest, wood
блеск, the shining
две́рь, door
пра́вило, rule
вто́рник, Tuesday
кварти́ра, apartment, flat
столи́ца, capital
исто́рия, history
ка́рта, map
полови́на, half
верши́на, summit
ве́твь, branch
грани́ца, boundary, frontier
гру́ша, pear
ви́шня, cherry
глубина́, depth
зима́, winter
о́сень, autumn
вкус, taste
ка́сса, cash desk
гнездо́, nest
пое́здка, journey
прогу́лка, walk
наде́жда, hope
любо́вь, love
разреше́ние, solution, permission
чу́вство, feeling, sentiment
голова́, head
инжене́р, engineer

Exercise 6

Translate into English :—

1. Буты́лка воды́. 2. Цвет ча́шки. 3. Цена́ папиро́сы. 4. Полови́на спи́чки. 5. Зда́ние по́чты. 6. Коне́ц о́сени и нача́ло зимы́. 7. Верши́на горы́. 8. Гнездо́ пти́цы. 9. Рестора́н гости́ницы. 10. Учи́тель исто́рии. 11. Но́мер кварти́ры. 12. Бе́рег реки́. 13. Го́лос ма́тери. 14. Письмо́ до́чери. 15. Пра́вило игры́. 16. Бога́тство страны́. 17. Вкус гру́ши. 18. Цвет ви́шни. 19. Грани́ца дере́вни. 20. Пра́вая сторона́ у́лицы. 21. Дверь фа́брики. 22. День неде́ли. 23. Ширина́ доро́ги. 24. Назва́ние газе́ты. 25. И́мя столи́цы. 26. Секу́нда — часть мину́ты. 27. Коне́ц страни́цы. 28. Цена́ ножа́, ви́лки и ло́жки. 29. Ветвь берёзы. 30. Цель пое́здки. 31. Луч наде́жды. 32. Голова́ де́вочки. 33. Разреше́ние зада́чи. 34. Вре́мя прогу́лки. 35. Цвет сне́га. 36. Чу́вство любви́. 37. Ча́шка ма́тери. 38. Вода́ реки́. 39. Цвет ды́ни. 40. Тень са́да. 41. Сто́рож фа́брики. 42. Пассажи́р аэропла́на. 43. Луч звезды́. 44. Вре́мя обе́да. 45. Потоло́к ко́мнаты. 46. Дверь каю́ты.

Translate into Russian :—

1. A page of the book. 2. The watchman's telephone. 3. The old man's cigarette. 4. The end of the week. 5. The map of the capital. 6. The name of the hotel. 7. The length of the street. 8. The width of the sleeve. 9. The name of the bird. 10. The colour of the hide. 11. The walk of the mother. 12. The book of the daughter. 13. A page of history. 14. The father's newspaper. 15. The grandson's pear. 16. A mother's love. 17. The hero's journey. 18. The boy's head. 19. The captain's permission. 20. The hour of work. 21. The length of the road. 22. The strength of the horse. 23. The price of the knife. 24. The nest of the bird. 25. The father's hope. 26. The root of the birch. 27. The house of the watchman. 28. The teacher of history. 29. The end of the winter. 30. The taste of water. 31. The colour of the paint. 32. The head of the dog. 33. The beginning of autumn. 34. The summit of the mountain. 35. The woman's mirror. 36. The taste of a cherry. 37. The edge of the road. 38. The colour of the star. 39. The

length of the stick. 40. The ray of a star. 41. The thickness of paper. 42. Lack of water. 43. The benefit of reading. 44. The depth of the river. 45. The size of the lake. 46. The thickness of the tree. 47. The taste of butter. 48. The colour of milk. 49. The price of wine. 50. The colour of the ribbon. 51. The journey of the engineer. 52. The border of the state. 53. The health of the gardener. 54. The end of autumn. 55. The name of the place. 56. The force of the wind. 57. The bear's paw. 58. The apartment of the engineer. 59. The purpose of the voyage. 60. The ray of the sun. 61. The width of the road. 62. The strength of the bear. 63. The colour of lemonade. 64. The wealth of the country. 65. The contents of the letter. 66. The thickness of the stick. 67. Work time. 68. The roof of the hotel. 69. The steep bank of the river. 70. The beauty of the summer. 71. The shining of the flame. 72. The size of the ring. 73. The length of the field.

LESSON 7.

Genitive of Neuter Nouns

Neuter nouns end in the Nominative (see page 10) in о or е and a few in мя. Those ending in о change the о into а and those ending in е change е into я in the Genitive case. For instance: окно́, *window;* окна́, *of the window;* по́ле, *field;* по́ля, *of the field.* Nouns ending in мя replace мя by ени; вре́мя, *time;* вре́мени, *of the time.*

Vocabulary

яйцо́, egg
значе́ние, meaning, significance
рисова́ние, drawing
сукно́, cloth
собра́ние, meeting
се́рдце, heart
рожде́ние, birth
толщина́, thickness
кость, bone
недоста́ток, lack
изобре́тение, invention
величина́, size
пла́тье, frock, dress, clothing
солда́т, soldier
пи́во, beer
населе́ние, population
о́блако, cloud
добы́ча, extraction (of minerals), booty
зо́лото, gold
серебро́, silver
то́чный, exact, accurate
за́падный, western
кусо́к, piece, lump
поле́но, log
интенси́вный, intensive
круто́й, ая, ое, steep

красота́, beauty
мы́ло, soap
лека́рство, medicine
чте́ние, reading
здоро́вье, health
си́ла, force, strength, power
ме́сто, place
пятно́, stain, spot
вино́, wine
дере́вня, village, countryside
по́льза, use, benefit, good
восхо́д, rise (sun)
содержа́ние, contents
ла́па, the paw
путеше́ствие, voyage, journey
произво́дство, production
давле́ние, pressure
зна́мя, зна́мени (*n.*), banner
во́йско, army
уро́к, lesson
пе́рвый, ая, ое, first
серьёзный, ая, ое, serious
боле́знь, illness
скорлупа́, shell
пла́мя, пла́мени (*n.*) flame
разме́р, size
насо́с, pump
коле́но, knee
за́пах, smell

Exercise 7

Translate into English :—

1. Ме́сто собра́ния. 2. День рожде́ния. 3. Стака́н пи́ва. 4. Буты́лка вина́. 5. Ко́рень де́рева. 6. Нача́ло письма́. 7. Кусо́к мы́ла. 8. Вкус лека́рства. 9. Здоро́вье населе́ния. 10. По́льза электри́чества. 11. Се́рдце челове́ка. 12. Цвет не́ба. 13. Тень о́блака. 14. Толщина́ сукна́. 15. Цена́ пла́тья. 16. Ча́шка молока́. 17. Недоста́ток вре́мени. 18. Содержа́ние кни́ги. 19. Ка́рта страны́. 20. Но́мер ме́ста. 21. Отве́т ученика́. 22. Величина́ пятна́. 23. Час чте́ния. 24. Изобре́тение телефо́на. 25. Цвет яйца́. 26. Уро́к рисова́ния. 27. Значе́ние сло́ва. 28. Ширина́ у́лицы. 29. Грани́ца по́ля. 30. Глубина́ мо́ря. 31. Населе́ние села́. 32. Восхо́д со́лнца. 33. Смех дитя́ти. 34. Бога́тая добы́ча зо́лота и серебра́. 35. То́чное значе́ние сло́ва. 36. За́падная грани́ца госуда́рства. 37. Больша́я ча́шка молока́. 38. Назва́ние села́. 39. Длина́ поле́на. 40. Интенси́вное произво́дство стекла́. 41. Краси́вое зна́мя во́йска. 42. Пе́рвый уро́к чте́ния. 43. Серьёзная боле́знь се́рдца. 44. Ме́сто гнезда́. 45. Бе́лая скорлупа́ яйца́. 46. Бе́рег реки́.

47. Кры́ша гости́ницы. 48. Си́ла медве́дя. 49. Толщина́ па́лки. 50 Бога́тство страны́. 51. Ширина́ доро́ги. 52. Си́ла давле́ния.

Translate into Russian :—

1. The smell of soap. 2. The price of the cloth. 3. The number of the seat. 4. The depth of the lake. 5. The thickness of the tree. 6. The price of wine. 7. The colour of the stain. 8. The size of the nest. 9. The health of the girl. 10. The end of summer. 11. The apartment of the writer. 12. The captain's dog. 13. The club telephone. 14. The teacher's voice. 15. The name of the writer. 16. The pupil's question. 17. The strength of the bear. 18. The colour of coal. 19. The laughter of the sister. 20. The time of rest. 21. The grandson's apple. 22. The gardener's work. 23. The watchman's stick. 24. The beginning of the evening. 25. The boy's book. 26. The end of the day. 27. The colour of the snow. 28. The price of the pencil. 29. The present of the hero.

LESSON 8.

Dative of Masculine, Feminine and Neuter Nouns

You have seen in the preceding exercises how the endings of nouns of various genders are changed when you wish to express in Russian what is expressed in English by means of the word "of."

In other words, you have declined nouns of the three genders in the Genitive case.

Now note the changes the nouns undergo when you wish to express in Russian the relation existing between words in a sentence denoted in English by the word *to*.

Masculine nouns ending in a consonant and neuter nouns ending in о take у in the Dative case : ма́льчик, *boy;* ма́льчик-у, *to the boy;* не́бо, *sky;* не́б-у, *to the sky.* Masculine nouns ending in й or ь and neuter nouns in е take ю : лентя́-й, *idler;* лентя́-ю, *to the idler;* учи́тел-ь, *teacher;* учи́тел-ю, *to the teacher;* по́ле, *field;* по́л-ю, *to the field.*

Feminine nouns ending in а or я take е: сестра́, *sister;* сестр-е́, *to the sister;* стату́я, *statue;* стату́-е, *to the statue.* Nouns ending in ь and in я if я is preceded by и take и: ло́шадь, *horse;* ло́шад-и, *to the horse;* Фра́нция, *France;* Фра́нци-и, *to France.*

Vocabulary

ко́шка, cat
вну́чка, granddaughter
Фра́нция, France
вы говори́те, you say
насеко́мые, insects
носи́льщик, porter
неве́ста, bride
мы предложи́ли, we offered
он пи́шет, he writes
я иду́, I go
я помога́ю, I help, I am helping
приве́т, greetings
мы подари́ли, we gave a present
причини́л, caused
до́ктор, physician, doctor
заплати́ть, to pay
геро́й, hero
он пока́зывает, he shows
де́тский, children's, childish
часы́, a watch
де́душка, grandfather
гость, guest
я отвеча́ю, I answer
вопро́с, question
он посла́л, he has sent
меша́ет, hinders
ку́кла, doll
про́дал, sold, has sold
се́но, hay
они́ повину́ются, they obey
жена́, wife
он посыла́ет, he sends, he is sending
племя́нница, niece
я обеща́л, I promised
она́ обеща́ла, she promised

Exercise 8

Translate into English :—

1. Он дал пода́рок моей сестре́. 2. Я отвеча́ю ва́шему бра́ту. 3. Э́та ко́шка принадлежи́т на́шему сосе́ду. 4. Мы отвеча́ем учи́телю. 5. Что вы говори́те отцу́ ? 6. Он пи́шет письмо́ бра́ту. 7. Я иду́ к дру́гу. 8. Да́йте ко́шке молока́. 9. Ба́бушка рассказа́ла вну́ку и вну́чке ска́зку. 10. Он посыла́ет газе́ту учи́телю. 11. Я помога́ю садо́внику. 12. Оте́ц объясня́ет уро́к сы́ну. 13. Капита́н пока́зывает пассажи́ру руль парохо́да. 14. Же́нщина дала́ ло́шади се́на. 15. Мы посыла́ем приве́т геро́ю. 16. Плоха́я пого́да меша́ет рабо́те садо́вника. 17. Мы подари́ли писа́телю часы́. 18. Солда́ты повину́ются нача́льнику. 19. Я обеща́л э́ту кни́гу ва́шему дру́гу и его́ жене́. 20. Ско́лько вы заплати́ли носи́льщику ? 21. Э́та англича́нка даёт уро́ки моей до́чери. 22. Сын помога́ет отцу́ в его рабо́те. 23. Мать обеща́ла ма́ленькой до́чери ку́клу. 24. Я посыла́ю письмо́

дéдушке. 25. Дай э́ту кни́гу моéй сестрé. 26. О́льга идёт к бáбушке. 27. Поéзд подхóдит к стáнции.

Write the Genitive and Dative of the following nouns :—

1. сóлнце, 2. бумáга, 3. человéк, 4. газéта, 5. ночь, 6. край, 7. тень, 8. селó, 9. мóре. 10. собáка, 11. пти́ца, 12. дéрево, 13. слóво, 14. лéнта, 15. медвéдь, 16. прáвило, 17. истóрия, 18. óсень, 19. здорóвье, 20. сéрдце, 21. собрáние, 22. плáтье, 23. пóльза, 24. инженéр, 25. лáпа, 26. пáлка, 27. бáбушка, 28. сын.

Translate into Russian :—

1. We offered the best room to our guest and his wife. 2. Insects have caused much harm to this field. 3. He has sent a watch to his bride. 4. We shall write to Vera to-morrow. 5. He told Mary that he would be home late. 6. We have given clothes and food to the orphan. 7. My father has sold his house to our neighbour. 8. The captain paid the sailor his wages. 9. The sailor sent money to his wife. 10. The patient is grateful to the doctor. 11. We are sending these newspapers to the writer. 12. This island belongs to England. 13. We have sent some honey to the teacher. 14. The gardener has sold flowers to my sister. 15. Give some sugar to the boy. 16. The mother has sent her son to the doctor. 17. This stone house belongs to our uncle. 18. The Frenchman asks us in French and we answer in English. 19. We understand his questions, but we do not speak French. 20. The whole population are helping in the building of the school. 21. The mother allows her children to play on the sea beach. 22. The doctor advises the sick woman to drink milk. 23. The grandfather has promised to his grandson a book of fairy tales. 24. The father forbids his son to smoke, because the son is still very young. 25. She often contradicts her teacher.

LESSON 9.

VERBS

The remaining cases of nouns will be dealt with later. A complete sentence must contain a verb. Verbs are words which describe actions, e.g., *to read, to sing,* or states, e.g., *to stay, to sleep,* and in Russian, as in English, the verb takes various forms to show whether the action is present, past, future, etc. For example, in

English from the verb, *to write*, you have: *writes, wrote, written, will write, would write,* and so on. *To write,* писа́ть, is the Infinitive form, which denotes the name of the action or state, and in this form the Russian verb will always appear in the vocabulary.

Verbs are either regular or irregular. A regular verb is one which is conjugated regularly, that is to say, its different parts modify their endings according to models given below. Verbs which do not always follow the general rules are called Irregular.

Regular verbs in Russian end, in the Infinitive mood, either in ать, ять, еть or ить, for example, чита́ть, *to read;* гуля́ть, *to walk;* име́ть, *to have;* говори́ть, *to speak.* Full tables showing their conjugations will be given later. These may be used for reference at first, but should eventually be memorised.

Before dealing with regular verbs we shall learn the conjugation of an irregular verb that is very common: *to be,* быть. The Infinitive of a Russian verb is not preceded by the word *to.*

Быть means *to be, to be present, to be situated.* It is also used as an auxiliary verb. In English there are two auxiliary verbs: *to be* and *to have.* Auxiliary means "helping" and these two verbs are so called because they sometimes help to conjugate another verb, as for example in *it is written* where *is written* is the past tense of the verb *to write;* or *he has read* where *has read* is the past tense of the verb *to read.* In Russian only the verb *to be,* быть, is used as an auxiliary. The verb *to have* is never used in Russian as an auxiliary.

1. *The Present Tense* of the verb *to be* is not used and, as we have mentioned already in Lesson 4, it is usual to omit it where in an English sentence you would use the words *am, is* or *are.* Example: он-учени́к, *he is a pupil;* мы-сосе́ди, *we are neighbours;* кто вы? *who are you?;* этот дом мой, *this house is mine.* The only form used in certain expressions is есть, where it means *here is.*

2. *The Past Tense.*

я был (masc.), была́ (fem.), *I was.*

ты был (masc.), была́ (fem.), *thou wast.*

он был, *he was;* она́ была́, *she was;* оно́ было́, *it was;* мы, вы, они́, бы́ли, *we, you, they were* (for all genders).

3. *The Future Tense.*

я бу́ду, I shall be
ты бу́дешь, thou shalt be } For all genders.
он, она, оно бу́дет, *he, she, it will be*
мы бу́дем, *we shall* or *will be*
вы бу́дете, *you will be* } For all genders.
они бу́дут, *they will be*

4. *Conditional* (*or Subjunctive*) *Mood.* The Conditional Mood is formed by adding the word бы to the past. Consequently *I would be* in Russian is я был бы where a man is speaking, я была́ бы where a woman is speaking. *It would be* is оно́ бы́ло бы and *we should be* мы бы́ли бы. *You* or *they* would be вы, они́ бы́ли бы for all genders.

5. *Imperative Mood.*

Будь *Be ! (thou)* Пусть он бу́дет *Let him be !*
Бу́дем *Let us be !* бу́дьте *Be ! (ye)*
Пусть они́ бу́дут *Let them be !*

The negative form is expressed by placing the word не before the verb. Since in Russian the verb *to be* is not used in the present tense, я не здесь must be translated: *I am not here;* ты не трус, *thou art not a coward;* он не ма́льчик, *he is not a boy;* кни́га не но́вая, *the book is not new;* мы не де́ти, *we are not children;* вы не го́рды, *you are not proud;* я не был до́ма, *I was not at home.*

The interrogative form is expressed by putting the verb before the subject as in English when a question is asked.

For example: оте́ц был до́ма, *father was at home;* был оте́ц до́ма? *was father at home?*

The same sense can be given by raising the voice at the chief word in the sentence to which the question refers. For instance: оте́ц дома? is father *at home?;* оте́ц до́ма? *is father* at home?; был отец до́ма? was *father at home?*

A question may also be expressed by placing the word ли, which is about the equivalent to the English *whether,* just behind the word one wishes to stress in the interrogative sentence: до́ма-ли оте́ц? *is the father* at home?; отец-ли дома? *is the* father *at home?;* был-ли отец дома? was *the father at home?*

When, however, a sentence begins with a word which in itself implies a question кто, *who?* or что, *what?* or где, *where?* or когда́? *when?* etc., the subject generally remains before the verb and the verb is *not* followed by the particle ли. Examples: где вы были? *where were you?*; кто был здесь? *who was here?*; когда вы будете дома? *when will you be at home?*

Besides the verb быть, *to be*, there is also the verb бывáть which is conjugated like the regular verb читать and means *to be frequently, regularly, habitually*. Therefore when you say я был в музée you mean *I was in the museum at a certain time* (once); but when you say я бывáл в музée you mean to say: *I have visited the museum frequently. There are thick fogs in London in autumn* is translated: в Лóндоне бывáют густы́е тумáны. Он бывáет в контóре по утрáм, *he is generally at the office in the morning*. This second meaning of *to be*, бывáть, is invariably used whenever the word чáсто, *often, frequently* occurs. Чáсто бывáет, что я не обéдаю, *it is of frequent occurrence that I do not dine.*

Vocabulary

внизу́, downstairs
наверху́, upstairs
зимóй, in the winter
никогдá, never
учéбник, text book
ключ, key
больни́ца, hospital
сегóдня (pron. sevodnya), to-day
ширóкий, ая, ое, wide
свéтлый, ая, ое, light
днём, during the day
недáвно, recently
Вели́ко-Бритáния, Great Britain
у́тром, in the morning
зáвтра, to-morrow
вес, weight
геогрáфия, geography
окнó, window
ру́сский, Russian
англичáнин, Englishman
англичáнка, Englishwoman
мáрка, stamp
ни . . . ни, neither . . . nor
вóлос, hair
числó, date, number
вчерá, yesterday
óчень, very
Тéмза, Thames
жáркий, ая, ое, hot
Михаи́л, Michael
рóдина, Motherland
вéчером, during the evening
лéтом, in the summer
фами́лия, surname
семья́, family
дерéвня, village

Exercise 9

Translate into English:—

1. Где вáша кни́га? 2. Вот онá. 3. Где мой билéт? 4. Вáша кóмната внизу́ и́ли наверху́? 5. Моя́ сестрá

бу́дет зимо́й заграни́цей. 6. Э́та больша́я ко́мната была́ моя́. 7. Они́ не́ были здесь вчера́. 8. Бы́ли ли вы заграни́цей? 9. Кто он? 10. Он мой учени́к. 11. Э́та кни́га — учёбник исто́рии. 12. Он ру́сский, а его́ жена́ англича́нка. 13. Э́та ле́нта моя́, а та ва́ша. 14. Я быва́ю до́ма у́тром и ве́чером. 15. Он быва́л в Ло́ндоне ка́ждую зи́му. 16. Бы́ваете-ли Вы ча́сто в теа́тре? 17. Ученики́ иногда́ быва́ют лени́вы. 18. Это мой каранда́ш или твой? 19. Чья э́та газе́та? 20. Э́то зе́ркало не на́ше. 21. Где мой ключ? 22. Это высо́кое зда́ние не больни́ца, а музе́й. 23. Кото́рый но́мер ва́шего телефо́на? 24. Когда́ ты бу́дешь до́ма? 25. Где вы бы́ли вчера́? 26. Она не бу́дет здесь сего́дня. 27. Те́мза очень широ́кая река́. 28. Чья э́та ко́мната? 29. За́втра бу́дет о́чень жа́ркий день. 30. Ночь была́ све́тлая. 31. И́мя и фами́лия пассажи́ра Михаи́л Ива́нов. 32. Кто капита́н парохо́да „Ро́дина"? 33. Мой оте́ц не бу́дет до́ма днём. 34. Е́сть-ли у вас газе́та? 35. Будь терпели́в! 36. Э́тот англича́нин ча́сто быва́ет здесь. 37. Мы ре́дко быва́ем заграни́цей. 38. Кто бу́дет до́ма ве́чером? 39. Была́-ли она там у́тром? 40. Когда́ вы бу́дете здесь? 41. Бу́дьте внима́тельны! 42. Его́ ко́мната наверху́. 43. Её кни́га здесь. 44. Кото́рое сего́дня число́? 45. Он — мой сын. 46. Внук старика́. 47. Жи́тель го́рода. 48. Здоро́вье сестры́. 49. Зна́мя во́йска. 50. Пе́рвый уро́к геогра́фии. 51. День рожде́ния Михаи́ла. 52. Недоста́ток воды́. 53. Полови́на гру́ши. 54. Кто это? 55. Это наш садо́вник. 56. Никто́ не был до́ма вчера́ ве́чером.

Translate into Russian:—

1. A piece of silver. 2. The weight of gold. 3. The child's head. 4. Such an interesting book! 5. Whose spoon is it? 6. It is mine. 7. My native country. 8. Her new ribbon. 9. Warm weather. 10. This wild bird. 11. Our old horse. 12. An expensive voyage. 13. His rare book. 14. Red wine. 15. Cloudy sky. 16. Which house is yours? 17. The first house is ours. 18. What kind of tea is this? 19. The first month of the year is January. 20. A good

example. 21. Their blue ribbon. 22. A big apple. 23. An easy task. 24. He or you. 25. The end of the letter. 26. The taste of medicine. 27. The invention of the motor car. 28. To-day is Tuesday. 29. White snow. 30. Strong westerly wind. 31. The new history text book. 32. The Russian language. 33. A hot summer. 34. What date is to-day ? 35. A week of rest. 36. A cheap apartment. 37. I am here and he is there. 38. Where is your house ? 39. My brother was at home yesterday evening. 40. Were you abroad recently ? 41. London is the capital of Great Britain. 42. The mother of this boy is my sister. 43. The weather was cold this morning. 44. Your sister is here. 45. What is that ? 46. That is an apple. 47. Thou wast here yesterday. 48. What is your address ? 49. This is our street. 50. Who is she ? 51. Where were you yesterday ? 52. We were not at home. 53. Where will you be to-morrow ? 54. We shall be abroad in the winter. 55. Where is my dog ? 56. Who is this young man ? 57. He is not here. 58. He was here in the summer.

LESSON 10.

Shortened Adjectives

Now that we have learned the conjugation of the verb быть, *to be*, mention must be made of the shortened form of adjectives. The explanation of this form is as follows: Whenever an adjective comes before the noun which it describes, it will have the endings given on page 13. For example: здоро́вый ма́льчик, *a healthy boy;* здоро́вая де́вочка, *a healthy girl;* здоро́вое дитя́, *a healthy child.* If, however, instead of saying " a healthy boy" we say: *the boy is healthy,* a shortened form of adjective would be used in Russian and we should say ма́льчик здоро́в. The same would apply if we wished to say: *the girl was healthy, the child was healthy,* and so on. The shortened form of adjective is obtained in the masculine by dropping the ending ый, ий or ой. and substituting in the feminine а for ая and in the neuter о for ое respectively. All three genders end in the plural in ы, which is added to the stem of the adjective (or и when the stem ends in ж, ч, ш, щ or г, к, х).

We therefore say: здоро́вый ма́льчик for *healthy boy,* but мальчик здоро́в, был здоро́в, будет здоро́в for *the boy is, was, or will be healthy;* здоро́вая де́вочка for *healthy girl,* but де́вочка здоро́ва, была́ здоро́ва, бу́дет здоро́ва for *the girl is, was, or will be healthy;* здоро́вое дитя́ for *healthy child,* but дитя здоро́во, бы́ло здоро́во, бу́дет здоро́во for *the child is, was, or will be healthy.*

As the shortened forms of adjectives present difficulties for a beginner it is well to realise that it is never incorrect to use the full form. This makes hardly any difference in meaning.

Adjectives which have consonants before their endings ый, ий and ой, as in the words тру́дный, *difficult;* я́сный, *clear;* злой, *malicious, wicked;* лёгкий, *light;* больно́й, *ill;* drop these endings and о or е is put between the last two consonants in order to render the pronunciation of the word easy and clear. Therefore the shortened masculine form of the examples given will not be трудн, ясн, зл, легк, больн, but тру́ден, я́сен, зол, лёгок, бо́лен.

Vocabulary

ба́бушка, grandmother
внима́тельный, ая, ое, attentive
иностра́нный, ая, ое, foreign
плато́к (носово́й) (Gen. платка́), handkerchief
пла́вный, ая, ое, smooth
чи́стый, ая, ое, clean, pure
вку́сный, ая, ое, tasty
уста́лый, ая, ое, tired
трава́, grass
интере́сный, ая, ое, interesting
сли́шком, too
изве́стный, ая, ое, well known
за́нятый, ая, ое, occupied, busy, engaged
свобо́дный, ая, ое, free
терпели́вый, ая, ое, patient
то́нкий, ая, ое, thin
соверше́нно, quite, completely
нея́сный, ая, ое, indistinct, vague
но, but
сла́дкий, ая, ое, sweet
во́здух, air
закры́тый, ая, ое, closed
тече́ние, current, course
откры́тый, ая, ое, open
глу́пый, ая, ое, stupid, silly
а́рмия, army
у́мный, ая, ое, clever
любопы́тный, ая, ое, curious
ну́жный, ая, ое, necessary
ра́но, early
прекра́сный, ая, ое, beautiful
прия́тный, ая, ое, pleasant
подзе́мный, ая, ое, underground
рассе́янный, ая, ое, absent-minded
всегда́, always
обе́д, dinner
ещё, still, yet, again
гото́вый, ая, ое, ready
мя́гкий, ая, ое, soft
дово́льный, ая, ое, pleased, satisfied

простóй, ая, ое, simple
жúрный, ая, ое, fat
рóза, rose
тепéрь, now
дóлгий, ая, ое, long
нéсколько, a few, somewhat
язы́к, language, tongue
полéзный, ая, ое, useful
бык, ox
врéдный, ая, ое, harmful
любéзный, ая, ое, obliging, courteous
больнóй, ая, ое, sick, ill, a patient
упря́мый, ая, ое, obstinate, stubborn

Exercise 10

Translate into English :—

1. Моя́ бáбушка старá. 2. Э́та большáя кóмната былá дóлгое врéмя пустá. 3. Э́тот нóвый дом высóк. 4. Инострáнный табáк дóрог. 5. Твоя́ трýбка дешевá. 6. Онá былá больнá. 7. Та мáленькая дéвочка слúшком любопы́тна. 8. Дерéвня далекá от гóрода. 9. Горя́чее молокó вкýсно. 10. Лéтом травá высокá. 11. Нáша áнглийская кнúга óчень интерéсна, но онá нéсколько труднá. 12. Э́та рекá широкá. 13. Он всегдá был рассéян. 14. Обéд ещé не готóв. 15. Онá бýдет зáнята зáвтра. 16. Будь разýмен ! 17. Бýдет ли онá свобóдна вечером ? 18. Будь готóв рáно ýтром ! 19. Онá былá довóльна. 20. Вáши крáсные и бéлые рóзы красúвы. 21. Дóктор тепéрь свобóден. 22. Мой брат тепéрь совершéнно здорóв. 23. Рýсский язы́к нетрýден. 24. Ваш вопрóс неясен. 25. Нáша задáча труднá. 26. Их желéзная пáлка тяжелá. 27. Её кнúга полéзна. 28. Твой урок лёгок. 29. Мóре глубокó. 30. Он не был бéден. 31. Мáльчик бóлен, а дéвочка здорóва. 32. Егó ученúк внимáтелен и прилéжен, а её ученúца рассéяна и ленúва. 33. Ночь темнá. 34. Вóздух свеж. 35. Нéбо óблачно. 36. Дéрево высокó. 37. Это зéркало крýглое. 38. Нáша собáка вернá. 39. Эта птúца рéдкая. 40. Эта странá богáта. 41. Отéц добр. 42. Эта подзéмная дорóга очень длинна ! 43. Осёл глуп и упря́м. 44. Течéние рекú очень плáвное. 45. Вол сосéда жирен. 46. Больнóму нýжен óтдых. 47. Э́тот яд óчень врéден. 48. Он всегдá любéзен.

Translate into Russian :—

1. The room is empty. 2. Our house is closed. 3. The ribbon is long. 4. The street is wide. 5. The egg is fresh. 6. This invention is very important. 7. The hospital is open day and night. 8. The building of the museum is high. 9. This room is light. 10. The history text book is interesting. 11. This tree is young. 12. This problem is simple. 13. This bread is sweet. 14. The paper is thin. 15. The workman is tired. 16. The apple is tasty. 17. My father is busy. 18. Our mother is very patient. 19. The English language is easy. 20. My brother is ill. 21. The teacher is pleased. 22. The dinner will be ready early. 23. A knowledge of grammar is useful. 24. My father will be engaged this evening but he will be free to-morrow morning. 25. Here is a cup of tea. 26. Your father is amiable. 27. This medicine is useful. 28. The day is short. 29. The dinner is tasty. 30. The teacher is patient. 31. Our task is difficult. 32. The French language is not simple. 33. My sister is absent-minded. 34. Her voice is pleasant. 35. The hospital is closed. 36. The boy is stubborn. 37. A foreign newspaper. 38. The factory engineer is always busy. 39. The pure air of the village is healthy. 40. The underground railway is long. 41. The grass is soft. 42. The well-known writer is now abroad. 43. The rose is beautiful. 44. His answer was short. 45. Tea is ready. 46. A pleasant walk. 47. The sister will be here to-morrow morning early. 48. This is a clever child. 49. A curious boy. 50. They are still at home.

LESSON 11.

VERBS (*continued*)

Regular Conjugations and Accusative Case

We shall now learn the present tense of one of each of the regular verbs, which will serve us as specimens for the formation of the present tense of other regular verbs.

PRESENT TENSE.

(I.) *Чит-ать*	*To read*	(II.) *Гул-ять*	*To walk*
я чита́-ю	I read	я гуля́-ю	I walk
ты чита́-ешь	thou readest	ты гуля́-ешь	thou walkest
он чита́-ет	he reads	он гуля́-ет	he walks
она чита́-ет	she reads	она гуля́-ет	she walks
мы чита́-ем	we read	мы гуля́-ем	we walk
вы чита́-ете	you read	вы гуля́-ете	you walk
они чита́-ют	they read	они гуля́-ют	they walk

(III.) *Им-еть*	*To have*	(IV.) *Хвал-ить*	*To praise*
я име́-ю	I have	я хвал-ю́	I praise
ты име́-ешь	thou hast	ты хва́л-ишь	thou praisest
он име́-ет	he has	он хва́л-ит	he praises
она име́-ет	she has	она хва́л-ит	she praises
мы име́-ем	we have	мы хва́л-им	we praise
вы име́-ете	you have	вы хва́л-ите	you praise
они име́-ют	they have	они хва́л-ят	they praise

So you see that the endings of the Present Tense are:—

Singular.

1st Person:	ю (у after г, к, х, ж, ч, ш, щ)	ю (у after г, к, х, ж, ч, ш, щ)
2nd „	ешь	ишь
3rd „	ет	ит

Plural.

1st Person:	ем	им
2nd „	ете	ите
3rd „	ют (ут after г, к, х, ж, ч, ш, щ)	ят (ат after г, к, х, ж, ч, ш, щ)

With most regular verbs it is sufficient to know the Infinitive in order to be able to form the present tense: e.g., from ду́м-ать, *to think* we have я ду́маю, ты ду́маешь, хвал-и́ть, я хвал-ю́, ты хвалишь, etc.

There are some verbs that do not fit into our four models: писать, *to write;* чи́стить, *to clean,* etc. They show varied irregularities for which it is difficult to give any set rules. You will find the easiest way to overcome any difficulties in using such verbs is by careful reading, and noting any irregularities you come across. You will thus gradually learn them and in time you will find that you have become quite familiar with them.

In verbs with an irregular present the usual endings are added to the stem which is obtained on dropping the ending of the second person singular of the present tense: пишешь, stem пиш; се-ешь, stem се; стуч-ишь, стуч; чист-ишь, чист.

The English form of the present tense expressing a continuous action does not exist in Russian and sentences like *I am speaking, I am praising* become *I speak, I praise,* я чита́ю, я хвалю́.

Verbs can be divided into two classes according to their meaning and the way in which they affect the endings of words related to them in a sentence. These two classes are called "transitive" and "intransitive" verbs.

A transitive verb denotes an action which is directed to an object. For instance: *I read a book.* Here the action of reading is directed to the book, and the word *book* is the direct object of that action. As has been said before, the direct object of a sentence is put in the accusative case.

An intransitive verb denotes an action which stops with the doer and concerns no person or thing except the doer. For instance, *to walk,* гуля́ть, is an intransitive verb.

So far we have had the endings of nouns in the nominative, genitive and dative cases, and we shall now learn the endings of the accusative case.

We remind you that masculine nouns ending in a consonant in the nominative take а in the genitive and у in the dative: стол, *the table;* стола́, *of the table;* столу́, *to the table.* Nouns ending in й change the й into я in the genitive and ю in the dative: герой, *the hero;* геро́-я, *of the hero;* геро́-ю, *to the hero.*

The accusative case of a masculine noun is exactly like the nominative when the noun denotes an inanimate thing, but it is like the genitive if the noun denotes a living thing. Consequently the accusative case of the word стол is also стол, but that of the word геро́й is геро́я, for instance: я име́ю стол, *I have a table;* я зна́ю геро́я, *I know the hero.*

Feminine nouns ending in а change the а into ы in the genitive and е in the dative: ла́мпа, *a lamp;* ла́мпы, *of a lamp;* ла́мпе, *to a lamp.* Those ending in я change the я into и and е: геройня, *the heroine;* геройни, *of the heroine;* геройне, *to the heroine;* and those ending in ь change the ь into и and и in the genitive and also the dative: ло́шадь, ло́шади, ло́шади.

The accusative case of feminine nouns ending in а has the ending у instead of а; that of nouns ending in я has ю instead of я; and that of nouns ending in ь is similar to the nominative. Consequently the accusative of our examples ла́мпа, геро́йня and ло́шадь will be ла́мпу, геро́йню, ло́шадь.

All neuter nouns (i.e., those ending in о or е or мя) have the same ending for the accusative as for the nominative. For example: я име́ю зе́ркало, *I have a mirror;* я люблю́ мо́ре, *I love the sea;* полк име́ет зна́мя, *the regiment has a banner.*

Vocabulary

стро́ить, to build
мост, bridge
ока́нчивать, to finish
удово́льствие, pleasure
шко́льный, ая, ое, of the school
хозя́ин, master, host
черти́ть, черчу́, чертишь, to draw, to trace
люби́ть, люблю́, лю́бишь, to like, to love
продава́ть, продаю́, продаёшь, to sell
закрыва́ть, to close
начина́ть, to begin
объясне́ние, explanation
конча́ть, to finish
сопровожда́ть, accompany
автомоби́ль, motor car, automobile
щётка, brush
покупа́ть, to buy
спеши́ть, я спешу́, ты спеши́шь, to hurry
отправля́ть, to send
понима́ть, to understand
жить, я живу́, ты живёшь, to live
таре́лка, plate
починя́ть, to repair, to mend
награ́да, reward, prize
мыть, я мо́ю, ты мо́ешь, wash
сове́т, counsel, advice
Сове́т, council
Евро́па, Europe
спра́шивать, to ask
непра́вильный, ая, ое, incorrect
отправля́ть, to send
невнима́тельный, ая, ое, inattentive
выбира́ть, to choose, to select, to elect
председа́тель, chairman
гре́бень, гребня (*m.*), comb
заба́вный, ая, ое, amusing
слу́шать, to listen
внима́тельно, attentively
обе́дать, to dine
иностра́нец, foreigner
охо́тно, willingly, with pleasure
не́жный, ая, ое, tender
благода́рный, ая, ое, thankful, grateful
избу́шка, hut
иска́ть, я ищу́, ты ищешь, to look for, search
оши́бка, error, mistake
объясня́ть, to explain
петь, я пою́, поёшь, sing
измеря́ть, to measure
получа́ть, to receive
ежедне́вно, daily
принадлежа́ть, принадлежу́, принадлежи́шь, to belong
мешо́к, мешка́, bag, sack
блю́дце, saucer
замо́к (Gen. замка́), lock
по́здно, late
мука́, flour

Exercise 11

Translate into English :—

1. Инжене́р стро́ит мост. 2. Учи́тель объясняет зада́чу. 3. Соба́ка сопровожда́ет хозя́ина.

4. Де́вочка слу́шает ска́зку. 5. Учи́тель хва́лит ученика́. 6. Оте́ц даёт сове́т сы́ну. 7. Садо́вник име́ет па́лку. 8. Ко́шка лю́бит молоко́. 9. Оте́ц продаёт ло́шадь. 10. Она́ закрыва́ет окно́. 11. Он чита́ет газе́ту. 12. Мы чита́ем рома́н. 13. Соба́ка пьёт во́ду. 14. Наш о́тец лю́бит чай. 15. Она́ име́ет я́блоко. 16. Я зна́ю назва́ние у́лицы. 17. Он ча́сто быва́ет в музе́е. 18. Я зна́ю и́мя геро́я. 19. Он име́ет бума́гу, конве́рт и ма́рку. 20. Я спра́шиваю цену́ кни́ги. 21. Он слу́шает пе́сню. 22. Мой оте́ц покупа́ет автомоби́ль. 23. Он име́ет вну́ка. 24. Капита́н измеря́ет глубину́ воды́. 25. Она́ име́ет ви́лку, ло́жку и нож. 26. Он спеши́т око́нчить рабо́ту. 27. Я отправля́ю письмо́ заграни́цу. 28. Мы получа́ем газе́ту ежедне́вно. 29. Они́ помога́ют отцу́. 30. Э́та кни́га принадлежи́т учи́телю. 31. Учени́к понима́ет вопро́с учи́теля. 32. Мы обе́даем до́ма. 33. Вы начина́ете рабо́тать ра́но у́тром и конча́ете по́здно ве́чером. 34. Ма́льчик слу́шает внима́тельно объясне́ние учи́теля. 35. Мы выбира́ем председа́теля Шко́льного Сове́та. 36. Де́вочка и́щет гре́бень и щётку. 37. Ка́ждый учени́к зна́ет свой уро́к. 38. На́ша мать починя́ет на́ше пла́тье. 39. До́ктор сопровожда́ет больно́го. 40. Мы всегда́ охо́тно слу́шаем э́ту песню. 41. Оте́ц ежедне́вно пи́шет письмо́. 42. Рабо́чие ра́но конча́ют работу́. 43. Закрыва́ете-ли вы окно́ ночью? 44. Чита́ет-ли она́ по англи́йски? 45. Живёт-ли ваш оте́ц заграни́цей? 46. Понима́ешь-ли ты объясне́ние учи́теля? 47. Поёте-ли вы э́ту пе́сню?

Translate into Russian :—

1. The foreigner is asking for the address of the museum. 2. The watchman has a dog. 3. Mother is buying a table and a chair. 4. I like the colour of snow. 5. My sister is sending a letter to the neighbour. 6. The child writes a page every morning. 7. Where does thy friend live now? 8. He always lives abroad in the summer. 9. The foreigner asks where the stopping place of the tramway is. 10. The tailor buys cloth. 11. This bird always flies away in the

winter. 12. I am reading the history of the world. 13. The girl washes the plate, the saucer, the knife, the fork and the spoon. 14. My father is repairing the motor car. 15. This lock belongs to the gardener. 16. The teacher explains the invention of the engineer. 17. I see the summit of the mountain. 18. The bear likes honey. 19. Michael knows the name of the capital. 20. The passenger asks the times of arrival and departure of the steamer. 21. She sends a present to the neighbour. 22. The hero receives a reward. 23. This Englishman understands Russian. 24. Where is your brush ? 25. The teacher praises the boy. 26. I am hurrying home. 27. I am working during the evening. 28. The father explains the game. 29. They are sending a letter. 30. The Englishwoman dines here. 31. The girl is looking for the comb and brush. 32. The engineer is measuring the length and the width of the bridge. 33. I know the president's name and surname. 34. Here is the lock. 35. Where is the key ? 36. Does he finish work early ? 37. Are you sending books to the teacher ? 38. Does the mother wash the children ? 39. Do you accompany your friend ? 40. Do they build aeroplanes ? 41. Who elects the chairman ? 42. I do not know.

LESSON 12.

Genitive of Adjectives

It has been explained already that if an adjective is used in a sentence to describe a noun, that adjective must agree with the noun in gender and case ; that is to say, it must be put in the same gender and case as the noun which it describes.

Teaching experience seems to show that declensions, particularly where nouns, adjectives and pronouns are combined, and also conjugations of verbs, form the most difficult parts of Russian grammar. You will therefore find that a large number of exercises are given, since constant practice is necessary before one can become fluent in them.

We shall now learn the genitive endings of the adjectives.

MASCULINE ADJECTIVES ending in the nominative in ый or ой change these endings into ого ; those ending in ий have the genitive ending его : но́вый, *new;* но́вого, *of the new;* злой, *wicked;* зло́го, *of the wicked;* си́ний, *blue;* си́него, *of the blue.*

FEMININE ADJECTIVES ending in the nominative in ая, change this ending in the genitive into ой ; those ending in яя have the genitive ending ей: но́вая, *new;* но́вой, *of the new;* си́няя, *blue;* си́ней, *of the blue.*

NEUTER ADJECTIVES ending in the nominative ое or ее have the same endings in the genitive as masculine adjectives: новое, *new;* но́вого, *of the new;* си́нее, *blue;* си́него, *of the blue.*

Note that the endings ого and его are pronounced ово and ево.

Vocabulary

назва́ние, name, title
кита́йский, ая, ое, Chinese
грамма́тика, grammar
англи́йский, ая, ое, English
карти́на, picture
дере́вянный, ая, ое, wooden
зи́мний, яя, ее, winter
вече́рний, яя, ее, evening
симфони́ческий, ая, ое, symphonic
конце́рт, concert
истори́ческий, ая, ое, historical
стака́н, glass
ме́бель, furniture
морско́й, ая, ое, sea, marine
лёд (Gen. льда), ice
слепо́й, ая, ое, blind
кинемато́граф, cinema, cinematograph
гражда́нский, ая, ое, civil
стена́, the wall
высота́, height
возду́шный, air
крова́ть, bed
ра́ма, frame
война́, war
ка́чество, quality
вы́вих dislocation
автомоби́льный, ая, ое, automobile
мир, peace, world
шелуха́, peelings, husk
горя́щий, ая, ее, burning
вели́кий, ая, ое, great
чёрный, ая, ое, black
та́ющий, ая, ее, melting
фабри́чный, ая, ое, factory
вегетериа́нский, ая, ое, vegetarian
пра́вый, ая, ое, right
ло́моть (Gen. ломтя), slice
расска́з, story
магази́н, shop
пар, steam
кольцо́, ring
попуга́й, parrot
вид, view
лев (Gen. льва́). lion
порошо́к, порошка́, powder
колесо́, wheel
гостеприи́мный, ая, ое, hospitable
жара́, heat
лече́ние, treatment
черни́льный, ая, ое, ink
го́лубь, pigeon
желе́зная доро́га, railway (literally, iron road)
побере́жье, coast, shore
не́мец; неме́цкий, ая, ое, German
зре́лый, ая, ое, ripe
дождли́вый, ая, ое, rainy
око́нный, ая, ое, window
полотня́ный, ая, ое, linen
сторона́, side
кожура́, skin, rind

Exercise 12

Translate into English :—

1. Цвет кита́йского ча́я. 2. Грамма́тика англи́йского языка́. 3. Письмо́ благода́рного сы́на. 4. Кры́ша высо́кого до́ма. 5. Отве́т внима́тельного ученика́. 6. Пода́рок до́брого дру́га. 7. Длина́ зи́мнего дня. 8. Изобре́тение изве́стного инжене́ра. 9. Кварти́ра иностра́нного капита́на. 10. Вопро́с любопы́тного ма́льчика. 11. Час вече́рнего о́тдыха. 12. Коне́ц симфони́ческого конце́рта. 13. Член рабо́чего клу́ба. 14. Зда́ние но́вого музе́я. 15. Стака́н холо́дного лимона́да. 16. Капита́н пассажи́рского парохо́да. 17. Си́ла морско́го ве́тра. 18. Пода́рок до́брого отца́. 19. Смех здоро́вого ребе́нка. 20. Цена́ маши́нного угля́. 21. Го́лос свобо́дного наро́да. 22. У́лица вели́кого Ле́нина. 23. Внук слепо́го старика́. 24. Шку́ра чёрного медве́дя. 25. Цвет та́ющего сне́га. 26. Но́мер городско́го телефо́на. 27. Жи́тель фабри́чного го́рода. 28. Вре́мя прихо́да и отхо́да вече́рнего по́езда. 29. А́дрес вегетериа́нского рестора́на. 30. Но́вый рома́н изве́стного писа́теля. 31. Длина́ пра́вого бе́рега реки́. 32. Ло́шадь ста́рого садо́вника. 33. Ло́моть све́жего хле́ба. 34. Ко́мната ночно́го сто́рожа. 35. Буты́лка горя́чей воды́. 36. Цвет но́вой ча́шки. 37. Цена́ иностра́нной папиро́сы. 38. Полови́на горя́щей спи́чки. 39. Зда́ние сельско́й по́чты. 40. Коне́ц дождли́вой о́сени и нача́ло холо́дной зимы́. 41. Верши́на высо́кой горы́. 42. Гнездо́ ди́кой пти́цы. 43. Рестора́н но́вой гости́ницы. 44. Учи́тель ру́сской исто́рии. 45. Но́мер ста́рой кварти́ры. 46. Бе́рег широ́кой реки́. 47. Го́лос больно́й ма́тери. 48. Письмо́ до́брой до́чери. 49. Пра́вило де́тской игры́. 50. Вкус спе́лой гру́ши. 51. Цвет зелёной ви́шни. 52. Грани́ца сосе́дней дере́вни. 53. Пра́вая сторона́ дли́нной у́лицы. 54. Дверь ме́бельной фа́брики. 55. То́чное значе́ние иностра́нного сло́ва. 56. Большо́й кусо́к све́жего сы́ра. 57. Назва́ние большо́го села́.

58. Длина́ желе́зной доро́ги. 59. Интенси́вное произво́дство око́нного стекла́. 60. Краси́вое зна́мя хра́брого во́йска. 61. Скорлупа́ кури́нного яйца́. 62. Ю́жное побере́жье Чё́рного мо́ря. 63. Си́льный за́пах маши́нного ма́сла. 64. Шелуха́ спе́лого я́блока. 65. Длина́ полотня́ного полоте́нца. 66. Блеск я́ркого пла́мени. 67. Величина́ черни́льного пятна́. 68. Разме́р желе́зного кольца́. 69. Вы́вих ле́вого коле́на. 70. Кость пра́вого плеча́. 71. Цвет ю́жного не́ба. 72. Чу́вство гражда́нского до́лга. 73. Длина́ сосе́дняго по́ля. 74. Нача́ло после́дней неде́ли. 75. Ширина́ сельско́й доро́ги. 76. Назва́ние англи́йской столи́цы. 77. Коне́ц пе́рвой страни́цы. 78. Цена́ францу́зской грамма́тики. 79. Вес сере́бряной ви́лки. 80. Вку́с холо́дной воды́. 81. Ве́твь молодо́й берё́зы. 82. Цель спе́шной пое́здки. 83. Голова́ ма́ленькой де́вочки. 84. Вре́мя у́тренней прогу́лки. 85. Чу́вство не́жной любви́. 86. Ключ деревя́нной коро́бки. 87. Ме́бель но́вой гости́ницы. 88. Рабо́та возду́шного насо́са. 89. Солда́т неме́цкой а́рмии. 90. Пра́вая сторона́ реки́.

Translate into Russian :—

1. A cup of hot water. 2. The colour of a silver spoon. 3. The price of a good pipe. 4. The house of the Russian neighbour. 5. The letter of the old woman neighbour. 6. The end of a cold autumn. 7. The beginning of the first page. 8. The window of a dark room. 9. The army of the big country. 10. The size of the nest of the wild bird. 11. The size of the iron roof. 12. The name of an interesting book. 13. The left side of the road. 14. The colour of a ripe cherry. 15. The letter of the elder daughter. 16. The summit of the high mountain. 17. The length of the left sleeve. 18. The weight of the heavy stick. 19. The end of a working day. 20. The temperature of hot water. 21. The shadow of the old house. 22. The end of a long journey. 23. The history of a great people. 24. The skin of a black bear. 25. The beginning of an evening concert. 26. The story of an English writer. 27. The voice of a pretty parrot. 28. The stick of the old blind man. 29. The view of a factory town. 30. The length of the sea coast. 31. The taste of sweet tea. 32. The arrival of the foreign steamer. 33. The title of the English fairy tale.

34. The answer of an absent-minded man. 35. The day of a busy teacher. 36. The population of the State. 37. The price of a cheap ticket. 38. The wall of the high building. 39. The advice of an old friend. 40. The house of the hospitable host. 41. The door of the book shop. 42. The length of the right sleeve. 43. The name of the younger son. 44. The air of a hot day. 45. The present of the good uncle. 46. The building of the new cinema. 47. The strength of spring ice. 48. The bed of the night watchman. 49. The picture of the famous artist. 50. This book is Tolstoy's novel "War and Peace." 51. The nest of the grey pigeon. 52. The history of the native country. 53. The map of the big town. 54. The name of the famous newspaper. 55. The love of a tender mother. 56. The knowledge of a foreign language. 57. The taste of a ripe pear. 58. The colour of the round table. 59. The price of an old magazine. 60. The towel and soap of the daughter. 61. The heart of an old man. 62. The reading of a little boy. 63. The beauty of white snow. 64. The history of a great people. 65. The head of the black bear. 66. The colour of English beer. 67. The height of a young tree. 68. The health of the little child. 69. The strength of the old bear. 70. The frame of the silver mirror. 71. The roof of the new building. 72. The value of the useful invention. 73. The history of the English State. 74. The size of the iron ring. 75. The axle of the small wheel. 76. The length of the hot summer. 77. The surface of the stormy sea. 78. The taste of cold meat. 79. The colour of hot milk. 80. The price of cheap soap. 81. The number of the vacant seat. 82. The quality of the automobile oil. 83. The colour of a cloudy sky. 84. The depth of the big lake. 85. The colour of the window glass. 86. The author of the interesting letter. 87. The explanation of the grammatical rule. 88. The heat of the southern sun. 89. The meaning of the foreign word. 90. The treatment of a weak heart. 91. The name of the well-known hero. 92. The name of the historical place.

LESSON 13

Dative and Accusative of Adjectives

Masculine adjectives ending in ый, ой and Neuter adjectives ending in ое in the nominative and ого in the genitive, take the ending ому in the dative: нóв-ый, нóв-ого, нóв-ому; зл-ой, зл-óго, зл-óму.

Adjectives ending in the nominative in ий or ее and in the genitive in его take the ending ему in the dative: си́н-ий, си́н-его, си́н-ему.

Feminine adjectives with the nominative ending in ая and the genitive in ой take also ой in the dative: но́в-ая, но́в-ой, но́в-ой. Feminine adjectives with the nominative ending in яя and the genitive in ей, take ей in the dative: си́н-яя, си́н-ей.

The accusative case of a masculine adjective is formed as follows: If it applies to an inanimate thing, it is like the nominative: я име́ю но́вый сто́л, *I have a new table;* if to a living thing, it is like the genitive: он встреча́ет изве́стного геро́я, *he meets a well-known hero.* Neuter adjectives, like neuter nouns, have the accusative always the same as the nominative case: я ви́жу си́нее не́бо, *I see the blue sea.* The accusative of a feminine adjective ends in ую when the nominative ending is ая, and in юю when the nominative ending is яя, for instance: она лю́бит свою́ ста́рую мать, *she loves her old mother;* but де́вочка име́ет си́нюю ле́нту, *the girl has a blue ribbon.*

Vocabulary

освеща́ть, to lighten
пи́ща, food
му́ха, fly
ба́бочка, butterfly
мо́крый, ая, ое* wet
суши́ть, to dry
пря́тать, пря́чу, пря́чешь, to hide
награжда́ть, to reward
ваго́н, car, carriage
одея́ло, blanket
пу́говица, button
рука́в, sleeve
волна́, wave
слу́чай, case, accident, occasion
о́чень, very
у́зкий, narrow
па́мятник, monument, memorial
лени́вый, lazy
покупа́ть, to buy
мета́лл, metal
пчела́, bee
мы́сль, thought
стано́к, lathe, bench
счастли́вый, happy, lucky
приятель, friend, pal
знать, to know
непри́ятель, enemy
кре́сло, armchair
прозра́чный, transparent
шар, ball, globe
ряд, row, series
ка́пля, drop
сталь, steel
ни́зкий, low
о́стрый, sharp
ле́вый, ая, ое, left
де́ти, children
маши́на, machine, engine
перочи́нный но́жик, penknife
хозя́ин, owner

*As you are now aquainted with the feminine and neuter terminations of adjectives these will not be mentioned again in vocabularies.

Exercise 13

Translate into English :—

1. Тяжёлая тёмная ту́ча покрыва́ет не́бо. 2. Учи́тель награжда́ет приле́жного ученика́. 3. Сосе́д даёт хоро́шему ма́льчику спе́лое я́блоко. 4. Я чита́ю интере́сную англи́йскую кни́гу. 5. Мой больно́й оте́ц прово́дит холо́дную зи́му заграни́цей. 6. Мы ча́сто покупа́ем иностра́нную газе́ту. 7. Инжене́р стро́ит но́вую маши́ну. 8. Мы име́ем удо́бную кварти́ру. 9. Пассажи́р покупа́ет дешёвый биле́т. 10. Учи́тель прика́зывает лени́вому ученику́ рабо́тать приле́жно. 11. Он лю́бит сла́дкий чай. 12. А́втор э́того истори́ческого рома́на о́чень изве́стный писа́тель. 13. Цена́ на́шей англи́йской кни́ги о́чень дорога́я. 14. Садо́вник продаёт спе́лую ды́ню. 15. Цвет э́той ви́шни кра́сный. 16. Я пишу́ дли́нное письмо́ моему́ ста́рому прия́телю. 17. Де́ти и́щут гнездо́ ма́ленькой пти́чки. 18. Учи́тельница расска́зывает ма́ленькому ма́льчику и де́вочке заба́вную ска́зку. 19. Нача́льник желе́зной доро́ги сообща́ет пассажи́ру час прихо́да пассажи́рского по́езда. 20. Мы измеря́ем глубину́ реки́ и о́зера ле́том и зимо́й. 21. Садо́вник э́того прекра́сного па́рка име́ет краси́вую бе́лую и кра́сную ро́зу. 22. Нача́льник автомоби́льной фа́брики всегда́ хва́лит рабо́ту э́того приле́жного рабо́чего. 23. Хозя́ин но́вого вегетериа́нского рестора́на мой друг. 24. Мы чита́ем после́дний но́мер техни́ческого журна́ла. 25. Ле́вый рука́в но́вого шерстяно́го пла́тья сли́шком дли́нен и у́зок.

Translate into Russian :—

1. This factory pays a large salary to the foreign engineer. 2. The Englishman gives a daily lesson in his native language to the young workman of the factory. 3. The English engineer asks the captain to hand this important letter to the Commander of the Fleet. 4. We are writing to the father of this diligent boy. 5. Bad weather hinders the old gardener from working. 6. We believe this old man. 7. The teacher advises his pupils to read the interesting novel of the

famous writer. 8. He always helps the foreigner to study Russian. 9. We are showing the guest the beautiful town park and the new house of rest. 10. The doctor explains to the sick man the use of the medicine. 11. You are telling an interesting story to the little girl of the neighbour. 12. The manager orders the night watchman every evening to close the door of the factory and to hand the key to the gardener. 13. The father explains to the son the difficult rule which he does not understand. 14. The little girl helps the elder sister to cook the dinner. 15. She gave the teacher a correct answer. 16. A noisy conversation hinders the writer from writing an important article.

LESSON 14.

The Use of the Negative and of the Genitive

You say in English *I know nobody here*, or *I do not know anybody here*, and one negative is sufficient in an English sentence. It is different in Russian, where the word не must be used before the verb, even though there is another negative in the same sentence. This means that the sentences just given are translated in Russian: я никого́ здесь не зна́ю, which is literally: *I do not know nobody here.*

The same is true of the expression: *neither . . . nor,* which is translated in Russian by ни — ни. Here also the verb in the Russian sentence is preceded by the word не, though the presence of ни — ни should be sufficient to give the sentence a negative meaning. Whereas in English you say: *neither he nor she knows me,* in the Russian you have: ни он ни она́ не зна́ют меня́, which is literally: *neither he nor she does not know me.*

The genitive case is used in a negative sentence implying the absence of a person or a thing from a given place. Such English expressions as: *there is no one there; there is not anyone there,* are translated in Russian: никого́ там нет; *there is neither beer nor wine in the house,* в до́ме нет ни пи́ва ни вина́.

The genitive is also used, as you would expect, after words indicating quantity or measure, when the English generally use *of.* For instance: *a bottle of milk,* буты́лка молока́; *a box of matches,* коро́бка спи́чек; *a dozen (of) eggs,* дю́жина яиц; also after the following words: ско́лько, *how much, how many;* сто́лько, *so much, so many;* сто́лько—ско́лько, *as much as, as many as;* не́сколько, *several, a few;* мно́го, *a lot;* ма́ло, *a little,* etc.

For example: *how much milk?* сколько молока́?; literally *How much of milk?; a lot of milk,* мно́го молока́; *several books,* не́сколько книг, etc.

"Some" in such expressions as: *please give me some water, some books, some cherries, some bread,* is translated да́йте мне, пожа́луйста, воды́, книг, ви́шен, хле́ба, which would literally mean: *give me please of water, of books, of cherries, of bread.*

You will come across a few expressions where, instead of the genitive case indicating a small quantity of divisible matter, a masculine noun has the dative. We say in Russian, for instance; *have you some tobacco?* име́ете ли вы табаку́?; *I want some tea,* я хочу́ ча́ю; *take some more sugar!* бери́те ещё са́хару: *drink a cup of tea,* вы́пейте ча́шку ча́ю.

Vocabulary

вы́ставка, exhibition
буке́т, bunch of flowers, bouquet
ку́шать, to eat
игра́ть, to play
кла́сть, кладу́, кладёшь, to lay, place
купи́ть, куплю́, ку́пишь, to buy
ви́деть, ви́жу, ви́дишь, to see
кури́ть, to smoke
друг (pl. друзья́), friend
мно́го, much
жела́ть, to wish
наро́дный, folk, popular
зо́нтик, umbrella
для, for
находи́ть, найти́, to find
недово́льный, dissatisfied
обеща́ть, to promise
объясне́ние, explanation
оста́вить, to leave
привози́ть, to bring
ковёр, carpet
пожа́луйста, please
кни́жный магази́н, book shop
италья́нский, Italian
лежа́ть, лежу́, лежи́шь, to lie
ло́дка, boat
отдыха́ть, to rest
нра́виться, to be liked
перча́тка, glove
бага́ж, baggage
дели́ть, share
дать, даю́, даёшь, to give
рабо́та, work
обеща́ние, promise
отли́чный, excellent
пить, пью, пьёшь, to drink
сто́ить, to cost
по́сле, after
расска́зывать, to relate, to tell
просто́й, simple
при́стань, harbour, pier
провожа́ть, to see off
приноси́ть, to bring
ре́дко, seldom
откры́тка, postcard

письмо́, letter
продолжа́ться, to last
ско́рый, fast
передава́ть, to hand over
е́хать, е́зжу, е́здишь, to go
посеща́ть, to visit
проси́ть, прошу, просишь, to ask
по́лка, shelf
почему́? why?
пя́тый, fifth

Exercise 14

Translate into English:—

1. Ма́льчик ку́шает я́блоко и кусо́к хле́ба без ма́сла. 2. Жела́ете-ли вы таре́лку мя́са? 3. До́ма-ли ваш оте́ц? 4. От бе́рега мо́ря до на́шего до́ма не далеко́. 5. Англи́йская газе́та бра́та здесь. 6. Где мой си́ний каранда́ш? 7. Я не пью́ воды́. 8. Что вы де́лали вчера́ ве́чером? 9. Мы чита́ли о́чень интере́сную кни́гу. 10. Бу́дет-ли ва́ша мать до́ма сего́дня у́тром? 11. По́сле уро́ка мы бу́дем игра́ть до ве́чера. 12. Да́йте де́тям шокола́ду! 13. Говори́т-ли ва́ша сестра́ по ру́сски? 14. Нет, она́ не говори́т, но она́ понима́ет всё, что она чита́ет. 15. Мой сын не понима́ет э́того просто́го пра́вила, потому́ что он не слу́шал объясне́ния учи́теля. 16. Я никогда́ не кури́л. 17. Да́йте больно́й молока́. 18. Я люблю́ ру́сские наро́дные пе́сни. 19. Я не име́ю друзе́й загра́ницей. 20. Ве́чером по́сле рабо́ты я отдыха́ю. 21. Хоти́те папиро́с? 22. Моя́ ста́ршая сестра́ лю́бит рома́ны Ди́ккенса. 23. Име́ете-ли вы ви́шен, груш, я́блок? 24. На́ши друзья́ пришли́ на при́стань провожа́ть нас. 25. Мои́ учени́цы принесли́ мне прекра́сный буке́т цвето́в. 26. Я обеща́ла посыла́ть им откры́тки с ви́дами тех мест, кото́рые мы посети́м. 27. Моя мать проси́ла меня́ привести́ ей небольшо́й ковёр. 28. Чей э́то дом? 29. Э́то дом э́того инжене́ра. 30. Чьи карти́ны ви́дели вы вчера́ на вы́ставке? 31. Мы ви́дели карти́ны молодо́го худо́жника, о кото́ром вы чита́ли в газе́те. 32. Я хочу́ ча́ю. 33. Чьим карандашо́м пи́шете Вы? 34. Я пишу́ кра́сным карандашо́м моее́й сестры́. 35. Э́тим кни́гам здесь не ме́сто. 36. Почему́ вы не кладёте их

на по́лку? 37. Переда́йте мне, пожа́луйста, газе́ту, кото́рая лежи́т во́зле вас. 38. Их кварти́ра на пя́том этаже́. 39. Она́ оста́вила свой шёлковый зо́нтик в по́езде. 40. Она́ проси́ла меня́ узна́ть, е́сть-ли для неё письмо́ у на́шего сосе́да. 41. Мы посла́ли свой бага́ж ско́рым по́ездом. 42. Их разгово́р продолжа́лся це́лый час. 43. Нашли́-ли вы ва́ши перча́тки? 44. Мы не зна́ем ва́шего а́дреса. 45. Мы мно́го слы́шали о ва́ших рабо́тах. 46. Учи́тель недово́лен на́шими успе́хами. 47. Я не име́л письма́ от моего́ дру́га. 48. Я ве́рю твоему́ обеща́нию. 49. Они́ про́дали на́ших лошаде́й без на́шего согла́сия. 50. На на́шей у́лице всегда́ мно́го автомоби́лей. 51. О́н пое́хал загран́ицу без багажа́. 52. Они́ ре́дко ви́дят своего́ бра́та. 53. Их сестра́ — отли́чная худо́жница. 54. Её карти́ны нра́вятся всем, кто их ви́дел. 55. Мы проси́ли на́шего дру́га рассказа́ть нам о свои́х путеше́ствиях. 56. У них всегда́ мно́го госте́й. 57. Где Вы купи́ли э́ту ла́мпу? 58. Я купи́л её в Пари́же. 59. Ско́лько Вы заплати́ли за неё? 60. Она́ сто́ила сто со́рок фра́нков.

Translate into Russian :—

1. These places are unfamiliar to us. 2. My father did not find his diamond and he cannot cut the glass for our windows. 3. H has been looking for it everywhere. 4. He gave an excellent present to his mother. 5. I heard of your progress and I am very pleased with you. 6. She cannot wear this ring; it is too small. 7. Our village is on a hill. 8. I saw my sister off to the harbour. 9. They went off by ship to visit our old aunt. 10. How long have you been waiting for me? 11. Not long, not more than five minutes. 12. Did you meet your friends? 13. No. they were not in the park. 14. Is anybody coming with us? 15. Nobody, we are all busy. 16. We know very little about your work. 17. We have not seen their table and we do not know whether it is a round one. 18. There is a large lake behind her house. 19. He has lost his new gloves. 20. The letter is under your book. 21. The doctor rendered assistance to the sick man. 22. All the shops are on the left side of the street. 23. Please give them their money when they finish their work in the garden. 24. The fire destroyed her house and she has nowhere

to live. 25. We never read aloud though it is useful. 26. The director of this factory promised his workmen a month's leave annually if they work eight hours a day. 21. She paid £5 for her dress. 28. The furniture of your room is not old. 29. It has only been there for a few years. 30. Take some jam ! 31. The teacher gave a reward to our son and he praised him before the whole class. 32. Their complaint is unfounded. 33. Have some beer! 34. The doctor is in his study. 35. He asked us not to disturb him in his work. 36. We are sending our children to school in the mornings only. 37. We do not know anybody in this village. 38. These Englishmen are our friends. 39. The leaves of this tree are yellow. 40. Please give me some milk. 41. He gave our good neighbour three bottles of wine and a pound of tobacco. 42. I was abroad for five weeks. 43. How many books do you read in the winter. 44. Do not touch these flowers. 45. The foreigner is questioning us in English and we are answering in Russian. 46. Have you been abroad ? 47. The parrot does not like his cage. 48. The Chinese language is difficult. 49. I have never seen these wild birds. 50. I like to hear the laughter of children. 51. Who supplies you with meat, sausage and ham ? 52. The butcher. 53. Where do you buy books, newspapers and magazines ? 54. He does not want anything. 55. My mother has a dozen silver spoons and forks. 56. I read three pages every day. 57. What are your brothers and sisters doing in the evening ? 58. They read or paint. 59. We always speak Russian. 60. I visit my acquaintances very rarely because I am always busy. 61. Eggs are very dear in the winter. 62. We know many Russian words. 63. The patient always thanks the doctor for the books. 64. Where does your friend live ? 65. Near the Post Office. 66. My elder brother has promised a few books to his sisters. 67. These shops are closed. 68. We get up very early in summer. 69. I rarely meet my friend. 70. Who is this boy ? 71. He is my son. 72. I will write to my mother often. 73. The teacher gives each pupil two pencils, one black and one blue. 74. Why don't you read the English newspaper ? 75. I do not know the language well enough.

LESSON 15

Plural of Nouns and Adjectives

We shall now give you in a table the plural endings of the four cases of nouns and adjectives.

1. Masculine nouns ending in the nominative singular in a consonant or й or ь:—

Nom.	нóв-ые столы́	ю́н-ые герó-и	стáр-ые кóн-и
Gen.	нóв-ых стол-óв	ю́н-ых герó-ев	стáр-ых кон-éй
Dat.	нóв-ым стол-áм	ю́н-ым герó-ям	стáр-ым кон-я́м
Acc.	нóв-ые стол-ы́	ю́н-ых герó-ев	стáр-ых кон-éй

2. Feminine nouns ending in the singular in а, я or ь:—

Nom.	нóв-ые лáмп-ы	ю́н-ые герои́н-и	нóв-ые вéщ-и
Gen.	нóв-ых ламп-	ю́н-ых герои́н-ь	нóв-ых вещ-éй
Dat.	нóв-ым лáмп-ам	ю́н-ым герои́н-ям	нóв-ым вещ-áм
Acc.	нóв-ые лáмп-ы	ю́н-ых герои́н-ь	нóв-ые вéщ-и́

3. Neuter nouns ending in the singular nominative in о, е, or мя:

Nom.	нóв-ые зеркал-á	нóв-ые пол-я́	нóв-ые врем-енá
Gen.	нóв-ых зеркáл	нóв-ых пол-éй	нóв-ых врем-ё́н
Dat.	нóв-ым зеркал-áм	нов-ым пол-я́м	нóв-ым врем-енáм
Acc.	нóв-ые зеркал-á	нов-ые пол-я́	нóв-ые врем-енá

From these tables you see that the accusative plural has no special endings for nouns or adjectives of any gender. *But you must bear in mind that the accusative plural is always like the nominative plural, if the noun denotes an inanimate thing, and like the genitive, if it denotes a living thing*: я имéю нóвые столы́, нóвые лáмпы, нóвые зеркалá, *I have new tables, new lamps, new mirrors,* but я встрéтил ю́ных герóев, ю́ных герои́нь, ю́ных детéй, *I have met young heroes, young heroines, young children.*

Adjectives have an abbreviated form in the plural, as in the singular.

This abbreviated plural form is obtained by removing the final е from the longer ые, for example: нóвые столы, *new tables,* but столы́ новы́, *the tables are new;* ю́ные хрáбрые герóи, *young brave heroes,* but ю́ные герóи хрáбры, *the young heroes are brave.*

Vocabulary

геогрáфи́ческий, geographical
жизнь, life
европéйский, European
вну́чка, granddaughter
шку́ра, hide, skin
вопрóс, question
чáсто, often
óчень, very
шерстянóй, woollen
дуть, ду́ю, ду́ешь, to blow
цéнный, valuable
рáзный, various, different
вещь, thing
средá, Wednesday
обезья́на, monkey
хотéть, хочу́, хóчешь, to want, to wish
заказáть, to order
когдá, when
потому́ что, because
бéдно, poorly
крестья́нин, peasant
статья́, article
прéжде, before
люди, people
приноси́ть, приношу́, принóсишь, to bring
соснá, pine
опáсный, dangerous
дуб, oak
век, century
открывáть, to open
сдéланный из (Gen.), made of
желéзо, iron
поворáчивать, to turn
тáкже, also
стоя́ть, стою́, стои́шь, to stand
у, at, by, in the possession of, in the house of
иглá, needle
ни́тка, thread
подражáть, to imitate (with Dat.)
зóнтик, umbrella
кни́жный магази́н, bookshop
шумéть, шумлю́, шуми́шь, to make a noise
мукá, flour
чужóй, strange, stranger

Exercise 15

Translate into English :—

1. Ма́льчик не пи́шет письма́, потому́ что он не име́ет ни ру́чки, ни карандаша́. 2. Сего́дня — сре́да. 3. Э́то день рожде́ния моего́ ста́ршего бра́та. 4. Обезья́на подража́ет лю́дям. 5. Я напомина́ю моему́ отцу́ но́мер телефо́на кни́жного магази́на, когда́ он хо́чет заказа́ть кни́ги. 6. Де́ти, не шуми́те и не меша́йте мне рабо́тать! 7. Чита́л-ли ты у́треннюю газе́ту? 8. Я никогда́ не чита́ю газе́ты у́тром. 9. Наш сосе́д о́чень стар. 10. Я не зна́ю слов э́той пе́сни. 11. Э́то после́дний по́езд? 12. Нет, не после́дний; ещё бу́дут два по́езда. 13. Э́та статья́ сли́шком длинна́. 14. Кто э́тот высо́кий молодо́й челове́к? 15. Крестья́не и рабо́чие пре́жде рабо́тали мно́го, но жи́ли о́чень бе́дно. 16. Э́то ме́сто моё, а то твоё. 17. Я не име́ю биле́та. 18. Никто́ не зна́ет э́того челове́ка. 19. Он здесь чужо́й. 20. Я нигде́ не быва́ю, потому́ что я о́чень за́нят. 21. Все рабо́тают, а вы ниче́го не де́лаете. 22. Мать покупа́ет са́хару, ча́ю, муки́, яиц, мя́са, сы́ру и ма́сла. 23. Хозя́ин до́ма име́ет о́чень це́нные карти́ны изве́стных англи́иских, италья́нских и францу́зских худо́жников. 24. Я стою́ у окна́ ко́мнаты и ви́жу го́род, люде́й, дома́, магази́ны, трамва́и, автомоби́ли. 25. Я иногда́ встреча́ю моего́ ста́рого дру́га. 26. Я покупа́ю ра́зные ве́щи для мое́й ма́тери: и́глы, ни́тки, ле́нты, конве́рты и бума́гу. 27. Име́ете-ли вы ро́дственников в э́том го́роде? 28. Да, двух бра́тьев и трёх сестёр. 29. Муж мое́й сестры́ инжене́р. 30. Зна́ете-ли Вы назва́ния дней неде́ли по англи́йски?

Translate into Russian :—

1. We know the meaning of these foreign words. 2. The banners of this brave army are very pretty. 3. The rooms of the old hotel have large round windows. 4. The streets of large towns are wide. 5. The rooms of town hospitals are high. 6. We read the morning and the evening newspapers. 7. The teacher shows geographical

maps to the pupils. 8. The pupils study attentively the large and small rivers of European countries. 9. The life of the inhabitants of hot countries is easy. 10. My mother gives cold milk and slices of fresh bread to the little grandsons and granddaughters of our old neighbour. 11. My uncle buys the hides of wild animals abroad. 12. Bright lamps lighten the road. 13. The history of European States is interesting. 14. My brothers read the novels of well-known foreign writers. 15. Winter nights and summer days are long. 16. I like the colour of red roses. 17. The questions of curious children are often very amusing. 18. He likes to listen to folk songs. 19. The tailor buys woollen cloth. 20. The games of children are sometimes dangerous. 21. The keys of the factory are here. 22. He buys cheap books. 23. Strong winds blow from the sea. 24. War brings difficult times. 25. Some countries have deep lakes. 26. Pine and oak are high trees. 27. Here are some ripe cherries. 28. The doors are open. 29. Western countries have many schools. 30. This is a century of useful inventions. 31. I open the door because it is hot in the room. 32. The door has two handles. 33. They are made of iron. 34. I turn the key and open the door. 35. I see a carpet, six chairs, two tables, and a lamp. 36. The ceiling of the room is white. 37. The walls are also white.

LESSON 16

Some Irregular Noun Declensions

The noun лист has two meanings—a sheet or a leaf.

In the first case the plural is листы́ and we say листы́ бума́ги, *sheets of paper;* in the second case the plural is ли́стья and we say: ли́стья берёзы, *the leaves of a birch.*

The noun цвет means *colour* and its plural is цвета́, *colours;* whereas цвето́к means *flower* and its plural is цветы́. Челове́к means *man, human being,* or *person,* but the plural is лю́ди, *men, people.* The noun мужчи́на means *male* or *man,* while муж means *husband* and has as its plural мужья́. The plural of ребёнок, *child,* is ребя́та, *children.*

Make a special note of such irregularities when you come across them in exercises.

A number of nouns have irregular endings in the nominative plural and other cases, just as some English nouns have irregular plurals, as for instance: branch, branches; fly, flies; wolf, wolves; hero, heroes; tooth, teeth, etc.

Here are a few of the exceptions most frequently met with :

Дом has a instead of ы in the nominative plural : домá. Also городá, берегá, лесá, вечерá, докторá, колоколá.

Край takes я instead of и : краń. Also учителя́, лекаря́.

The noun брат, *brother,* has plural брáтья, брáтьев, брáтьям, etc. ; and the nouns стул, стýлья, *chairs;* муж, мужья́, *husbands;* лист, ли́стья, *leaves;* сын, сыновья́, *sons;* друг, друзья́, *friends;* are declined in the plural in the same way.

Nouns ending in анин or янин have a nominative plural ending in ане and are further declined like the following example: англичáне, *Englishmen,* genitive англичáн, dative англичá-нам, etc.

Here are a few others words with the same plural endings : граждани́н, *citizen;* крестьяни́н, *peasant;* христиани́н, *Christian;* магометáнин, *Mohamedan;* армяни́н, *Armenian* etc.

Vocabulary

роди́тели, parents	никтó, nobody
дождь, rain	нигдé, nowhere
часы́, watch, clock	непремéнно, without fail
нóжницы, scissors	очки́, spectacles
растéние, plant	однáко, however
забывáть, to forget	конéчно, certainly, of course
пóмнить, to remember	корóбка, box
нéсколько, several, a few	я́щик, case, box
напрáво, to the right	благодари́ть, to thank
налéво, to the left	сыр, cheese
навсегдá, for ever	ýгол, corner
никогдá, never	щекá, cheek

The following exercises are important, as they have been set with a double purpose in view. In the first place they will give you an opportunity to repeat many of the words which have occurred already. Secondly, it will give you practice in vital parts of Russian grammar, namely, the defining of the gender and the declensions of nouns and adjectives.

First translate into English. Then

1. Write the following expressions in the Genitive Singular and check and correct your work with the help of the Key :—

1. Свéжий сыр. 2. Нóвый адрес. 3. Слáдкий хлеб. 4. Англи́йская граммáтика. 5. Молодóй

англича́нин. 6. Дли́нное письмо́. 7. Бе́лая бума́га. 8. Приле́жный учени́к. 9. Бога́тая страна́. 10. Желе́зная па́лка. 11. Городска́я больни́ца. 12. Изве́стный писа́тель. 13. Интере́сная пое́здка. 14. Больна́я ба́бушка. 15. Сере́бряное кольцо́. 16. Но́вая гости́ница. 17. Тума́нный день. 18. Молодо́е де́рево. 19. Бу́рный ве́тер. 20. До́брый дя́дя. 21. Тёплая ночь. 22. За́падная грани́ца. 23. Тру́дная зада́ча. 24. Я́ркий блеск. 25. Терпели́вый доктор. 26. Ста́рое гнездо́. 27. Деревя́нная дверь. 28. Весе́нний ве́чер. 29. Тру́дное вре́мя. 30. Зелёная ветвь. 31. Спе́лая ви́шня. 32. Хра́брое во́йско. 33. Ди́кое живо́тное. 34. Жа́ркое у́тро. 35. Высо́кое зда́нье. 36. Кра́сное зна́мя. 37. Желе́зный замо́к. 38. Закры́тое окно́. 39. Но́вый музе́й. 40. Ва́жное изобре́тение. 41. Интенси́вная рабо́та. 42. Кру́глый стол. 43. Си́ний каранда́ш. 44. Краси́вый ребёнок. 45. Ве́рный друг. 46. Несча́стный кале́ка. 47. Одино́кий сирота́. 48. Кита́йская а́рмия. 49. Плохо́е ка́чество. 50. Кури́ное яйцо́. 51. Не́жная любо́вь. 52. Любопы́тный ма́льчик. 53. Пра́вильное лече́ние. 54. Све́жее молоко́. 55. Дешёвое мы́ло. 56. Мя́гкая трава́. 57. После́дняя неделя. 58. О́блачное не́бо. 59. Гру́стная жизнь. 60. Весёлая пе́сня. 61. Прекра́сный пода́рок. 62. Глубо́кая река́. 63. Ре́дкая пти́ца. 64. Поле́зное расте́ние. 65. Заба́вная ска́зка. 66. Симфони́ческий конце́рт. 67. То́чное значе́ние. 68. Сла́дкое я́блоко. 69. Огро́мная скала́. 70. У́тренняя прогу́лка. 71. Интере́сная статья́. 72. Черни́льное пятно́. 73. Приле́жный ю́ноша. 74. Ю́жный кли́мат. 75. Я́ркий свет. 76. Иностра́нный инжене́р. 77. Ста́рый челове́к.

2. Write the same expressions in the Genitive Plural.

3. „ „ „ „ „ Accusative Singular.

4. „ „ „ „ „ „ Plural.

5. „ „ „ „ „ Dative Singular.

6. „ „ „ „ „ „ Plural.

I.—Write first the Nominative Singular and Plural of the following nouns and define their gender by putting after each word M. for masculine, F. for feminine, N. for neuter.

II.—Then, define the number and case of each noun :

1. фонари́, 2. те́ни, 3. медведе́й, 4. облако́в, 5. кни́гам, 6. больни́цу, 7. шку́ру, 8. часы́, 9. чу́вство, 10. чте́ния, 11. ча́шку, 12. лю́ди, 13. цветы́, 14. хозя́ина, 15. угля́, 16. утра́, 17. ту́чам, 18. столи́цы, 19. стате́й, 20. се́рдца, 21. ска́зок, 22. слова́м, 23. си́лу, 24. стена́м, 25. сёла, 26. сыновья́м, 27. пле́чи, 28. коле́но, 29. о́сени, 30. наде́жды, 31. бра́тьев, 32. англича́нам, 33. длину́, 34. пода́рки, 35. зо́лота, 36. зада́чу, 37. трав, 38. крестья́нина, 39. англича́нкам, 40. газе́ты, 41. вина́, 42. грани́ц, 43. дере́вьев, 44. сту́льям, 45. аэропла́нов, 46. вышину́, 47. лучей, 48. льво́в, 49. сне́га, 50. ви́шен, 51. наро́ду, 52. автомоби́лей, 53. населе́ния, 54. биле́тов, 55. воды́, 56. волоса́м, 57. ветве́й, 58. рабо́те, 59. чи́сел, 60. ло́жек, 61. наде́ждам, 62. прогу́лок, 63. бога́тства, 64. рек, 65. гор, 66. озёрам, 67. а́второв, 68. госуда́рства, 69. груш, 70. гнёзда, 71. ве́трам, 72. голоса́.

LESSON 17

Numerals

A numeral can denote number, for instance, five, or else position in order of number, for instance, fifth. Numerals which denote how many objects there are are called cardinals and those which denote their order are called ordinals.

The number " one " is expressed in Russian as один for masculine nouns, одна, feminine, and одно, neuter, and must be of the same gender, number and case as the noun to which it applies. For instance: оди́н каранда́ш, одна́ кни́га, одно́ письмо́. The plural of this numeral for all genders is одни́ and it means: *alone, by themselves, only.*

Note: In English you say: twenty-one workmen, three hundred and thirty-one books (" workmen," " books " are in the plural).

In Russian: два́дцать оди́н рабо́чий, три́ста три́дцать одна́ кни́га ("рабо́чий," "кни́га" are in the singular).

THE DECLENSION OF THE NOUN ONE.

	Singular			Plural
	Masculine	Feminine	Neuter	For all Genders
Nom.	оди́н	одна́	одно́	одни́
Gen.	одного́ (pron. odnovó)	одно́й	одного́	одни́х
Dat.	одному́	одно́й	одному́	одни́м
Acc.	оди́н or одного́	одну́	одно́	одни́ or одни́х

THE DECLENSION OF NUMERALS

	Two	*Three*	*Four*
Nom.	два (with masculine and neuter nouns) две (with feminine nouns)	три	четы́ре
Gen.	двух	трёх	четырёх
Dat.	двум	трём	четырём
Acc.	два, двух.	три, трёх	четы́ре, четырёх

The noun following the cardinal numerals два, *two*, три, *three*, and четы́ре, *four*, when they are in the nominative and accusative, is put in the genitive *singular*. Consequently *two tables, three tables, four tables* are rendered in Russian: два стола́, три стола́, четы́ре стола́, (literally: *two of a table*, etc.,) *fifty-four tables;* пятьдеся́т четы́ре стола́, *fifty-four of a table*.

The same rule applies to the word óба meaning *both*. (This form precedes masculine and neuter nouns, but feminine nouns are preceded by обе).

Consequently, *both tables* is rendered in Russian óба стола́; *both mirrors*, óба зéркала; *both books*, óбе кни́ги. The cardinal numerals and the nominative and accusative from five upwards are followed by the noun in the genitive plural, for instance: *twenty-five tables* is in Russian: двáдцать пять столóв; *a hundred horses*, сто лошадéй. In other cases the numeral must agree with the noun (двух столóв, двум столáм, двумя́ столáми, о двух столáх).

Vocabulary

один́, однá, однó, one
два, две, two
три, three
четы́ре, four
пять, five
шесть, six
семь, seven
семнáдцать, seventeen
восемнáдцать, eighteen
девятнáдцать, nineteen
двáдцать, twenty
три́дцать, thirty
сóрок, forty
пятьдеся́т оди́н, одна, одно, fifty-one
шестьдеся́т вóсемь, sixty-eight
стóит, (it) costs
стóят, (they) cost
полови́на, half
полгóда, half-a-year
полфу́нта, half-a-pound
полчасá, half-an-hour
нуль, zero
деся́ток, ten pieces
дю́жина, dozen
раз (мнóго раз), time (many times)
ежеднéвно, daily
вóсемь, eight
дéвять, nine
дéсять, ten
оди́ннадцать, eleven
двенáдцать, twelve
тринáдцать, thirteen
четы́рнадцать, fourteen
пятнáдцать, fifteen
шестнáдцать, sixteen
пятьдеся́т, fifty
шестьдеся́т, sixty
сéмьдесят, seventy
вóсемьдесят, eighty
девянóсто, ninety
сто, hundred
ты́сяча, thousand
пятьдеся́т два / пятьдеся́т две } fifty-two
сéмьдесят дéвять, seventy-nine
миллиóн, million
вéсит, (it) weighs
вéсят, (they) weigh
полторá фу́нта (before masc. and neut. nouns), one-and-a-half pounds
полторы́ мину́ты (before fem. nouns), one-and-a-half minutes

Exercise 17

Write the following in Russian :—

23, 37, 44, 56, 69, 72, 85, 98, 112, 119, 132, 146, 158, 164, 194, 196, 202, 914, 618, 846, 294, 347, 456, 675, 719, 842, 931, 1004, 1109, 1014, 2039, 1090, 1111, 2446, 6843, 8346, 9345, 10,512, 13,618, 27,234, 100,943, 200,009, 1,000,000.

Translate into English :—

1. Он ежедне́вно получа́ет пять газе́т. 2. Э́то сукно́ сто́ит два́дцать пять рубле́й. 3. Мы чита́ем со́рок две страни́цы в день. 4. Я зна́ю сто пятьдеся́т англи́йских слов. 5. Э́та гости́ница име́ет се́мьдесят ко́мнат. 6. Час име́ет шестьдеся́т мину́т. 7. Неде́ля име́ет семь дней. 8. Ме́сяц име́ет три́дцать или три́дцать оди́н день. 9. Февра́ль име́ет два́дцать во́семь или два́дцать де́вять дней. 10. Год име́ет три́ста шестьдеся́т пять дней.

LESSON 18

NUMERALS (*continued*)

Пять (*five*), во́семь (*eight*), два́дцать (*twenty*), and три́дцать (*thirty*) are declined like feminine nouns ending in ь, for instance ло́шадь.

As the numerals 50, 60, 70 and 80, and 500, 600, 700, 800 and 900 are each composed of two words, пять, шесть, семь, во́семь plus the words де́сять and сот, both parts of the word must be declined, for instance :

Nom.	пятьдеся́т челове́к (fifty men)	пятьсо́т
Gen.	пяти́десяти челове́к (of fifty men)	пятисо́т
Dat.	пяти́десяти челове́кам (to fifty men)	пятиста́м
Accus.	пятьдеся́т челове́к (fifty men)	пятьсо́т
Instr.	пятью́десятью челове́ками (by fifty men)	пятьюста́ми
Prepos.	о пяти́десяти́ челове́ках (about fifty men)	о пятиста́х

Сорок, девяносто and сто do not change in the accusative and in other cases change into сорока, девяноста, ста.

	200	300	400
Nom.	двéсти	три́ста	четы́реста
Gen.	двýхсот	трехсóт	четырёхсóт
Dat.	двýмстам	тремстáм	четырёмстáм
Accus.	двéсти	три́ста	четы́реста
Instr.	двумя́стáми	тремя́стáми	четырьмястáми
Prepos.	о двýхстáх	о трёхстáх	о четырёхстáх

Collective numbers:

двóе (two of us), трóе (three of us), чéтверо (four of us), etc., пя́теро, шéстеро, сéмеро, вóсьмеро, дéвятеро, дéсятеро. Examples: нас бы́ло чéтверо в лóдке, *there were four of us in the boat;* у негó двóе сыновéй и трóе дочерéй, *he has two sons and three daughters.*

All collective numerals are declined in the plural as adjectives:

Nom.	óба	óбе	двóе	трóе	чéтверо
Gen.	обóих	обéих	двои́х	трои́х	четверы́х
Dat.	обóим	обéим	двои́м	трои́м	четверы́м
Accus.	As the nominative or accusative				
Instr.	обóими	обéими	двои́ми	троими	четверы́ми
Prepos.	(об)обóих	(об)обéих	(о)двои́х	(о)троих	(о)четверы́х

Age is expressed thus: he, she, Paul, Vera is one year old, емý, ей, Пáвлу, Вéре оди́н год, два гóда, три гóда, четы́ре гóда, *but* five years, пять лет (five summers), шесть лет, семь лет, etc., etc., мнóго, нéсколько лет, many, several years (summers).

Ско́лько вам лет? *how old are you?* (literally, *how many summers are there to you?*)

Fractions: $\frac{1}{3}$, одна́ треть; $\frac{1}{4}$, одна́ че́тверть; $\frac{2}{3}$, две тре́ти; $\frac{3}{4}$, три че́тверти; $\frac{1}{5}$, одна́ пя́тая; $\frac{4}{7}$, четы́ре седьмы́х; $\frac{5}{8}$, пять восьмы́х; $\frac{23}{37}$, два́дцать три три́дцать седьмы́х; 4,75, четыре и семьдесят пять сотых; 0,5, нуль це́лых и пять деся́тых.

Раз, одна́жды, *once;* два ра́за, два́жды, *twice;* три ра́за, три́жды, *three times;* четы́ре раза, *four times;* пять раз, *five times;* мно́го раз, *many times.*

The following are the ordinals:

1st, пе́рвый	20th, двадца́тый
2nd, второ́й	21st, два́дцать пе́рвый
3rd, тре́тий	22nd ,, второ́й
4th, четвёртый	23rd ,, тре́тий
5th, пя́тый	30th, тридца́тый
6th, шесто́й	40th, сороково́й
7th, седьмо́й	50th, пятидеся́тый
8th, восьмо́й	60th, шестидеся́тый
9th, девя́тый	70th, семидеся́тый
10th, деся́тый	80th, восьмидеся́тый
11th, оди́ннадцатый	90th, девяно́стый
12th, двена́дцатый	100th, со́тый
13th, трина́дцатый	101st, сто пе́рвый
14th, четы́рнадцатый	200th, двухсо́тый
15th, пятна́дцатый	300th, трехсо́тый
16th, шестна́дцатый	500th, пятисо́тый
17th, семна́дцатый	1,000th, ты́сячный
18th, восемна́дцатый	2,000th, двухты́сячный
19th, девятна́дцатый	1,000,000th, миллио́нный

The ordinal numerals are adjectives, therefore are declined like adjectives: пе́рвый, пе́рвая, пе́рвое (first); два́дцать тре́тий, два́дцать тре́тья, два́дцать тре́тье (23rd); сороково́й, сорокова́я, сороково́е (40th); в шестидеся́тых года́х (in the '60s).

In compound numbers only the last figure takes the ending of an adjective and is subject to change as regards gender, number and case.

	Declension of ordinals	Declension of fractions
Nom.	сто два́дцать восьмо́й год	четы́ре седьмы́х (ме́тра)
Gen.	сто два́дцать восьмо́го го́да	четырёх седьмы́х ,,
Dat.	сто два́дцать восьмо́му го́ду	четырём седьмы́м ,,
Accus.	As the nominative or accussative	четы́ре седьмы́х ,,
Instr.	сто два́дцать восьмы́м го́дом	четырьмя́ седьмы́ми ,,
Prepos.	(о) сто два́дцать восьмо́м го́де	о четырёх седьмы́х ,,

Exercise 18

Translate into English :—

1. Он владе́лец шести́ домо́в. 2. Ло́ндон име́ет свы́ше семи́ миллио́нов жи́телей. 3. Э́ти три ма́льчика — мои́ ученики́. 4. Четы́ре де́вочки игра́ют в саду́. 5. Мы провели́ две но́чи в саду́. 6. Одна́ газе́та моя́. 7. Мы открыва́ем пять о́кон. 8. Мы ви́дим семь звёзд. 9. У него́ де́вять книг. 10. Вот де́сять ви́шен. 11. У них три кру́глых стола́. 12. В гнезде́ пять ма́леньких птиц. 13. Я ожида́ю здесь двена́дцать мину́т. 14. Он рабо́тает оди́ннадцать часо́в в день. 15. В по́ле пятна́дцать бе́лых лошаде́й. 16. В на́шем саду́ два́дцать молоды́х дере́вьев. 17. О́ба са́да его́. 18. Э́то пла́та за три́дцать ра́бочих дней. 19. Вот со́рок спе́лых я́блок. 20. Я зна́ю шестьдеся́т иностра́нных слов. 21. В э́том го́роде се́мьдесят пять англи́йских автомоби́лей. 22. Он продаёт во́семьдесят две зелёные гру́ши. 23. Девяно́сто зи́мних дней были тру́дные. 24. Городско́й Сове́т стро́ит сто со́рок семь домо́в. 25. Э́тому зда́нию сто пятьдеся́т лет. 26. Три челове́ка в ло́дке. 27. Мы ви́дели два́дцать одного́

солда́та. 28. Пять и шесть — оди́надцать. 29. У тебя́ одно́ перо́ и́ли два? 30. У меня́ то́лько одно́.

Translate into Russian:—

1. I bought seven books to-day. 2. This basket weighs twenty-three pounds. 3. He is the first pupil in the class. 4. They have five children, two sons and three daughters. 5. Napoleon invaded Russia in 1812. 6. This house is worth six hundred pounds. 7. Where is the sixth volume of the dictonary? 8. Three of us are working at the factory. 9. Twenty-seven and forty-six make seventy-three. 10. There is seven degrees of frost to-day. 11. He has lived in England for twenty-six years. 12. He bought this suit of clothes for a hundred and twenty roubles. 13. There are seven thousand five hundred and sixty books in this library. 14. Please give me a dozen envelopes, ten post cards, twenty-four sheets of good paper and six stamps. 15. I buy thirty cigarettes and one box of matches every day. 16. This street is five hundred and seventy-three metres in length and sixty-four metres in width. 17. Four-fifths of the population of this village work on the land. 18. Two-sevenths and five-eighths equal fifty-one fifty-sixths. 19. He is writing the twenty-eighth page. 20. The streets are numbered in New York and are called, for instance, Fifth Avenue, 207th Street. 21. This is my fourth cup of tea.

LESSON 19

VERBS (*continued*)

We have already seen that Russian has no continuous present tense. There is also only one past tense, for example: я чита́л, *I have read* and *I read*. There are no such verbal forms as the English "I have read," "I have been reading," "I had read," and so on. In so far as these shades of meaning are expressed in Russian, this is done by other means, as, for example, by adding an explanatory word to the verb in the sentence. Thus *I am writing a letter* would be expressed in Russian я пишу́ письмо́ тепе́рь (literally: *I write a letter now*). *When he came home his friend had gone,* когда́ он пришёл домо́й, его́ друг уже́ ушёл (literally: *when he came home his friend had already gone*). It is also possible, by adding certain syllables to the beginning of a verb or giving it special endings, to modify its meaning and so express some of the varieties of sense which are conveyed by the different English tenses. But we shall deal with this in greater detail later.

The formation of the past tense of regular verbs is very simple: you drop the ть in verbs ending in -ять, -ать, -еть or -ить and add л for the masculine; ла for the feminine; ло for the neuter and ли for the plural of all genders. Therefore the past tenses of the specimen verbs given on pages 38 and 39 are:—

я, ты, он чита́л, гуля́л, име́л, хвали́л я, ты, она́ чита́ла, гуля́ла, име́ла, хвали́ла я, ты, оно́ чита́ло, гуля́ло, име́ло, хвали́ло мы, вы, они́ чита́ли, гуля́ли, име́ли, хвали́ли.	*I read, walked, had, praised,* etc.

The future tense of a regular verb is formed by adding its infinitive to the future tense of быть, *to be.* For instance, the future of писа́ть, *to write,* is я бу́ду писать, *I shall write.* Therefore the future tense of the specimen verbs is: я бу́ду, ты бу́дешь, он, она́, оно́ бу́дет чита́ть, гуля́ть, име́ть, хвали́ть, мы бу́дем, вы бу́дете, они бу́дут чита́ть, гуля́ть, име́ть, хвали́ть.

The conditional or subjunctive mood is formed by adding the word бы to the past tense. Therefore *I should* (or *would*) *read* is translated by я чита́л-бы, *I should walk,* я гуля́л-бы; *I should have,* я име́л-бы; *I should praise,* я хвали́л-бы.

The imperative mood is formed from the second person singular of the present tense by dropping the ending -ешь in verbs whose infinitives end in -ать, -ять, or -еть, and -ишь in verbs ending in -ить and adding instead й, йте or и, ите. Consequently the imperative of our specimen verbs would be чита́й, чита́йте, гуля́й, гуля́йте, име́й, име́йте, хвали́, хвали́те.

You will notice that й and йте are added to a vowel and и and ите to a consonant. However, verbs with a stem of one syllable, if that stem ends in a consonant, have ь instead of и and ьте instead of ите; for example: бро́сить, *to throw;* stem, брос: imperative: брось, бро́сьте.

If a transitive verb is preceded by the word не, the noun following it must be put in the genitive instead of the accusative case. Therefore we say:

я зна́ю англи́йский уро́к, *I know the English lesson*

but

я не зна́ю англи́йского уро́ка, *I do not know the English lesson*

я чита́ю интере́сную кни́гу, *I am reading an interesting book*
but
я не чита́ю интере́сной кни́ги, *I am not reading an interesting book.*

Do, does and *did,* used in English in negative and interrogative sentences, are not used in Russian. *Do you go to school?* идёшь-ли ты в шко́лу?; *Does he speak Russian?* говори́т-ли он по ру́сски? *He does not,* он не говори́т.

Vocabulary

слова́рь, dictionary, vocabulary
ока́зывать, to render
по́мощь, help, assistance
да́нный, ая, ое, given
обеща́ние, promise
предлага́ть, to offer
не́жный, tender
посеща́ть, to visit
приле́жно, diligently
надева́ть, to put on (clothing)
га́лстук, tie
почита́ть, to honour, to respect
обижа́ть, hurt, offend
воротни́к, collar
изуча́ть, to study
опа́здывать, to be late
вокза́л, station
наступле́ние, the approach, the coming
разнообра́зный, various
четве́рг, Thursday
для, for (with genitive)
отдыха́ть, to rest
предска́зывать, forecast, foretell
язы́к, language
сли́шком, too
мно́го, many
встреча́ть, to meet
кури́ть, to smoke
держа́ть, я держу́, ты де́ржишь, to hold
осторо́жный, careful
иногда́, sometimes
руба́ха, shirt

Exercise 19

Translate into English :—

1. Отвеча́л-ли мой мла́дший сын на вопро́сы учи́теля? 2. Нача́льник предлага́ет рабо́чим неде́лю о́тдыха. 3. Мы всегда́ вспомина́ли не́жную любо́вь на́шей до́брой ма́тери. 4. Е́сли луна́ не освеща́ла-бы мо́ря, капита́н не знал-бы пути́. 5. Я чита́л-бы ру́сскую газе́ту, е́сли-бы я име́л хоро́ший слова́рь. 6. Э́тот ю́ноша рабо́тал-бы приле́жно, е́сли-бы он не был бо́лен. 7. Мы ку́шали-бы э́ти ви́шни, е́сли-бы они́ бы́ли-бы спе́лы. 8. Надева́ет-ли де́вочка тёплое

пла́тье зимо́й? 9. Учи́тель хвали́л-бы учени́ка, е́сли-бы он был приле́жен. 10. Я гуля́л-бы у́тром, е́сли-бы я не был за́нят. 11. Я кури́л-бы, е́сли-бы я име́л папиро́су. 12. Я посыла́л-бы вам кни́ги, е́сли-бы я знал ваш а́дрес. 13. Вы ча́сто опа́здываете на уро́к. 14. Не опа́здывайте, это меша́ет рабо́те! 15. Ку́рите-ли вы тру́бку и́ли папиро́сы? 16. Вы зна́ли-бы урок, е́сли вы слу́шали-бы объясне́ние учи́теля. 17. Не закрыва́йте окна́! 18. Рабо́тай бы́стро! 19. Люби́ и почита́й отца́ и мать! 20. Не меша́йте отцу́ рабо́тать! 21. Пусть де́ти игра́ют! 22. Слу́шайте э́ту интере́сную ска́зку! 23. Чита́й англи́йскую газе́ту! 24. Не обижа́й сироты́! 25. Не стро́йте до́ма здесь, потому́ что э́та у́лица сли́шком у́зка. 26. Понима́ете-ли вы вопро́с учи́теля? 27. Отвеча́йте, е́сли вы зна́ете э́то пра́вило. 28. Не пе́йте холо́дного лимона́да! 29. Изуча́йте иностра́нные языки́! 30. Он спеши́т на вокза́л. 31. Зна́ешь-ли ты имена́ знамени́тых ру́сских писа́телей? 32. Ока́зывайте по́мощь э́тому слепо́му и сопровожда́йте его́, ко́гда он гуля́ет! 33. Не забыва́йте да́нного обеща́ния! 34. Встреча́ет-ли ваш оте́ц своего́ ста́рого дру́га? 35. Держи́ э́ту тяже́лую па́лку. 36. Он не понима́ет э́того просто́го вопро́са. 37. Будь осторо́жен, не де́лай черни́льных пя́тен. 38. Он не жела́ет име́ть уро́ков рисова́ния. 39. Наш ста́рый сосе́д всегда́ пра́вильно предска́зывал наступле́ние хоро́шей пого́ды. 40. Капита́н не ви́дел маяко́в, потому́ что тума́н был сли́шком густо́й. 41. Зна́ют-ли они́ а́дрес но́вой гости́ницы? 42. Моя́ сестра́ лю́бит кра́сные ро́зы. 43. Наш садо́вник не име́ет бе́лых цвето́в. 44. Цвет э́того сукна́ си́ний.

Translate into Russian:—

1. I do not know this game. 2. We did not see this building. 3. The tailor buys cloth of various colours. 4. Love your native country! 5. We do not send letters to our old friends because we do not know where they live. 6. The sailors do not wash the deck when the weather is bad. 7. Does the boy copy his lesson? 8. Did

your elder brother work late? 9. Yes, until midnight. 10. My mother does not like dark nights. 11. We studied foreign languages when we lived abroad. 12. The doctor does not allow these women to work. 13. Have you a round table? 14. Do not give this lantern to the children. 15. We do not know the names of these heroes. 16. Be content! 17. The engineer has ordered six iron rings. 18. The mother does not allow her young son to have a sharp knife. 19. Where do birds build their nests? 20. Do not punish this dog. 21. We have finished our work. 22. Do you read the morning and the evening newspapers? 23. They do not buy white paper. 24. I shall go for a walk in the morning. 25. I would tell you a fairy tale if I had time. 26. We should send you the novels of this famous writer, if you knew the English language. 27. We are reading twenty pages every day. 28. Curious children ask too many questions. 29. These clouds foretell bad weather. 30. Do you visit the Historical Museum frequently? 31. I used to be there every Thursday, but I have no free time now. 32. My mother buys clothes for the little boys and girls. 33. Did the captain measure the length, the width and the depth of this river? 34. The engineer was explaining his invention for three hours. 35. Do you know the name of this game? 36. Do not forget the rules which the teacher explained to us yesterday. 37. Will you rest after work? 38. We would visit you if we were not busy.

Write the present tense of the following verbs and compare with the Key.

1. бе́гать, *to run;* 2. благодари́ть, *to thank;* 3. брани́ть, *to scold;* 4. верить, *to believe.*

Write the past, future, imperative and conditional of the verbs :—

1. бегать, *to run;* 2. благодарить, *to thank;* 3. бранить, *to scold;* 4. верить, *to believe.*

LESSON 20

PREPOSITIONS

There are certain words used in speech to show the place or time at which something occurs. For instance: *my father is building a house* near *the factory,* мой оте́ц стро́ит дом вблизи́ фа́брики; *I walked* after *dinner,* я гуля́л по́сле обе́да.

Others indicate the cause or purpose of an action. For instance: *the teacher has praised the boy* for *his good work,* учи́тель хвали́л ученика́ за хоро́шую рабо́ту. *He has brought this book* for *my sister,* он принёс э́ту кни́гу для мое́й сестры́. Words of this type are called in grammar prepositions.

In English a preposition sometimes calls for a change in the word which follows it. For example, you do not say in English "*by he,*" "*after he,*" but "*by him,*" "*after him.*" Similarly, following the prepositions *by, after,* you change the pronouns *she* and *who,* and you say *by her, after her, by whom, after whom.* No such change is required in English when a preposition is followed by a noun and you say : *by the book* or *by the man, after my father,* without having to alter the words " book " or " man," or " my father " in any way.

In Russian this is not so, since a word which follows the preposition is always put in the case required by the preposition. The following examples will show how a preposition in Russian affects the ending of the noun which comes after it.

1. Я сиде́л о́коло де́рева — I was sitting *near* the tree.
2. Я подошёл к де́реву — I came *up to* the tree.
3. Я взлез на де́рево — I climbed *up* the tree.
4. Я сиде́л под де́ревом — I was sitting *under* the tree.
5. Я сиде́л на де́реве — I was sitting *up in* the tree.

We see that о́коло, *near,* is followed by the genitive case ; к, *up to,* by the dative, and на, *up,* by the accusative. Sentences 4 and 5 give examples of the two cases which have not yet been dealt with : под, *under,* is followed by the instrumental and на, *up in,* by the prepositional case.

Adjectives relating to the noun must be put in the same case as the noun to which they refer. For instance : я сиде́л о́коло большо́го ста́рого де́рева, *I was sitting near the big, old tree.* The adjective большо́е ста́рое, *big, old,* must also be put in the genitive case.

Most prepositions govern one case only. Thus о́коло, *near,* is always followed by the genitive. But there are prepositions which may govern one or other of two cases according to the meaning of the preposition. Look at the preposition на in the sentences given above : in the third sentence на means *up* and it is followed by the accusative, but in the fifth sentence the same preposition, meaning *up in,* is followed by the prepositional case. Some prepositions even govern three cases, and the case varies according to the meaning of the preposition which precedes the noun.

Learn the prepositions in the following vocabulary. They all take the genitive case :—

Vocabulary

без, without
близ, у, near
с, off, from
вме́сто, instead of
вне, outside
внутри́, inside, within
позади́, сза́ди, behind
о́коло, about
впереди́, in front of
для, for
до, up to, till
из, out, from (a place)
из-за́, from behind
из-под, from under
круго́м, вокру́г, round
отва́жный, ая, ое, daring, intrepid
реда́ктор, editor
убежда́ть, to persuade, convince
предвари́тельный, preliminary
лаборато́рия, laboratory
ши́на, tyre
пло́щадь, area
ми́мо, by, past
кро́ме, besides, except
от, from (a person)
во́зле, by the side of
по́сле, after
среди́, in the middle
про́тив, opposite, against
ра́ди, for the sake of
поперёк, across
меж, between
у, at
вдоль, along
сверх, in addition to
на́бережная, embankment, quay
наблюда́ть, observe
про́ба, trial, test
рези́на, rubber
затме́ние, eclipse
общежи́тие, hostel
поднима́ть, to raise, lift
лётчик, airman
маля́р, painter
стоя́ть, стою́, стои́шь, to stand

Exercise 20

Translate into English :—

1. Оте́ц и сын гуля́ют ка́ждое у́тро вдоль бе́рега реки́. 2. Близ на́шего до́ма нахо́дится (there is) больша́я фа́брика. 3. Среди́ ле́са стои́т избу́шка сто́рожа. 4. Поперёк доро́ги лежи́т поле́но. 5. Ка́ждый день по́сле обе́да я пишу́ статью́ для реда́ктора англи́йской газе́ты. 6. Вот письмо́ от Ва́шего ста́рого дру́га. 7. Бу́дете-ли Вы здесь за́втра ? 8. Да, с утра́ до обе́да ;

по́сле обе́да я бу́ду до́ма. 9. Из-за плохо́й пого́ды парохо́д стои́т у на́бережной. 10. Про́тив ста́рой больни́цы нахо́дится хими́ческая лаборато́рия. 11. О́коло крова́ти стои́т стол. 12. Моя́ сестра́ бу́дет заграни́цей до конца́ ме́сяца. 13. Впереди́ теа́тра краси́вый парк. 14. Оте́ц не бу́дет до́ма до ве́чера. 15. Вся семья́ сиди́т вокру́г стола́ и обе́дает. 16. Он покупае́т автомоби́ль без предвари́тельной про́бы. 17. Посреди́ зна́мени — серп и мо́лот — эмбле́ма Сове́тского Сою́за. 18. Из-за недоста́тка вре́мени маля́р рабо́тает то́лько вну́три до́ма. 19. Э́тот писа́тель живёт недалеко́ от Куста́рного музе́я. 30. Э́тот отва́жный лётчик ча́сто лета́ет из Москвы́ в Нью-Йо́рк. 21. Он ку́шает хлеб без ма́сла. 22. Чай без са́хара невку́сен. 23. Посреди́ па́рка нахо́дится глубо́кое о́зеро. 24. Из-за дождли́вой пого́ды мы ре́дко гуля́ем. 25. Среди́ но́чи мы наблюда́ем затме́ние луны́. 26. Оте́ц убежда́ет сы́на рабо́тать приле́жно. 27. Он поднима́ет кни́гу из-под стола́. 28. Я охо́тно де́лаю э́то ра́ди ста́рого дру́га. 29. Нача́льник разреша́ет кури́ть внутри́ фа́брики лишь по́сле рабо́ты. 30. Где общежи́тие? Позади́ лаборато́рии. 31. Рабо́чие э́той фа́брики де́лают ши́ны из рези́ны. 32. Он име́ет бри́тву из хоро́шей англи́йской ста́ли. 33. У верши́ны горы́ стои́т избу́шка сто́рожа. 34. Ма́ленькая пти́чка вы́пала из гнезда́. 35. Э́то ва́ша кни́га? 36. Да, э́то одна́ из мои́х но́вых англи́йских книг. 37. Мы жи́ли заграни́цей от конца́ зимы́ до нача́ла ле́та. 38. Посреди́ ко́мнаты стои́т стол. 39. Я встре́тил инжене́ра у две́ри фа́брики. 40. Он рабо́тает без о́тдыха от ра́ннего утра́ до по́здней но́чи. 41. Мы име́ли сего́дня уро́к рисова́ния вме́сто уро́ка исто́рии. 42. Они́ жи́ли зимо́й без угля́. 43. По́сле симфони́ческого конце́рта мы бу́дем обе́дать в э́том рестора́не. 44. Ни одно́ живо́тное не мо́жет жить без воды́. 45. Мы прохо́дим ка́ждое у́тро ми́мо до́ма на́шего дру́га.

Translate into Russian :—

1. Besides a text book he has also a complete English-Russian dictionary. 2. He is buying an aeroplane instead of a motor car. 3. The doctor does not visit the hospital on account of his illness. 4. The map of the world is inside the book. 5. Every boy has a spoon, a fork, and a knife. 6. The shop is opposite the post office. 7. Who made that stain of grease across the page ? 8. The stamp is nside the envelope. 9. Where is the restaurant ? 10. Near the hotel. 11. There is a map at the entrance to the museum. 12. I shall be here until Tuesday ; after Monday I shall be free. 13. From the window of my apartment I can see a beautiful garden. 14. There is an underground railway round the capital. 15. What a pleasant journey ! 16. The teacher does not permit his pupils to play outside the school on account of lack of room. 17. The Chairman of the meeting is very patient. 18. I do not like tea without milk. 19. I buy a newspaper for my father every day. 20. The river is near the hospital. 21. This room is for the foreign visitor. 22. The engineer is measuring the area of the field. 23. The mother is giving her daughter a present of a brush and comb. 24. I shall be in London until the winter. 25. The parrot is a noisy bird. 26. The hospital is opposite the post office. 27. There is a motor car across the bridge. 28. The smell of your rose is pleasant. 29. Outside the western border there are woods everywhere. 30. This pear is for my brother. 31. He receives a reward in addition to his salary. 32. I have ordered this table for my father. 33. There are lanterns all along this long street. 34. This little girl drinks her milk out of a big cup. 35. We were sitting round the table, discussing the events of the day. 36. There are several high trees behind that wall. 37. We do not live far from our school. 38. I shall hurry home after the lesson. 39. He is always jolly when he is among friends.

LESSON 21

PREPOSITIONS (*continued*)

Most of the prepositions, as shown in Lesson 20, are followed by the genitive. The following take other cases, and all of them should be carefully noted.

The preposition в can mean either *into, to, in* or *at.* When it denot[illegible] direction of the action, answering the question *where to ?* куда́? it is followed by the accusative case. When в denotes the place of the action, answering the question *where?* где́? it is followed by the prepositional case.

Where has he gone to?	Куда́ он ушёл?
He has gone to the office	Он ушёл в конто́ру
Where is he?	Где он?
He is at the office	Он в конто́ре

Likewise the preposition на, meaning *to, on to, up to, at,* and denoting the direction of an action, is followed by the accusative. When на indicates place and answers the question *where*? где? it is followed by the prepositional.

Where did you put the books?	Куда ты положи́л кни́ги?
I put them on the table	Я положи́л их на стол
Where are the books?	Где кни́ги?
They are on the table	Они на столе́

The preposition за meaning *for, for the sake of,* is followed by the accusative. За meaning *behind, across,* is followed by the accusative if it denotes direction, or by the instrumental if it denotes place.

He was fighting for his native country	Он сража́лся за ро́дину
He has put the frame behind the wardrobe	Он положи́л ра́му за шкаф
The frame is behind the wardrobe	Ра́ма за шка́фом

The preposition под may also be followed either by the accusative or by the instrumental. In the first case it indicates direction and answers the question *where to?*; in the second case it indicates place and answers the question *where?*

I have put the box under the table	Я положи́л я́щик под стол
Where is the box?	Где я́щик?
It is under the table	Он под столо́м

The preposition С, when it means *with*, is followed by the instrumental; when it means *from, off* or *since*, it is followed by the genitive.

I walked with my sister	Я гуля́л с сестро́й
A stone fell off the roof	Ка́мень упа́л с кры́ши
I have not been here since Friday.	Я не был здесь с пя́тницы

The preposition К means *to, towards*, and is followed by the dative:

I came to my father	Я пришёл к отцу́
I came nearer to the house	Я подошёл к до́му

Ме́жду, which means *between, among*, is followed by the instrumental:

Among friends	Ме́жду друзья́ми
Between heaven and earth	Ме́жду не́бом и землёй

Над, meaning *above, over*, is also followed by the instrumental:

There was a thick fog over London	Над Ло́ндоном был густо́й тума́н
He is over me	Он на́до мной

(The о is added to avoid an accumulation of consonants.)

О, if it is followed by the prepositional case, means *of, about*:

I spoke about (of) my brother	Я говори́л о моём бра́те

Пе́ред, meaning *in front of*, is followed by the instrumental:

In front of the shop	Пе́ред магази́ном

По, meaning *over, per, in accordance with, in the manner of, by*, is followed by the dative:

Over water	По воде́
Over the field	По по́лю
By post	По по́чте
In accordance with the drawing	По рису́нку

Russian proverb: По пла́тью встреча́ют, по уму́ провожа́ют (On meeting, one is judged by one's clothes; on leaving one is judged by one's brains.)

При, meaning *attached to, in the presence of*:

There is a library attached to the Museum	При музе́е есть библиоте́ка
In the presence of a witness	При свиде́теле

Сквозь, meaning *through*, and че́рез, *across*, are followed by the accusative:

Through the wall	Сквозь стену́
Across the road	Че́рез доро́гу

Vocabulary

ближа́йший, the nearest
гла́вный, chief, main, principal
бобе́р, beaver
горноста́й, ermine
гости́ная, drawing room
га́вань, harbour, port
за́втракать, to have breakfast
за́втрак, breakfast
журнали́ст, journalist
ко́фе, coffee
ви́за, visa
Ки́льский, Kiel
кана́л, canal
каза́ться, to seem
яи́чница, omelette
кабине́т, study
вид, sight
тума́н, fog
руче́й, brook
огро́мный, huge, immense
расти́, расту́, растёшь, to grow
ти́хий, calm
це́рковь, church
поду́шка, pillow
ковёр, carpet
колыбе́ль, cradle
кре́пость, fortress
разбра́сывать, to disperse, scatter
роя́ль, (grand) piano
ребёнок, infant, child
руби́ть, рублю́, ру́бишь, to fell (trees)
ре́жу, ре́жешь, ре́жет, to cut
по кра́йней ме́ре, at least
годовщи́на, anniversary
всмя́тку (яйцо), soft boiled (egg)
вкруту́ю (яйцо), hard boiled (egg)
учёный, scientist
заве́дующий, manager
чаевы́е, tips
укла́дывать, to pack
чемода́н, suit case
бино́кль, opera glasses
позоло́ченный, gilded

Exercise 21

Translate into English:—

1. Сыновья́ э́того моряка́ на войне́ ; оди́н в а́рмии, а друго́й во фло́те. 2. Гла́вный инжене́р тепе́рь в Москве́. 3. На э́том заво́де мно́го иностра́нных рабо́чих. 4. Я заказа́л по телегра́фу две ко́мнаты с двумя́ крова́тями в ка́ждой. 5. Я бу́ду за́втракать в гости́нице, а обе́дать и у́жинать я бу́ду с мои́ми друзья́ми. 6. Поезжа́йте в гости́ницу „Евро́па". 7. Э́то отли́чная гости́ница. 8. Я жил в ней два ме́сяца и был всем дово́лен : ко́мнатой, пи́щей и прислу́гой. 9 По́сле за́втрака мы все идём в Музе́й Изя́щных Иску́сств. 10. Са́мые лу́чшие меха́ — бо́бер, со́боль, горноста́й иду́т из Сиби́ри. 11. Вы найдёте на пи́сьменном столе́ в кури́тельной ко́мнате конве́рты и бума́гу. 12. Проводи́те меня́ до ближа́йшей по́чты ! 13. Каки́м трамва́ем ну́жно туда́ е́хать ? 14. Вчера́ в го́роде не́ было газе́т. 15. Э́тот журнали́ст до́лго жил в А́нглии. 16. Он отли́чно говори́т по англи́йски. 17. Я сиде́л с друзья́ми в гости́нной за ча́шкой ко́фе, когда́ мне принесли́ э́то письмо́. 18. Я с жено́й хоти́м пое́хать в СССР с экску́рсией. 19. Вот на́ши паспорта́, запо́лненные бла́нки и фотографи́ческие ка́рточки. 20. Пожа́луйста, да́йте мне знать по по́чте или телефо́ну, когда́ на́ши ви́зы бу́дут гото́вы. 21. Мы пое́дем мо́рем, на сове́тском парохо́де из Ло́ндонской га́вани пря́мо в Ленингра́д че́рез Ки́льский Кана́л. 22. По все́й ко́мнате разбро́саны кни́ги, но́ты, ста́рые газе́ты и журна́лы, бума́ги ; они́ повсю́ду : на сту́льях, на стола́х, под стола́ми, на роя́ли. 23. Каза́лось, что́ в тече́ние го́да никто́ не входи́л в э́ту ко́мнату. 24. В ко́мнате не́ было ковра́. 25. За шка́фом стоя́ла карти́на в позоло́ченной ра́ме. 26. На стене́ над роя́лью висе́л портре́т молодо́го лётчика. 27. Я пошёл к окну. 28. На у́лице бы́ло ти́хо. 29. У две́ри це́ркви стоя́ло не́сколько челове́к. 30. Мать положи́ла ребёнка в колыбе́ль и поста́вила её под тени́стым де́ревом. 31. Он положи́л свои́ часы́ под поду́шку.

Translate into Russian :—

1. There is still much snow in the fields. 2. I am going to the park. 3. Where are these peasants going ? 4. To the forest. 5. There are beautiful flowers in our garden. 6. The children are going to the museum with their teacher. 7. Are you going to the office by train or by tram ? 8. Your shirt and collar are in the wardrobe, and your tie is here on the table under your hat. 9. I always buy my cigarettes in that tobacco shop and my newspapers in the kiosk opposite. 10. Tea is drunk in Russia from glasses, but not from cups, often with lemon and, of course, without milk. 11. I learned from the newspaper that the library will be closed from the first of July till the tenth of September. 12. I left my opera glasses on my seat. 13. This is our last day at the sea. 14. Before our departure we shall dine at this restaurant with a few friends. 15. After dinner we shall pack our suit cases. 16. No tips are given to the workers at the hairdresser's in Russia now. 17. Is your clock right ? 18. My watch is being mended. 19. The young scientist works in his laboratory at the hospital. 20. I want to speak to the manager. 21. There is no telephone in this room. 22. I live in Pushkinskaya Street. 23. My mother makes all her purchases in the new market. 24. Convicts in Soviet prisons are often allowed to work in kitchen gardens, factories, and fields outside the prison. 25. Trams and cars in Russian towns keep to the right. 26. Let us go to the post office ! 27. Put your gloves into the box ! 28. The steamer will get supplies of provisions and coal at the next port. 29. Have you heard of the new towns which are rapidly growing all over Soviet Russia ? 30. There is a huge park right in the centre of New York. 31. Is there an architect amongst your friends ? 32. Not one of us is an architect. 33. There is a brook in the middle of our orchard. 34. We went up by the lift on to the roof of the building and watched the traffic in the streets. 35. The thick fog over the sea lifted. 36. A beautiful sight opened before us. 37. My father's study is behind the dining room. 38. I am now going to the station. 39. How much does a ticket to Edinburgh cost ? 40. I have always breakfasted at half past seven. 41. I usually eat two eggs, soft or hard boiled, or an omelette, a slice or two of bread with butter, and I drink two cups of coffee. 42. To-day is the seventh of November ; the red flag is flying over all the town's buildings because it is the anniversary of the October* Revolution.

---

* The introduction of the Western Calendar brought the October date to the 7th November.

LESSON 22

Instrumental and Prepositional Cases

We have left two cases over, the instrumental and the prepositional, and we can now explain when they are used.

Let us deal with the instrumental case first. It is mainly used to show the means by which, or the person by whom, an action is carried out. For example: *I write with a red pencil*, я пишу́ кра́сным карандашо́м. *This letter is written by my elder son*, это письмо́ напи́сано мои́м ста́ршим сы́ном.

Therefore, when in a sentence you use a noun which answers the question *with what?* or *by whom?* you put that noun, and any adjective describing it, into the instrumental case.

There are also a few prepositions which have to be followed by the instrumental case, as, for instance, за when it means *behind* and ме́жду when it means *between*. For example: *there is a garden behind the house*, за до́мом есть сад; *between the wall and the table is a carpet*, ме́жду стено́й и столо́м лежит ковер.

Certain adjectives and verbs are followed by a noun in the instrumental case, for instance: *he is pleased with his house*, он дово́лен своим до́мом; *he is busy with his work*, он за́нят свое́й рабо́той; *to possess a house*, владе́ть до́мом; *to wave a handkerchief*, маха́ть платко́м; *to play with a ball*, играть мячом; *he is interested in science*, он интересу́ется нау́кой.

The instrumental is also used in such expressions as: *I am going by sea*, я е́ду мо́рем; *when I was a boy*, когда́ я был ма́льчиком; *old in years, but young in heart*, лета́ми он стар, а се́рдцем мо́лод.

The prepositional case is so called because it is always preceded by a preposition. The following prepositions are followed by the prepositional case:

о (or об before a vowel), *about*; по, *for*; при, *at*; на, *on*; в, *in*.

It should be noted, however, that the last two, в, *in, at*, and на, *on*, are followed by the prepositional case only when they denote the place where the action occurs and when they answer the question *where,* где? For instance: ученик работает в школе, *the boy works at school;* шляпа лежит на столе, *the hat lies on the table.*

When в and на denote the direction of an action, and answer the question *where to,* куда? they are followed by the accusative case:

Я иду в школу	I am going to school
Я положил шляпу на стол	I put my hat on the table.

We shall now give you a full table in the singular number of masculine nouns accompanied by adjectives. The instrumental and prepositional cases are included.

Nom.	нóв-ый стол	юн-ый герóй	стáр-ый конь
Gen.	нóв-ого стол-á	юн-ого герó-я	стáр-ого кон-я́
Dat.	нóв-ому стол-ý	юн-ому герó-ю	стáр-ому кон-ю́
Accus.	нóв-ый стол	юн-ого герó-я	стáр-ого кон-я́
Instr.	нóв-ым стол-óм	юн-ым герó-ем	стáр-ым кон-éм
Prepos.	нóв-ом стол-é	юн-ом герó-е	стáр-ом кон-é

Every noun ending in a consonant is declined like the word стол and every noun ending in й like герóй. Masculine nouns ending in ь follow the declension of the word конь. Consequently these three tables will serve you as standard models for almost all nouns which have one of these endings in their primary form, that is, the nominative case.

Adjectives applied to a masculine noun generally have the ending ый and are declined as we have shown in these tables. A few have the nominative ending ой, for instance злой, but in all the other cases they have the same ending as if their nominative case ended in ый.

There are also a few adjectives ending in ий, яя, ее, like зимний, зимняя, зимнее, *winter.* The endings of these are similar to the endings of нóвый, новая, новое, but with this difference that while the latter have hard vowel endings in all cases the former have soft vowel endings. Adjectives having soft vowel endings are declined as follows :—

		Singular			Plural
		Masc.	Fem.	Neuter	For all genders
Nominative	зи́мн-	ий	яя	ее	ие
Genitive	зи́мн-	его	ей	его	их
Dative	зи́мн-	ему	ей	ему	им
Accusative	зи́мн-	ий	юю	ее	ие
Instrumental	зи́мн-	им	ею	им	ими
Prepositional	о зи́мн-	ём	ёй	ём	их

Vocabulary

дю́жина, dozen
тюльпа́н, tulip
аккура́тный, accurate, tidy, neat
швейца́рский, Swiss
голла́ндский, Dutch
пари́жский, Parisian
обши́рный, extensive, vast
нахо́дится, is } situated
нахо́дятся, are } situated
эква́тор, equator
ду́мать, to think
тепе́решний, present
счита́ть, to count, to consider
гора́здо, much, far
прохла́дный, cool
мел, chalk
песо́к, песка́, sand
уметь, to be able
мы́шь (*f.*), mouse
зверь, beast, animal
дре́вний, ancient
Еги́пет, Egypt
библиоте́ка, library
брита́нский, British
во вре́мя, during (with gen.)
сере́бряный, of silver
минера́л, mineral
грани́т, granite
вопро́с, question
пожа́луйста, please
насеко́мое, insect
шёлковый, of silk
топо́р, axe
потому́ что, because
пра́вильно, correctly

Exercise 22

Translate into English :—

1. Э́тот ю́ный учени́к пи́шет карандашо́м, потому́ что он ещё не уме́ет пра́вильно держа́ть ру́чку.

2. Мы пи́шем в кла́ссе на чёрной доске́ ме́лом. 3. Садо́вник ру́бит дере́вья о́стрым топоро́м. 4. Инжене́р был о́чень дово́лен рабо́той своего́ помо́щника. 5. Ка́ждый год учи́тель награжда́ет свои́х са́мых приле́жных ученико́в интере́сными кни́гами. 6. В э́том тени́стом па́рке о́чень густа́я трава́. 7. Мы лю́бим сиде́ть на траве́. 8. Я чита́л в вечёрней газе́те, что за́втра ве́чером в зда́нии Музе́я бу́дет симфони́ческий конце́рт. 9. Мой оте́ц не нашёл своего́ алма́за, и он не мо́жет ре́зать стекло́ для на́ших око́н. 10. Я слы́шал о твои́х успе́хах и я о́чень дово́лен тобо́й. 11. На́ша дере́вня на высо́ком холме́. 12. Я проводи́л мою́ сестру́ на вокза́л. 13. Мой брат е́дет по́ездом, потому́ что его́ жена́ не лю́бит путеше́ствовать мо́рем. 14. Где ты встре́тил своего́ дру́га? 15. Я встре́тил его́ в парке́. 16. Кто идёт с на́ми в рестора́н? 17. Она́ потеря́ла свои́ но́вые перча́тки. 18. До́ктор тепе́рь в больни́це. 19. Он бу́дет до́ма ве́чером. Письмо́ лежи́т на столе́ под кни́гой. 21. Все магази́ны на пра́вой стороне́ у́лицы. 22. Нача́льник э́той фа́брики обеща́л всем рабо́чим три неде́ли о́тдыха, е́сли они́ бу́дут рабо́тать во́семь часо́в в день. 23. Она́ заплати́ла за своё пла́тье пять фу́нтов. 24. Моя́ мать оказа́ла по́мощь э́той больно́й же́нщине. 25. Моя́ сестра́ в шко́ле. 26. Я иду́ в парк. 27. Я чита́ю газе́ту в па́рке. 28. На кры́ше пти́ца. 29. Спе́лая гру́ша упа́ла на́ зе́млю. 30. Солда́ты вошли́ в кре́пость. 31. Они́ остану́тся в кре́пости до суббо́ты. 32. Он поста́вил свой чемода́н под кро́вать. 33. Там под крова́тью есть та́кже свя́зка книг.

Translate into Russian :—

1. Our house was destroyed by fire. 2. He lights his cigarette with a match. 3. The gardener warms his hut with a large log. 4. He has no coal. 5. The sailor waves a flag when he sees another steamer. 6. This locality is unknown to me. 7. I have never been here before. 8. The mother washes the children with hot water and soap.

9. The boys are playing with a large ball. 10. The whole coast was lit by the bright flame from a burning steamer. 11. We feed our horses with hay. 12. I go to the office by tram. 13. The judge has many books. 14. This blind man walks without a stick. 15. I am not pleased with your work. 16. There are five empty bottles in this room. 17. We always help our poor neighbours. 18. Do you remember the name of the street? 19. The ceiling of this room is white. 20. A week has seven days. 21. I have never seen this metal. 22. He wipes his hands with a towel. 23. The doctor ordered the nurse to give the patient ten drops of this medicine. 24. We have envelopes but we have no paper. 25. He locks the box with a key. 26. They study two foreign languages. 27. How many pages are there in this dictionary? 28. Three hundred and seventy four pages. 29. There are birds in the lake. 30. Don't throw stones into the lake. 31. A bee is sitting on the white flower. 32. There is a grub in the cherry. 33. Are the boys still in the park? 34. No, they went to the cinema. 35. Our dog went into the street. 36. There are many dogs in our street.

Write the expressions Nos. 1 to 37 given in Exercise 16, on pages 59 and 60 in the singular and those numbered 38 to 77 in the plural, in the Instrumental and Prepositional cases, and compare with the Key.

LESSON 23

Comparison of Adjectives

A person or thing may possess a certain quality in different degrees. For instance, while one boy is diligent, another boy may be more diligent, or there may be a boy who is the most diligent of the class. Or we can say: *To-day is a warm day, yesterday was warmer, and the day before yesterday was the warmest day of the week.* We say in grammar that a qualitative adjective is in the positive or comparative or superlative degree.

The positive degree simply denotes the quality of the noun: *a warm day; a diligent boy.*

The comparative denotes a higher degree of the quality. For instance: *a more diligent boy; a warmer day.* This is used when two things are compared in respect of a certain quality.

The superlative denotes the highest degree of quality. For instance: *the most diligent boy; the warmest day.* This form is used when one thing is compared with all other things of the same kind

The comparative degree is formed in Russian by adding to the adjective the word бо́лее, *more*, or ме́нее, *less*, and the superlative degree by adding самый which has the meaning of *most*.

We therefore say:

A beautiful house	прекра́сный дом
A more beautiful house	бо́лее прекра́сный дом
The most beautiful house	са́мый прекра́сный дом.

Notice that бо́лее and ме́нее never vary in form, while са́мый, са́мая, са́мое are declined like any ordinary adjectives. (Я дал ей са́мую спе́лую гру́шу, *I gave her the ripest pear.*)

The comparative and the superlative degrees may also be formed by changing the endings of the adjective: ый, ая, ое, into ее for the comparative, for instance: нове́е, *newer*, and into ейший, ейшая, ейшее, or айший, айшая, айшее for the superlative, for instance: *newest*, нове́йший, нове́йшая, нове́йшее; *severe, strict*, строгий; *more severe*, строже; *the most severe*, строжа́йший, строжа́йшая, строжа́йшее.

The adjective in the comparative degree is not declined and stands unaltered for all genders, singular and plural. *Than* is translated by чем. We therefore say:

Э́тот дом красиве́е, чем наш
Э́та книга интере́снее, чем на́ша
Э́то зеркало нове́е, чем на́ше

Alternatively it is possible to dispense with the word чем by using the genitive case of the word following the adjective in the comparative degree. The three sentences just given can therefore be expressed:

Э́тот дом красиве́е на́шего
Э́та кни́га интере́снее на́шёй
Э́то зе́ркало нове́е на́шего.

In these examples the genitive case на́шего or на́шей is to be translated *than ours*.

Here is another example:

Он приле́жнее, чем мой брат
Он приле́жнее моего́ бра́та
Она́ приле́жнее, чем моя́ сестра́
Она́ приле́жнее мое́й сестры́.

Adjectives in the superlative degree ending in ейший or айший are declined as ordinary adjectives. For instance: она дала́ пода́рок добре́йшему ма́льчику, *she has given a present to the kindest boy.*

There is, however, a number of adjectives whose comparative and superlative degrees are irregular. We shall give here a list of those which are most frequently met. Try to memorise them as far as you can and eventually take special note of them in exercises :

дорого́й, доро́же, дража́йший	dear, expensive ; dearer, more expensive ; dearest, most expensive
дешёвый, деше́вле, дешеве́йший	cheap, cheaper, cheapest
стро́гий, стро́же, строжа́йший	severe, more severe, most severe
молодо́й, моло́же, мла́дший	young, younger, youngest
тве́рдый, тве́рже, тверде́йший	hard, harder, hardest
худо́й, ху́же, ху́дший	bad, worse, worst
ре́дкий, ре́же, редча́йший	rare, rarer, rarest
бли́зкий, бли́же, ближа́йший	near, nearer, nearest
ни́зкий, ни́же, нижа́йший	low. lower, lowest
большо́й, бо́льше, величайший	big, bigger, biggest
широ́кий, ши́ре, широча́йший	wide, wider, widest
высо́кий, вы́ше, вы́сший, высо-ча́йший	high, higher, highest
бога́тый, бога́че, богате́йший	rich, richer, richest
сла́дкий, сла́же, сладча́йший	sweet, sweeter, sweetest
густо́й, гу́ще, густе́йший	thick, thicker, thickest
просто́й, про́ще, просте́йший	simple, simpler, simplest
чи́стый, чи́ще, чисте́йший	clean, cleaner, cleanest ; pure, purer, purest
ти́хий, ти́ше, са́мый тихий	quiet, quieter, quietest
ле́гкий, ле́гче, легча́йший	light (easy), lighter (easier), lightest (easiest)
гро́мкий, гро́мче, са́мый гро́мкий	loud, louder, loudest
кре́пкий, кре́пче, крепча́йший	strong, stronger, strongest
коро́ткий, коро́че, кратча́йший	short, shorter, shortest
жесто́кий, жесто́че, жесточа́й-ший	cruel, more cruel, most cruel
глубо́кий, глу́бже, глубоча́йший	deep, deeper, deepest
то́нкий, то́ньше, тонча́йший	thin, thinner, thinnest
далёкий, да́льше, дальне́йший	far, farther, farthest
ста́рый, старе́е, старе́йший, ста́рше, ста́рший	old, older, oldest
ма́лый, ме́ньше, меньший	little, less, least ; small, smaller, smallest
хоро́ший, лу́чше, лу́чший	good, better, best

Vocabulary

удо́бный, ая, ое, convenient, comfortable
одо́брять, to approve
спосо́бный, capable, gifted
заво́д, factory, mill, works
завя́зывать, to bind, to tie
обра́зчик, pattern, sample
запира́ть, to close, to lock up
горя́чий, hot
прохла́дный, cool
судья́, judge
образо́ванный, educated
сиде́нье, seat
планоме́рный, planned, systematic
бланк, form
вознагражде́ние, reward, compensation
гру́з, load, freight, cargo
прямо́й, straight, direct
запа́с, store, stock, provision
весёлый, gay
че́стный, honest
ме́стность, locality
голо́дный, hungry
одино́кий, lonely
скро́мный, modest
ве́жливый, polite
гру́стный, sad
му́дрый, wise
па́мять, memory
удово́льствие, pleasure
стра́шный, awful, terrible
улы́бка, smile
зака́нчивать, to finish, to complete
чуло́к (Gen. чулка́), stocking
ше́я, neck
ужа́сный, dreadful, terrible
я́корь, anchor
бы́стрый, fast, quick, rapid
шофёр, chauffeur
часть, part
здоро́вый, healthy, wholesome
доверя́ть, to trust
любе́зный, amiable, obliging, courteous
коли́чество, quantity
урожа́й, harvest
трудолюби́вый, industrious
гря́зный, dirty
изя́щный, elegant
отли́чный, excellent
лени́вый, lazy, indolent, idle
несча́стный, miserable, unhappy
бле́дный, pale
драгоце́нный, precious
ме́дленный, slow
уроже́нец (*m.*), уроженка (*f.*), native
тени́стый, shady

Exercise 23

Translate into English :—

1. Э́ти о́ба ма́льчика — мои́ ученики́. 2. Они́ бра́тья. 3. Ста́рший из них бо́лее спосо́бный. 4. У него́ отли́чная па́мять; он приле́жнее и акку-ра́тнее своего́ бра́та. 5. Он — са́мый трудолюби́вый ма́льчик. 6. Ве́тер сего́дня сильне́е чем вчера́. 7. Э́то са́мый дешёвый ковёр. 8. Я ви́дел по кра́йней

ме́ре дю́жину ковро́в, но не ви́дел ни одно́го бо́лее дешёвого. 9. Э́тот сад бо́лее тени́стый, чем тот. 10. За́пах ро́зы прия́тнее тюльпа́на. 11. Я ду́маю, что ро́за — са́мый краси́вый цвето́к. 12. Швейца́рский сыр свеже́е и вкусне́е голла́ндского. 13. Ваго́ны ло́ндонского трамва́я удо́бнее пари́жского. 14. Они́ обши́рнее и быстре́е. 15. Сиде́нья в них мя́гкие, а в пари́жских ваго́нах — твёрдые. 16. Автомоби́ль моего́ дру́га красиве́е моего́. 17. А́нглия име́ет са́мые бога́тые запа́сы угля́. 18. Ва́ша бума́га беле́е э́той. 19. Кака́я са́мая бе́дная страна́ в Евро́пе? 20. Ко́мнаты э́той кварти́ры темне́е, чем на́ши. Столо́вая — са́мая тёмная ко́мната. 21. Ло́ндон — велича́йший го́род в Евро́пе. 22. Наш сад ме́ньше всех други́х садо́в, но он са́мый краси́вый. 23. Э́то кратча́йшая доро́га на фа́брику. 24. Его го́лос гро́мче моего́. 25. Здесь во́здух чи́ще, потому́ что э́то откры́тая ме́стность, где нет ни заво́дов ни фа́брик. 26. Кака́я высоча́йшая гора́ в А́зии? 27. Са́мые жа́ркие стра́ны нахо́дятся на эква́торе. 28. Э́та звезда́ я́рче той. 29. Э́тот замо́к кре́пче твоего́. 30. Все́ ду́мали, что после́дняя война́ была́ са́мая жесто́кая, но тепе́решняя война́ еще жесто́че. 31. Э́та де́вочка ти́ше и скромне́е, чем её сосе́дка в кла́ссе. 32. Все учительницы́ счита́ют её са́мой ти́хой и скромне́йшей учени́цей. 33. Э́та игра́ веселе́е и заба́внее, чем та, в кото́рую игра́ете вы. 34. Бу́дем играть в э́ту игру́! 35. У бе́рега мо́ря гора́здо прохла́днее, чем в го́роде. 36. Мы́ши ду́мают, что нет зве́ря страшне́е ко́шки. 37. Я ви́дел в э́том музе́е редча́йшие карти́ны. 38. Сокра́т был мудре́йший челове́к в дре́вней Гре́ции. 39. Не́которые у́лицы Пари́жа гря́знее у́лиц в города́х Еги́пта.

Translate into Russian :—

1. It will be hotter to-morrow than (it is) to-day. 2. This building is lower than the hospital. 3. The greatest writer of Russia was Tolstoy. 4. Volga is the widest of all Russian rivers. 5. Her health is now worse. 6. My father is younger than yours. 7. The

nearest tramway stopping place is opposite the Post Office. 8. This winter is much (гораздо) colder than last. 9. I think it is the coldest winter for the last twenty years. 10. The library of the British Museum is the richest in Europe. 11. The quality of these pears is better than of those, these are the best pears in the shop 12. The captains of German steamers are stricter than those of English. 13. The end of this novel is more interesting than its beginning. 14. The milk is thicker and sweeter to-day. 15. Newspapers are cheaper now than they were during the war. 16. Silver spoons and forks are more expensive than the simple ones. 17. Granite is the hardest mineral. 18. The coal of this locality is softer than Russian coal. 19. Your problem is simpler than mine. 20. The river is deeper than the lake. 21. The iron is the heaviest part of the cargo in this steamer. 22. Whose horse is better and stronger, your father's or our neighbour's ? 23. The teacher asked my son a few of the simplest questions. 24. Give me, please, a sample of the purest water ! 25. The bee is the most industrious insect, it works from morning till evening. 26. Which is the shortest day of the summer ? 27. Nights are longer and days are shorter in the winter. 28. The silk thread is thinner than the woollen one. 29. The red ribbon is shorter than the black one. 30. That woman is most unhappy ; she is poor and lonely. 31. Sacks of sand are heavier than sacks of coal. 32. The population of this village is richer because the village is nearer the town. 33. These workmen received the best rewards because they were the most industrious and intelligent workmen of the whole factory. 34. These blankets are thinner than ours.

LESSON 24

DECLENSION OF PRONOUNS

Declension of Personal Pronouns

Cases	1st and 2nd Persons			
	Singular		Plural	
Nom.	я	ты	мы	вы
Gen.	меня́	тебя́	нас	вас
Dat.	мне	тебе́	нам	вам
Accus.	меня́	тебя́	нас	вас
Instr.	мной (ою)	тобо́й (ою)	на́ми	ва́ми
Prepos.	(обо) мне	(о) тебе́	(о) нас	(о) вас

Cases	3rd Person		
	Singular		Plural for all genders
	Masculine and Neuter	Feminine	
Nom.	он, оно́	она́	они́
Gen.	его́	её	их
Dat.	ему́	ей	им
Accus.	его́	её	их
Instr.	им	ей (ею)	и́ми
Prepos.	(о) нём	(о) ней	(о) них

If a pronoun in the 3rd person is preceded by a preposition, н is added to it in order to avoid an accumulation of vowels and to make the pronunciation easier. Consequently, instead of у его́, у её, у их, we say у него́, у неё, у них, and instead of к ему́, к ей, к им, we say к нему́, к ней, к ним; под ним, под ней; по ним, etc.

However, when such a pronoun precedes a noun and serves as a possessive pronoun, answering the question *whose?* чей? н is added to it because in that case the preposition refers to the noun and not to the pronoun: это письмо́ от него, but э́то письмо́ от его отца; я была́ у нее, but я была́ у её сестры́. In the first example the preposition refers to the word отца, in the second to the word сестры.

The reflexive pronoun себя́ means *of oneself* and *of themselves*. It stands for all the three persons, singular and plural. This pronoun has no nominative case. Its dative case is себе́; accusative, себя́; instrumental, собо́ю; and prepositional о себе́. In a sentence себя always refers to the subject.

Vocabulary

вести́, to conduct, lead
вести́ себя́, to behave oneself
владе́ть, to own, possess
ба́ловать, to spoil, pet
дя́дя, uncle
ра́нить, to wound, hurt
приноси́ть, принести, to bring, fetch
приглаша́ть, to invite
тоскова́ть, to long

врач, physician
враг, enemy
доверя́ть, to trust
застава́ть, застать, to find at home
о́тпуск, holiday leave
столя́р, joiner
сиде́ть, сижу, сидишь, to sit
загороди́ть, to bar
по́лзать, ползу, ползешь, to creep
кры́ло́ (pl.), кры́лья, wing
верху́шка, top
холм, hill
нога́, подно́жие, foot
ушиба́ться, ушибиться, to hurt oneself
хва́статься, to boast
ещё, still
терпели́вый, ая, ое, patient
пече́нье, pastry
о́пытный, experienced
отка́зывать, to refuse
охо́та, hunting
поздравля́ть, to congratulate
встреча́ть, to meet
ка́рта, map
несправедли́вость, injustice
судья́, judge
недоста́точный, insufficient
ре́дко, seldom
терпе́ние, patience
по́ртить, по́рчу, по́ртишь, spoil, waste
возмуща́ться, to become indignant
налёт, raid
переноси́ть, to endure, transfer

Exercise 24

Translate into English:—

1. Я дал ему́ кни́гу. 2. Он обеща́л мне, что он бу́дет приле́жен. 3. Он не дово́лен собо́й. 4. Он ра́нил себя́. 5. Де́ти веду́т себя́ о́чень хорошо́. 6. Принеси́те стул для себя́ из сосе́дней ко́мнаты. 7. Кто владе́л э́тим до́мом до вас? 8. Он принадлежа́л на́шим сосе́дям. 9. Спроси́ли ли вы в кни́жном магази́не о мои́х кни́гах? 10. Да, мне сказа́ли, что они́ забы́ли посла́ть их вам. 11. У вас ли моя́ газе́та? 12. Нет, у меня́ нет её. 13. Он дал мне а́дрес кни́жного магази́на. 14. Мои́ друзья́ пригласи́ли меня́ на обе́д. 15. Э́то письмо́ напи́сано мно́ю. 16. Мой сосе́д вспо́мнил обо мне́. 17. Ты недоста́точно внима́телен, и учи́тель тобо́й недово́лен. 18. Я не получа́л от него́ пи́сем. 19. Дя́дя посла́л тебе́ коро́бку папиро́с. 20. Мой брат бу́дет учи́ть тебя́ англи́йскому языку́. 21. Он говори́л мне о тебе́. 22. Он получи́л от нёе три газе́ты. 23. На́ши друзья́

встре́тили нас на при́стани. 24. Они́ да́ли нам ка́рту го́рода. 25. Мои́ бра́тья бу́дут сего́дня обе́дать с на́ми. 26. Мы тоскова́ли по вас. 27. Мы купи́ли это пече́нье для вас. 28. Что вы дади́те в пода́рок ва́шей до́чери? Я дам ей золото́е кольцо́. 29. Эта же́нщина лю́бит дете́й и всегда́ ба́лует их. 30. Мы давно́ не слы́шали о нем. 31. У них мно́го книг. 32. У его́ бра́та нет папиро́с. 33. Он о́чень о́пытный врач, и больны́е приезжа́ют к нему́ из отдалённых мест. 34. Мы ви́дим себя́ в зе́ркале. 35. Он мно́го говори́т о себе́. 36. Мы заказа́ли для себя́ обе́д. 37. Вы ни в чем себе́ не отка́зываете. 38. Никто́ себе́ не враг. 39. У него́ нет книг. 40. Я ему́ сове́тую пое́хать заграни́цу ра́ди его́ здоро́вья. 41. Помоги́те ей, чем мо́жете. 42. Э́ти инстру́менты бу́дут мне о́чень поле́зны. 43. Я давно́ хоте́л их купи́ть. 44. Оте́ц не позво́лил ему́ идти́ на охо́ту. 45. Я поздравля́ю вас с днём рожде́ния. 46. Я был у до́ктора, но не заста́л его́ до́ма. 47. Мне сказа́ли, что он уе́хал в о́тпуск и что он возврати́тся че́рез три неде́ли. 48. Моя сестра́ встреча́ет свою́ подру́гу очень ре́дко, потому́ что она́ ре́дко быва́ет у её ма́тери. 49. Мне не́чего зде́сь де́лать. 50. Капита́н доверя́ет им управле́ние судно́м. 51. Мы хорошо́ зна́ем всю ва́шу семью́. 52. Да́йте ей хле́ба и ма́сла. 53. Я не зна́ю ни его́ и́мени, ни фами́лии. 54. Он позабы́л оста́вить мне свой а́дрес. 55. Его́ сестра́ была со мной в теа́тре. 56. Мы бу́дем с ва́ми за́втра у на́шей учи́тельницы. 57. Она была́ у нас вчера́ у́тром. 58. Оте́ц спроси́л у меня́, зна́ю-ли я а́дрес на́шего столяра́? 59. Бы́ваете-ли вы у них ча́сто? 60. Нет, мы ви́дим их лишь и́зредка. 61. Ни они́, ни мы не име́ем мно́го свобо́дного вре́мени. 62. Они не бы́ли у меня́? 63. Да, о́ни бы́ли у вас не́сколько раз.

Translate into Russian :—

1. The gardener gave us some flowers. 2. I have not seen him. 3. Please explain this lesson to me. 4. The children are sitting round their mother; she is telling them an amusing fairy tale. 5. We

were not far from the house but we could not see it owing to the fog. 6. My dog ran to me, lay down near me and put its head on my lap. 7. I took a piece of paper and barred the way to the ants. 8. Some of them crept over it and others crept under it. 9. A butterfly with little yellow wings was flying above me. 10. When I tried to catch it, it flew away and sat on a flower. 11. What did your mother tell you? 12. She has bought a pretty hat for herself. 13. We very seldom receive letters from her. 14. We were standing on the top of a high hill, at the foot of which was a deep lake. 15. She has no money. 16. I have sent them several letters but have received no reply from them. 17. He caused pain to himself. 18. Don't praise yourself! 19. The office is on the second floor* and under it is a shop. 20. Our friends cannot visit us this evening. 21. They have much work. 22. Everybody answers for himself. 23. We see ourselves in the window. 24. The children have put blankets under themselves. 25. They have bought dinner for themselves. 26. You must not disturb her, she is very busy. 27. The blind man came to them and asked them the way to the village. 28. They only think of themselves. 29. I brought him his books from his father. 30. Give me a bottle of beer. 31. What did you ask of him? 32. Please show us the way to the theatre! 33. I bought a pair of shoes for you. 34. Have you met the sailor? 35. No, we did not meet him. 36. Are these books for us? 37. No, they are not for you, they are for them. 38. What did he tell her? 39. To whom does this dog belong? 40. It does not belong to me but to my sister. 41. Where did you buy these sweets and what did you pay for them? 42. I bought them in that shop. 43. They are very cheap but very good. 44. Are these apples ripe? 45. Some of them are still green. 46. Is this book interesting? 47. Yes, it is very amusing. 48. When will you meet your uncle? 49. I shall see him and his friend at the club. 50. I paid too much for the boots. 51. I bought them for myself this morning. 52. Don't spoil paper! 53. Have you been to my house? 54. Yes, I was at your house last week. 55. We were with you at the lesson. 56. He often receives letters from me and from her. 57. Their mother has promised them nice presents if they are diligent. 58. I have heard about him. 59. They gave each of us two plates, a glass, a spoon, a fork and a knife. 60. There are many pictures at their house. 61. She is not patient enough with children. 62. She has no patience at all.

* The Russians reckon the ground floor as the 1st.

LESSON 25

Declension of Possessive Pronouns

мой, моя, мое, *my, mine.*

Cases	Singular		Plural for all genders
	Masculine and Neuter	Feminine	
Nom.	мой, моё	моя́	мои́
Gen.	моего́	мое́й	мои́х
Dat.	моему́	мое́й	мои́м
Accus.	As N. or G.; моё	мою́	As N. or G.
Instr.	мои́м	мое́й (е́ю)	мои́ми
Prepos.	(о) моём	(о) мое́й	(о) мои́х

наш, наша, наше, *our, ours*

Cases	Singular		Plural for all genders
	Masculine and Neuter	Feminine	
Nom.	наш, на́ше	на́ша	на́ши
Gen.	на́шего	на́шей	на́ших
Dat.	на́шему	на́шей	на́шим
Accus.	As N. or G.; наше	на́шу	As N. or G.
Instr.	на́шим	на́шей(ею)	на́шими
Prepos.	(о) на́шем	(о) на́шей	(о) на́ших

There is no possessive pronoun for the 3rd person : *his, her, their* is expressed by the genitive of он, *he ;* онá, *she ;* онó, *it ;* они, *they*, namely, by егó, её, их. Therefore *his, her, their table* is translated егó, ее, их стол ; *his, her, their sister,* егó, её, их сестра ; *his, her, their tables,* егó, её, их столы́, etc.

твой, твоя́, твоё, *thine, thy ;* свой, своя́, своё, *one's own ;* ваш, ва́ша, ва́ше, *your, yours,* are declined like мой, моя́, моё and наш, на́ша, на́ше respectively.

The possessive pronoun свой, своя́, своё, свои́ may be used instead of мой, твой, егó, её, наш, ваш, их and their plurals. You can say : *I have seen my father,* я ви́дел моегó отцá or своегó отцá. *You have seen your father,* вы ви́дели ва́шего отцá, or своегó отцá, etc. The possessive pronouns are often altogether omitted and you may say, for instance : я ви́дел отцá, они́ ви́дели отцá, when in the first sentence моегó and in the second их are understood.

Vocabulary

ещё, still
гнёздышко, little nest
рожде́ственский, Christmas
подели́ться, to share
се́рдце, heart
спи́чка, match
спеши́ть, to hasten
судьбá, fate
пиджáк, jacket
Гре́ция, Greece
покaзáться, to appear
остерегáться, to beware of, to guard against
весели́ться, to make merry
изумля́ться, изумиться, to become amazed
признáться, to confess, avow
изуче́ние, study
назначе́ние, appointment
землетрясе́ние, earthquake
развáлины, ruins
выражáть, выразить, to express
чулóк (Gen. чулка), stocking
люби́мый, favourite
беспокóить, disturb
я́корь, anchor
достáточно, fairly
по-своéму, in his own manner
ми́лостыня, alms
по-нáшему, in our opinion
дре́вний, ancient
забóта, care
спотыкáться, споткнуться, to tumble
увлекáться, to be absorbed in, keenly interested in
развивáться, развиться, to develop
отвáга, the daring
притворя́ться, притвори́ться, to pretend, feign
подвергáться, подве́ргнуться, to be exposed, undergo

Exercise 25

Translate into English:—

1. Э́то моя́ кни́га. 2. Мой брат рабо́тает до́ма. 3. Ви́дел-ли ты мою́ сестру́ в па́рке? 4. Нет, я её не ви́дел. 5. Мы зна́ем наш уро́к. 6. Где его́ слова́рь? 7. На столе́. 8. Вот ваш учéбник англи́йской исто́рии. 9. Я был в музе́е с ва́шим бра́том. 10. Я всегда́ вспомина́ю на́шу жизнь в дере́вне. 11. Де́душка посла́л свои́м вну́кам рожде́ственские пода́рки. 12. Вот пи́сьма, э́то моё, а э́то ва́ше. 13. Я была́ с сестро́й заграни́цей. 14. Подели́ своё я́блоко с Пе́тей; дай ему́ полови́ну! 15. Мы всегда́ покупа́ем свои́ кни́ги в э́том кни́жном магази́не. 16. Где твой бага́ж? 17. Он ещё на парохо́де. 18. До́ктор сказа́л отцу́, что у него́ сла́бое се́рдце. 19. Да́йте мне, пожа́луйста, спи́чку. 20. Мы бы́ли в ци́рке с твое́й сестро́й. 21. Я спешу́ к отцу́. 22. По мо́ему (мне́нию) э́то был отли́чный конце́рт. 23. Сде́лайте э́то по сво́ему. 24. Кажа́ый пи́шет бу́кву „д" по сво́ему. 25. По на́шему он прав. 26. Мы бы́ли на прогу́лке с ва́шими роди́телями, бра́тьями и сёстрами. 27. Он говори́л обо мне с дире́ктором фа́брики. 28. Он ча́сто быва́ет у нас. 29. В ва́шей ко́мнате светло́. 30. Я был в клу́бе. 31. Там не́ было ва́шего о́тца. 32. Переда́йте э́ту телегра́мму ва́шему бра́ту. 33. О́коло на́шей шко́лы всегда́ стои́т слепо́й стари́к и про́сит ми́лостыни. 34. Я ча́сто пишу́ свои́м друзья́м. 35. Расскажи́те нам о ва́шей жи́зни в дере́вне. 36. Мы ре́дко встреча́ем на́ших знако́мых. 37. В на́шем англи́йском словаре́ мно́го оши́бок. 38. Я не ви́дел ва́шего но́вого до́ма. 39. Они́ чита́ют на́шу газе́ту ка́ждое у́тро. 40. На его́ пиджаке́ большо́е черни́льное пятно́. 41. Их дом у са́мого бе́рега мо́ря. 42. За до́мом большо́й сад. 43. У них свои́ ви́шни, я́блоки, гру́ши и ра́зные други́е фру́кты. 44. У моего́ отца́ нет своего́ автомоби́ля. 45. Он лю́бит свою́ рабо́ту. 46. Написа́ли-ли вы уже́ ва́шим друзья́м? 47. Я

всегда́ пишу́ им о́чень аккура́тно два ра́за в неде́лю. 48. Дово́льна-ли она́ свое́й кварти́рой? 49. Я положи́л твои́ бума́ги на твой стол. 50. Под мои́м окно́м пти́чка сви́ла своё гнёздышко. 51. Я знал э́того молодо́го челове́ка, когда́ он был ребёнком.

Translate into Russian :—

1. Here is your apple. 2. He knows his native language well. 3. Why don't you eat your egg? 4. My birthday is in January. 5. Our lamp gives a fairly bright light. 6. Their intentions are not quite clear to me. 7. What are you looking for in my drawer? 8. I am looking for the scissors; I need them. 9. This ship's anchor is very heavy. 10. Our flat is on the fifth floor. 11. The boys lost their ball in the garden. 12. Where is her woollen dress? 13. Two of his pupils received prizes. 14. Don't make a noise, you disturb your father in his work. 15. Thursday is our favourite day because the teacher tells us about ancient Greece. 16. They wash their stockings themselves. 17. This region is strange to us. 18. We have to-day expressed our gratitude to our teacher for his care of us while we were at school. 19. Reading should not occupy all your time; you must help your father. 20. Why don't you drink your tea? 21. She gave me her black, red and blue ribbons. 22. Whose watch is it? 23. It is not mine. 24. I believe my friend left his watch on your table. 25. Nobody knows his fate. 26. What was the purpose of their journey to Moscow? 27. I do not think it was clear to themselves. 28. He does not know the price of this beautiful picture.

LESSON 26

Pronoun э́тот, э́то, э́та

Cases	Singular		Plural for all genders
	Masculine and Neuter	Feminine	
Nom.	э́тот, э́то	э́та	э́ти
Gen.	э́того	э́той	э́тих
Dat.	э́тому	э́той	э́тим
Accus.	As N. or G.; э́то	э́ту	As N. or G.
Instr.	э́тим	э́той	э́тими
Prepos.	(об) э́том	(об) э́той	(об) э́тих

Pronoun сам, сама, само

Cases	Singular		Plural for all genders
	Masculine and Neuter	Feminine	
Nom.	сам, само́	сама́	са́ми
Gen.	самого́	само́й	сами́х
Dat.	самому́	само́й	сами́м
Accus.	самого́, само́	самоё, саму́	сами́х
Instr.	сами́м	само́й (ою)	сами́ми
Prepos.	(о) само́м	(о) само́й	(о) сами́х

сам, сама́, само́, са́ми, *self, selves,* is used for any person: я сам рабо́таю в саду́, *I myself work in the garden;* ты сам рабо́таешь в саду́; она сама́ ва́рит обе́д, *she herself cooks the dinner;* они са́ми ва́рят обе́д, *they themselves cook the dinner.*

DECLENSION OF СКОЛЬКО, *how many?*

Nominative	ско́лько	Accusative	As N. or G.
Genitive	ско́льких	Instrumental	сколькими
Dative	ско́льким	Prepositional	(о) скольких

DECLENSION OF PRONOUN ТОТ AND ВЕСЬ, *that, whole*

Pronoun тот, то, та

Cases	Singular		Plural for all genders
	Masculine and Neuter	Feminine	
Nom.	тот, то	та	те
Gen.	того́	той	тех
Dat.	тому́	той	тем
Accus.	As N. or G. ; то	ту	As N. or G.
Instr.	тем	той (тою)	те́ми
Prepos.	(о) том	(о) той	(о) тех

Pronoun весь, все, вся

Cases	Singular		Plural for all genders
	Masculine and Neuter	Feminine	
Nom.	весь, всё	вся	все
Gen.	всего́	всей	всех
Dat.	всему́	всей	всем
Accus.	As N. or G. ; всё	всю	As N. or G.
Instr.	всем	всей (ею)	все́ми
Prepos.	(о) всем	(о) всей	(о) всех

Vocabulary

вари́ть, to cook
боти́нок (Gen. ботинка), shoe
выдава́ть, to give, distribute
всего́ (pronounced vseVo), all together
библиоте́ка, library
вблизи́, near
друго́й, another, other
действи́тельно, indeed
горчи́ца, mustard
знамени́тый, famous
скри́пка, violin
пиро́г, pie
стуча́ть, стучу, стучишь, to knock
постуча́ть, постучу́, постучи́шь, to give a knock
Ирла́ндия, Ireland
музыка́нт, musician
молча́ть, молчу́, молчи́шь, to remain silent, keep silent
счита́ться, to be considered
Пра́га, Prague
осо́бенно, particularly
те́ннисная площа́дка, tennis-court
суд, Law Court
почталио́н, postman
Шотла́ндия, Scotland
По́льша, Poland
волк, wolf
круто́й, steep
шаг, step

Exercise 26

Translate into English:—

1. Сего́дня прекра́сная пого́да. 2. Я рабо́тал весь день. 3. Чита́л-ли ты газе́ту? 4. Я не име́л вре́мени прочита́ть э́ту статью́. 5. Мы провели́ всё ле́то загрaни́цей. 6. Како́й гре́бень ваш, э́тот и́ли тот? 7. Ка́ждое у́тро мы слы́шим пе́ние птиц. 8. Чей рома́н ты чита́ешь? 9. Я чита́ю рома́н знамени́того писа́теля, о кото́ром все говоря́т. 10. Сам писа́тель дал мне э́ту кни́гу. 11. С кем Вы гуля́ли? 12. Я гуля́л в па́рке со своим ста́рым дру́гом. 13. Чьи это но́жницы? 14. Они соверше́нно тупы́. 15. Чем ты пи́шешь, перо́м или карандаше́м? 16. Кому́ она́ дала́ у́жин? 17. Она́ дала́ у́жин э́тим ма́леньким де́тям. 18. Они́ до́лго игра́ли и тепе́рь они́ го́лодны. 19. Ско́лько книг у вас? 20. Кого́ посети́л до́ктор? 21. Он посети́л на́шу больну́ю мать. 22. Кто из Ва́ших ученико́в са́мый молодо́й? 23. Э́тот ма́льчик здорове́е его́ бра́та. 24. Каки́е газе́ты чита́ют они́? 25. Ско́льким де́тям он дал игру́шки? 26. Ка́ждый

ребёнок получи́л по игру́шке. 27. Они́ чита́ют эту а́нглийскую газе́ту у́тром, а ту ру́сскую ве́чером. 28. Я посети́л сего́дня само́го нача́льника фа́брики. 29. Он оди́н живёт в э́том до́ме и сам ва́рит для себя́ пи́щу. 30. Где живу́т его́ две сестры́? 31. Они́ живу́т в том но́вом до́ме. 32. Мой оте́ц сам чи́нит на́ши боти́нки. 33. До́ктор сам да́ет лека́рство больно́му. 34. Все э́ти кни́ги принадлежа́т ему́. 35. Все рабо́чие фа́брики посеща́ют вече́рнюю шко́лу. 36. Наш сосе́д дал всем де́тям пода́рки. 37. Учи́тельница дово́льна все́ми учени́цами. 38. Все они́ де́лают хоро́шие успе́хи. 39. Я не зна́ю имён всех чле́нов клу́ба. 40. Ско́льким ученика́м бы́ли вы́даны награ́ды? 41. Трём. 42. Он испо́льзовал всю бума́гу и все конве́рты. 43. У него́ самого́ никогда́ нет ни бума́ги, ни конве́ртов. 44. Те расте́ния очень поле́зны, потому́ что из них добыва́ют о́чень це́нные лече́бные сре́дства. 45. Ско́лько сту́льев в э́той ко́мнате? 46. Шесть сту́льев и два кре́сла. 47. Я спроси́л само́го учи́теля значе́ние э́тих слов. 48. Ты сам не рабо́таешь и меша́ешь други́м рабо́тать. 49. Чем она́ за́нята весь день? 50. Она́ чи́нит пла́тья детей́, ва́рит пи́щу для них, мо́ет их. 51. Она́ всё де́лает сама́, без по́мощи прислу́ги. 52. У неё, действи́тельно, мно́го рабо́ты. 53. Ско́лько челове́к ты пригласи́л на обе́д? 54. Всех мои́х друзе́й, всего́ семь челове́к. 55. До́ктор запрети́л больны́м есть горчи́цу. 56. Я пишу́ письмо́ карандашо́м, потому́ что у меня́ нет хоро́шего пера́. 57. Как вы прово́дите вечера́? 58. Я весь ве́чер чита́ю нау́чные журна́лы и иногда́ игра́ю в ша́хматы с мои́м дру́гом. 59. Без со́ли и́ли горчи́цы мя́со не вку́сно. 60. Я не могу́ ре́зать э́тот чёрствый хлеб таки́м тупы́м ножо́м. 61. Мой сосе́д о́чень жизнера́достный челове́к; он оди́н из са́мых трудолюби́вых рабо́тников на́шей конто́ры. 62. Он большо́й люби́тель хоро́ших книг, му́зыки и теа́тра, и он ча́сто быва́ет в теа́тре и на конце́ртах. 63. Я нашёл все ну́жные мне кни́ги в городско́й библиоте́ке. 64. Капита́н выдаёт жа́лованье кома́нде ка́ждую суббо́ту. 65. Де́душка и ба́бушка да́ли пода́рки всем свои́м вну́кам и вну́чкам. 66. Я ви́дел сон. 67. Ка́ждую ночь мы слы́шим пе́ние соловья́ в на́шем саду́. 68. Э́тот рома́н не име́ет конца́. 69. Остано́вка трамва́я вблизи́ на́шей шко́лы.

Translate into Russian :—

1. There are no more than six rooms in the whole house. 2. This apartment is fairly large but its kitchen and bathroom are too small. 3. The windows are not particularly wide. 4. It is not quite a new house. 5. It was built about twenty years ago. 6. Apartments in this house are very seldom vacant. 7. Americans often say: "Time is money." 8. The banks of this deep river are steep. 9. The houses in this street are lower than in other streets. 10. The forests of Poland abound in wolves. 11. The chief physician of this hospital is a very clever man. 12. The train arrives at the station at four o'clock in the morning. 13. I have little free time. 14. I am busy the whole day. 15. Where are you going? 16. I am going home. 17. I am going to France to-day. 18. He goes to Scotland every year in the summer. 19. I was sitting at the window and reading a newspaper when the postman knocked at the door. 20. I have no pictures. 21. This pie is for you. 22. The wind blows from the sea. 23. You have a good library. 24. My brothers are at home. 25. These books are for your sister. 26. Here is a present for you from me. 27. He has been staying at my house since yesterday. 28. I live near the factory. 29. The father went to the Law Court instead of his son. 30. There was no furniture in the house. 31. There is a lake in front of the hotel and behind it there is a tennis court. 32. We walk past the park every morning. 33. There is not a single bachelor amongst us. 34. You should not smoke, for the sake of your health. 35. They sat in the tramcar opposite me. 36. We like to walk along the embankment. 37. He knew my Russian friend Ivanov very well. 38. I met him yesterday at the concert. 39. Where has he gone to? 40. Has he gone to Moscow or to Leningrad? 41. He went from here to Prague. 42. Where have you put the cup? 43. On the shelf. 44. The newspaper is under the table. 45. He spent a week at my house. 46. We saw him this morning at his work. 47. I always lose my pocket handkerchief. 48. There is a large field behind our house. 49. The

pupil stood in front of the teacher and remained silent because he could not answer the teacher's question. 50. I was never there. 51. He lived with his friend in Ireland. 52. Above my flat lives a musician. 53. He plays the violin the whole day. 54. I always have a carpet under my feet. 55. We wash our hands before dinner. 56. He was at the concert with his wife.

LESSON 27

DECLENSION OF PRONOUNS чей, чьё, чья.

Cases	Singular			Plural for all genders
	Masculine	Neuter	Feminine	
Nom.	чей	чьё	чья	чьи
Gen.	чьего́		чьей	чьих
Dat.	чьему́		чьей	чьим
Accus.	As N. or G.	чьё	чью	As N. or G.
Instr.	чьим		чьей (чьею)	чьи́ми
Prepos.	(о) чьём		(о) чьей	(о) чьих

DECLENSION OF PRONOUNS КТО, ЧТО, НИКТО, НИЧТО.

Nom.	кто	что	никто́	ничто́
Gen.	кого́	чего́	никого́	ничего́
Dat.	кому́	чему́	никому́	ничему́
Accus.	кого́	что	никого́	ничто́
Instr.	кем	чем	нике́м	ниче́м
Prepos.	(о) ком	(о) чем	ни(о)ко́м	ни(о)че́м

The Russian verb, име́ть, *to have*, means *to hold, to possess*. For instance: Ло́ндон име́ет не́сколько миллио́нов жи́телей, *London has several million inhabitants;* мы име́ем большо́й сад, *we have a large garden*. But the English verb, *to have*, is very often expressed in Russian by у, which means *at*, *is in the possession of, have got,* with the noun or pronoun denoting the possessor put into the genitive. For instance: *father has a stick,* у отца́ есть па́лка; *you have my book,* у Вас моя́ кни́га; *my brother had a friend,* у моего́ бра́та был друг; *I have no house,* у меня́ нет до́ма; *you had a lesson,* у Вас был уро́к; *will you have time?* бу́дет-ли у Вас вре́мени?

У with a noun or pronoun in the genitive is also used in other expressions: *I was at your home,* я был у вас; *I was at your father's,* я был у Ва́шего отца́; *I shall be at the doctor's,* я бу́ду у до́ктора.

It is customary in Russian to address or to refer to persons by their Christian name, и́мя, followed by the patronymic or father's name, о́тчество. When a Russian is being introduced by a Russian, or is referred to, his or her name is given as follows: Андре́й Алекса́ндрович Ми́рский, *Andrew, the son of Alexander Mirsky;* or Ольга Па́вловна Серо́ва, *Olga, the daughter of Paul Serov.* The patronymic name is formed by adding ович or евич; овна, евна, to the father's name.

All proper names are declined: *we have invited Andrey Alexandrovitch Mirsky and his fiancée, Olga Pavlovna Serova, to dine with us.* Мы пригласи́ли Андре́я Алекса́ндровича Ми́рского и его неве́сту Ольгу Па́вловну Серо́ву обе́дать с на́ми; *I love England, and London in particular,* я люблю А́нглию, а в осо́бенности Ло́ндон.

Vocabulary

взро́слый, adult, grown up
бо́лее, more
вскрыва́ть, вскрыть, to open, uncover
го́ре, grief, sorrow
де́ньги (plur.), money
дрова́, firewood
долг, debt, duty
запреща́ть, запрети́ть, to forbid, prohibit
золото́й, gold
запи́ска, note
зараба́тывать, зарабо́тать, to earn
жа́лованье, wages, salary
копе́йка, copeck
дива́н, sofa
га́лстук, tie
аппара́т, apparatus
дыра́, hole
занима́ть, заня́ть, to borrow
ша́хматы, chess
пу́ля, bullet
пло́тник, carpenter
отли́чный, excellent
произноше́ние, pronunciation
оставля́ть, оста́вить, to leave
со́бственный, own

заканчивать, закончить, to finish, to complete
подражать, to imitate
швея, seamstress
опыт, experiment
осколок, splinter, fragment
вечеринка, evening party
красить, выкрасить, to paint, dye
могила, grave
пластинка, plate, gramophone record
фотографический аппарат camera
снимок, photograph
кружево, lace
обеспечение, guarantee, security

Exercise 27

Translate into English:—

1. У него было трое сыновей. 2. У меня нет ни копейки. 3. У кого моя газета? 4. У матери. 5. У вас нет словаря. 6. У нашего соседа большое горе. 7. У этих детей много игрушек. 8. У отца много работы. 9. У доктора нет времени. 10. Мы часто бываем у бабушки. 11. Он живёт у нас. 12. У него было отличное ружьё. 13. У неё хорошее произношение. 14. У нашего дома стоит автомобиль. 15. Я был у вас. 16. Я не был у доктора. 17. У них нет сада. 18. У вас есть вино? 19. Я никогда не пью вина. 20. У меня два брата и одна сестра. 21. У меня нет своей собственной квартиры, я живу у сына. 22. У нас сегодня будут гости. 23. Я оставил мои вещи у Марии Петровны. 24. Я пишу письмо Алексею Николаевичу. 25. Я получил телеграмму от Петра Васильевича Трутнева. 26. Передайте поклон Константину Константиновичу и его жене. 27. Я часто бываю в Шотландии. 28. Мой друг живёт в Абердине. 29. У плотника новые инструменты. 30. У него нет билета. 31. Есть-ли у вас английские папиросы? 32. Я никого не знаю в этом городе. 33. Чей это микроскоп? 34. Это микроскоп того студента. 35. Чья эта золотая цепь? 36. Чьё пальто висит в шкафу? 37. На чьём автомобиле поехала ваша тётя в деревню? 38. Чью газету читает ваш брат? 39. Мою. 40. Чья это монета? 41. Его отца. 42. Чья это могила? 43. От-

ва́жного лётчика. 44. Они́ не зна́ют чьи́ э́то перча́тки. 45. На дива́не лежи́т чей-то га́лстух. 46. Я взял по оши́бке чей-то зо́нтик. 47. Я не зна́ю чей это цвето́к. 48. Чьи́ э́то де́ньги? 49. Чьи́ э́ти грамофо́нные пласти́нки? 50. Эти́ мои́, а те принадлежа́т моему́ дру́гу. 51. Чьи́м фотографи́ческим аппара́том сде́лал ты э́ти сни́мки? 52. О чьи́х де́тях она́ забо́тится? 53. Чьи́м топоро́м вы ру́бите дрова́? 54. Чьи́ми но́жницами швея́ ре́жет кружева́? 55. В чьей лабора́тории де́лает он о́пыты? 56. На чьем по́ле мно́го се́на? 57. Чьи запа́сы мя́са и хле́ба захвати́л неприя́тель? 58. Попуга́й не лю́бит свое́й кле́тки. 59. Чья э́та была́ оши́бка? 60. Да́йте нам како́е-нибу́дь обеспече́ние. 61. Чьим ключо́м она́ откры́ла дверь? 62. Я нашёл чьи-то очки́. 63. Я слы́шу чьи-то кри́ки о по́мощи. 64. Постучи́те в чью-нибу́дь дверь и попроси́те стака́н воды́. 65. На чьей бума́ге пи́шет она́ запи́ску? 66. Я люблю́ слу́шать смех дете́й. 67. Где вы покупа́ете ва́ши кни́ги, газе́ты и журна́лы? 68. Оско́лками снаря́да бы́ло сде́лано мно́го дыр в э́той стене́. 69. Они́ игра́ют в ша́хматы. 70. Чей ход? 71. Я нашёл чей-то перочи́нный но́жик. 72. Она́ ниче́м не дово́льна. 73. Они́ никому́ не рассказа́ли о своём го́ре. 74. Никто́ не зна́ет э́того музыка́нта. 75. Де́ти ча́сто подража́ют взро́слым.

Translate into Russian:—

1. Have you been to my home? 2. I will be at your father's to-morrow. 3. I am often at Smith's. 4. Whom have you met at Peter Alexandrovitch's? 5. You have a good map of the world. 6. There is no clock in this room. 7. Please send this parcel to Vera Ivanovna. 8. I lived a long time on the Volga. 9. I have never seen Spain. 10. We know the novels of Lev Nikolaevitch Tolstoy well. 11. Pushkin's name is Alexander Sergeevitch. 12. Do you like Tchaikovsky's music? 13. Have you heard Shaliapin in "Boris Godunov"? 14. How many suitcases have you? 15. What is the number of your room? 16. Have you any mail for me? 17. What is your name? 18. Bring me pen, ink and paper! 19. Here is an error in my bill! 20. This country has a large population.

21. We have a comfortable flat. 22. To whom are you writing a letter ? 23. Who paid his debt ? 24. He asked to be shown the road. 25. There is nobody in the garden. 26. This is a straight line and that is a curved one. 27. The teacher explained to us that there are right, acute and obtuse angles. 28. Whose jacket is it ? 29. It is his. 30. Where is my hat ? 31. I have not seen it. 32. Which pencil is yours, the blue one or the red one ? 33. The blue one is mine and the red one is his. 34. With whose pencil are you writing ? 35. I am writing with my sister's pencil. 36. Whose book are you reading ? 37. We are reading our book. 38. In whose house do they live ? 39. They live in their father's house. 40. Whose place is it ? 41. It is his place. 42. Whose glasses are these ? 43. These glasses are mine. 44. Whose ticket is it ? 45. It is her ticket. 46. Whose gloves has she ? 47. She has her own gloves. 48. To whose pupils does this map belong ? 49. This map belongs to these pupils. 50. With whose children are your children playing ? 51. With my neighbour's children. 52. In whose room did you leave the newspaper ? 53. In yours. 54. Whose oranges are these ? 55. They are my mother's oranges. 56. Of whose telegram are you speaking ? 57. I am speaking of my son's telegram. 58. For whose letters did he ask ? 59. He asked for their letters. 60. Whose novel is "War and Peace" ? 61. This novel belongs to him. 62. Whose mother have you seen ? 63. I saw her mother. 64. I met my friends in the park. 65. They asked me about you. 66. When will you go with me to the park ? 67. I have not seen your English books. 68. Where have you put them ? 69. To whom are you sending these presents ? 70. I am sending them to my sisters and brothers. 71. The doctor asked him how many hours a day he works. 72. Answer my question ! Which is the faster steamer ? 73. This one is faster than the other, although she is older. 74. The gardener is not pleased with these flowers. 75. He thinks they are too small. 76. Do you take tea with milk ? 77. Yes, but without sugar. 78. Lemonade is made with lemon, water and sugar. 79. I read two newspapers every day, in the morning a Russian newspaper, and in the evening an English one. 80. We dig the ground with large spades. 81. We cannot send this letter because we have no stamp. 82. What do you wish to read, a book or a newspaper ? 83. I do not wish to read either a book or a newspaper. 84. I never read in the train. 85. I did not find anybody at home. 86. All went by motor car to the country. 87. We come to school at nine o'clock and leave at four. 88. Each lesson lasts fifty minutes.

LESSON 28

ASPECTS OF THE VERB AND IRREGULAR VERBS

Lesson 8 mentions that in Russian there are only three tenses as against twelve in English. To make up for this apparent lack the Russians have verbal forms called "aspects."

Let us take the following four verbs as examples:

работать, to work — Я рабо́таю 8 часо́в в день, *I work 8 hours a day.*

писа́ть, to write — Де́ти писа́ли ма́тери ча́сто, *the children wrote to their mother often.*

у́жинать, to have supper — Они́ бу́дут у́жинать с на́ми, *they will sup with us.*

встава́ть, to get up — Мой сын встава́л-бы ра́но ка́ждое у́тро, е́сли он был-бы здоро́в, *my son would have got up early every morning, if he had been well.*

These four examples show the imperfective aspect of the actions, that is, where the action or the state is continuous, habitual or recurrent.

Now let us take verbs of the same stems, but with prefixes added or endings changed:

порабо́тать, to work a little — Я порабо́тал в саду́, *I did some work in the garden.*

написа́ть, to have written — Я напишу́ письмо́ твоему́ бра́ту за́втра, *I shall write a letter to your brother to-morrow.*

поу́жинать, to have supped — Поу́жинайте и иди́те погуля́ть *have your supper and go for a walk.*

око́нчить, to have finished — Я око́нчил-бы рабо́ту, если бы я не был бо́лен, *I would have finished the work, if I had not been ill.*

The prefixes or the altered endings produce a different meaning, give different shades of the word, and above all they express that the action was completed, was an instantaneous or a single action. This aspect is called perfective and naturally, therefore, the verb of a perfective aspect cannot have a present tense.

Table

Aspect	*Present*	*Past*	*Future*
Imperf.	чита́ю, *I read*	чита́л, *I have read*	бу́ду чита́ть, *I shall read*
Perf.		прочита́л, *I have finished reading*	прочита́ю, *I shall read it through*

Most verbs are imperfective. The majority of verbs with prefixes are perfective.

The imperfective verbs form the future with the help of the verb быть, *to be*:

я бу́ду чита́ть весь ве́чер, *I shall read the whole evening;*

я бу́ду встава́ть ка́ждое у́тро в 7 часо́в, *I shall get up every morning at* 7 *o'clock.*

The perfective verbs although they have the endings of the present, indicate the future:

я порабо́таю в саду́, *I shall work in the garden a little;*

я за́втра напишу́ письмо́ Ва́шему бра́ту, *I shall write a letter to your brother to-morrow;*

мы поу́жинаем и пойдём гуля́ть, *we shall have supper and go for a walk;*

я вста́ну за́втра в шесть часо́в, *I shall get up at* 6 *o'clock.*

Here is a short list of some common and useful verbs in pairs showing the two aspects:

Imperfective.	Meaning :	Perfective.	Imperfective Tenses.			Perfective Tenses.	
			Present.	Past.	Future.	Past.	Future.
1. начина́ть	to begin	нача́ть	начина́ю	начина́л	бу́ду начина́ть	на́чал	начну́
2. конча́ть	,, finish	ко́нчить	конча́ю	конча́л	,, конча́ть	ко́нчил	ко́нчу
3. есть	,, eat	съе́сть	ем	ел	,, есть	съел	съем
4. пить	,, drink	вы́пить	пью́	пил	,, пить	вы́пил	вы́пью
5. открыва́ть	,, open	откры́ть	открыва́ю	открыва́л	,, открыва́ть	откры́л	откро́ю
6. закрыва́ть	,, close	закры́ть	закрыва́ю	закрыва́л	,, закрыва́ть	закры́л	закро́ю
7. дава́ть	,, give	дать	даю́	дава́л	,, дава́ть	дал	дам
8. получа́ть	,, receive	получи́ть	получа́ю	получа́л	,, получа́ть	получи́л	получу́
9. покупа́ть	,, buy	купи́ть	покупа́ю	покупа́л	,, покупа́ть	купи́л	куплю́
10. продава́ть	,, sell	прода́ть	продаю́	продава́л	,, продава́ть	прода́л	прода́м
11. чита́ть	,, read	прочита́ть	чита́ю	чита́л	,, чита́ть	прочита́л	прочту́
12. писа́ть	,, write	написа́ть	пишу́	писа́л	,, писа́ть	написа́л	напишу́
13. де́лать	,, do, to make	сде́лать	де́лаю	дела́л	,, де́лать	сде́лал	сде́лаю
14. бра́ть	,, take	взять	беру́	брал	,, брать	взял	возьму́
15. обе́дать	,, dine	пообе́дать	обе́даю	обе́дал	,, обе́дать	пообе́дал	пообе́даю
16. встава́ть	,, get up	встать	встаю́	встава́л	,, встава́ть	встал	вста́ну
17. забыва́ть	,, forget	забы́ть	забыва́ю	забыва́л	,, забыва́ть	забы́л	забу́ду
18. говори́ть	,, say, tell	сказа́ть	говорю́	говори́л	,, говори́ть	сказа́л	скажу́
19. говори́ть	,, speak	поговори́ть	говорю́	говори́л	,, говори́ть	поговори́л	поговорю́
20. снима́ть	,, take off, to remove	снять	снима́ю	снима́л	,, снима́ть	снял	сниму́

Exercise 28

Translate into English :—

1. Как фабри́чный рабо́чий мой оте́ц зараба́тывал небольшо́е жа́лование, не бо́лее трех фу́нтов в неде́лю. 2. Я зарабо́тал в про́шлом ме́сяце де́сять фу́нтов. 3. Я встава́л в шесть часо́в утра́ и рабо́тал до ча́су без переры́ва. 4. Сего́дня у́тром мы вста́ли по́здно, потому́ что мы бы́ли на вечери́нке. 5. Я заказа́л костю́м и пальто́ у ва́шего портно́го. 6. Я плати́л моему́ учи́телю за ка́ждый уро́к. 7. Его́ оте́ц заплати́л все его́ долги́. 8. Моя́ мать получа́ла пи́сьма от мое́й сестры́ два ра́за в неде́лю. 9. Я получи́л письмо́ от моего́ дру́га. 10. Я ча́сто встреча́л его́ в библиоте́ке. 11. Я встре́тил его́ в па́рке. 12. Я занима́л а́нглийскую газе́ту у моего́ дру́га. 13. Он за́нял мои́ ка́рты. 14. Я говори́л с Андре́ем в рестора́не. 15. Я сказа́л ему́ о сме́рти моего́ отца́. 16. Мы лежа́ли на траве́ и слу́шали пе́ние птиц. 17. Мы пошли́ спать в де́сять часо́в ве́чера. 18. Он лю́бит жить в дере́вне. 19. Он полюби́л э́ту дере́вню. 20. Мой друг всегда́ помога́л молоды́м учёным. 21. Он помо́г э́тому молодо́му до́ктору зако́нчить образова́ние. 22. Лёд проломи́лся под ним. 23. Я посла́л бра́та за до́ктором. 24. Он ча́сто теря́л свои́ кни́ги. 25. Он потеря́л свои́ часы́. 26. Мой оте́ц кра́сил свою́ ло́дку вчера́ весь день. 27. Он вы́красил две́ри и о́кна бе́лой кра́ской. 28. Учи́тель хва́лит дете́й, приходя́щих в шко́лу аккура́тно. 29. Он похвали́л моего́ сы́на вче́ра за его́ рису́нок. 30. Я ча́сто вспомина́л о прия́тных днях, прове́денных на́ми на реке́. 31. Я вспо́мнил давно́ забы́тое стихотворе́ние. 32. Я обы́чно вскрыва́ю свои́ пи́сьма по́сле обе́да. 33. Я вскрыл письмо́ моего́ бра́та по оши́бке. 34. Он повсю́ду броса́ет папиро́сный пе́пель. 35. Она́ говори́т, что она́ бро́сит му́зыку, потому́ что она́ перее́хала из го́рода в дере́вню. 36. Когда́ мы жи́ли в э́том до́ме, мы ка́ждый день переезжа́ли че́рез реку́.

LESSON 29

REFLECTIVE AND RECIPROCAL VERBS

A reflexive verb is a special kind of transitive verb where th doer of the action is also the object of the action. For example I (the subject) wash myself (the object).

The Russian reflexive verb is formed by adding to the verb ся (contracted from " себя," self).

The ся means myself, thyself, himself, etc. :

повора́чивать, to turn	повора́чиваться, to turn onesel
мыть, to wash	мы́ть-ся, to wash oneself
брить, to shave	бри́ть-ся, to shave oneself
спаса́ть, to save, rescue	спаса́ть-ся, to save oneself

You have already learned how to conjugate ordinary verbs Conjugate any reflexive verb in the same manner, adding to every form ся.

If the form ends in a vowel change the ся into сь :

я спаса́ю, I save	я спаса́ю-сь, I save myself
он мыл, he washed	он мы́лся, he washed himself
они бу́дут повора́чивать, they will turn	они́ бу́дут повора́чиваться, they will turn themselves

A reciprocal verb is one where two or more persons act both as subject and object of the verb. For example :

to meet each other, встреча́ться;
to fight, сража́ться.

What we have said about the reflexive verbs applies also to reciprocal verbs :

я ча́сто встреча́юсь с дру́гом, I often meet my friend ;
геро́и сража́ются хра́бро, heroes fight bravely.

There are also a number of verbs with ся although, in view of their meaning, one would not expect to find them amongst reflexive verbs. The explanation sometimes is simple, as учи́ться, *to learn* (literally to teach oneself). Some others are not so easy to understand like боя́ться, *to be afraid of;* смея́ться, *to laugh.* Memorise such words carefully. The conjugation is the same as that of reflexive verbs.

я смею́сь, I laugh
они боя́тся при́зраков, they are afraid of ghosts.
мы любу́емся захо́дом со́лнца, we admire the sunset.

Vocabulary

взобра́ться, взбира́ться, to ascend
вчера́шний, of yesterday
беспоко́йство, trouble, bother
гром, thunder
извиня́ться, извини́ться, to apologise
заниматься, to be busy with
колеба́ться, to hesitate
те́ло, body
раздража́ться, to become irritable
помеща́ться, to be situated
помеща́ть, помести́ть, to place
раздава́ться, разда́ться, to be heard, to resound
трево́жный сигна́л, alarm signal
вор, thief
весели́ться, to make merry
вина́, guilt, fault
справля́ться, спра́виться, to enquire, consult
ссыла́ться, сосла́ться, to refer to
плен, captivity
томи́ться, to languish
усло́виться, to agree, make arrangements
спуска́ться, to descend
возмуща́ться, возмути́ться, to get indignant
вдруг, suddenly
испуга́ться, to become frightened
ка́мень, stone
изумля́ться, изуми́ться, to become amazed, astonished
изуча́ть, изучи́ть, to study
та́ять, раста́ять, to melt
растворя́ться, раствори́ться, to dissolve
разлага́ться, разложи́ться to become decomposed
находи́ться, to find oneself, to be (in a place)
котёл, котла́, boiler
ки́нуться, to rush
развива́ться, разви́ться, to develop
броса́ться, бро́ситься, to rush, to throw oneself
отража́ться, отрази́ться, to reflect
гра́дус, degree
ста́лкиваться, столкну́ться, to collide with
стара́ться, постара́ться, to try, endeavour
пле́нный, captive
встреча́ться, to meet (each other)

Exercise 29

Translate into English :—

1. Э́тот инжене́р специализи́ровался в постро́йке Ди́зель-мото́ров. 2. Мы спра́вились на ста́нции о вре́мени прибы́тия Моско́вского по́езда. 3. Мы взобра́лись на́ гору ра́но у́тром и спусти́лись ве́чером. 4. Мы ссыла́емся на ва́ше вчера́шнее письмо́. 5. Два

больши́х парохо́да столкну́лись в тума́не посреди́ океа́на. 6. Постара́йся придти́ во время к обе́ду сего́дня. 7. Пле́нные томя́тся в плену́. 8. Мы усло́вились встре́титься за́втра у́тром. 9. Я извиня́юсь за беспоко́йство. 10. Де́ти испуга́лись гро́ма. 11. Аэропла́ны показа́лись высоко́ на не́бе. 12. Ма́льчик споткну́лся о ка́мень. 13. На не́которых ста́нциях Ло́ндонских подзе́мных доро́г име́ются на́дписи : „Остерега́йтесь карма́нных воро́в". 14. Э́тот молодо́й учёный увлека́ется свое́й рабо́той. 15. Мы мно́го весели́ли́сь на вечери́нке. 16. Де́ти бы́стро развива́ются в ра́нние го́ды. 17. Мы изуми́лись отва́ге э́того молодо́го геро́я. 17. День ми́ра приближа́ется. 19. Он притворя́ется, что он не зна́ет ру́сского языка́. 20. Они́ призна́лись в свое́й вине́. 21. Температу́ра коле́блется ме́жду двена́дцатью и четы́ренадцатью гра́дусами. 22. Мы возмуща́емся несправедли́востью судьи́. 23. Налёты неприя́тельских аэропла́нов переноси́лись населе́нием споко́йно и сто́йко, хотя́ страна́ ежедне́вно подверга́лась чрезвыча́йной опа́сности в тече́ние мно́гих ме́сяцев. 24. Э́тот ста́рый профе́ссор занима́ется изуче́нием тропи́ческих боле́зней. 25. Соединённые Шта́ты счита́ются са́мой бога́той страно́й мира́. 26. В ти́шине́ са́да вдруг послы́шались чьи-то шаги́.

Translate into Russian :—

1. They need some new clothes. 2. Water and oil do not mix easily. 3. We laughed at his joke. 4. The children bathe in the river every day. 5. I became friendly with the Russian airman. 6. The desert is lit up at night by the stars. 7. The clouds are reflected in the water. 8. The fortress is being taken by storm. 9. Various expeditions are being organised by Soviet explorers. 10. Work does not stop in the Arctic even in winter. 11. When the warning was sounded the passengers rushed to the boats. 12. The children dashed after the ball. 13. My friend is always in a hurry in the morning. 14. Don't hurry me! 15. The boiler is heated by electricity. 16. The cotton industry has developed itself very rapidly in Soviet Russia. 17. Many precious metals are found in the Ural Mountains. 18. My son amuses himself with models

of aeroplanes. 19. The students are quartered in hostels which are attached to the technical schools. 20. When he is tired he is easily irritated. 21. In hot countries dead bodies decompose quickly. 22. Sugar is easily dissolved in water. 23. The Don overflows when the snow melts.

LESSON 30

PARTICIPLES

This grammatical form, the Participle, as well as the Gerund, which is explained in the next lesson, are mainly used in literary Russian, but to use them in ordinary conversation would sound bookish.

Besides the simple adjectives there are also adjectives derived from verbs. These verbal adjectives are to be found both in English and in Russian and are known as participles. Examples of English participles are: loving, from the verb to love, and sleeping, from the verb to sleep.

Like other adjectives, participles are used to describe a noun, but, because they are derived from verbs, they always denote some action or some state of the thing which they are describing. For instance, in the phrases: working man and sleeping child, the participle " working " denotes an action of the man, and " sleeping " a state of the child.

Several different participles can be formed from every Russian verb, and we shall now explain these. Let us take the present participle first: рабóтающий, лю́бящий, ду́мающий. These mean working, loving and thinking, and are formed in the following way. Detach the ending from the third person plural of the present tense of the verb and you get the stem. For example: from работа-ют the stem is работа-; from лю́б-ят, люб-; from ду́ма-ют, дума-. To the stems, add the correct participle ending. These are ущий and ющий where the third person plural ends in -ут or -ют, ащий and ящий where it ends in -ат or -ят. In this wav we obtain the present participles рабóтающий, лю́бящий, ду́мающий which mean respectively: working, loving, thinking.

Besides the present participles, Russian has also past participles. These denote some past action or past state of the thing which they are describing. For instance: рабóтающий челове́к means: *a man who is working now*, but рабóтавший челове́к means: *a man who was or has been working;* спя́щее дитя́, *sleeping child;* спа́вшее дитя́, *a child who has slept.*

The Russian past participle has no English equivalent and, as you will see from the examples below, it must be translated by a complete phrase beginning with the word *who* or *which*. It is formed by detaching the ending ть from the infinitive of the verb and adding the ending вший (or, for some verbs, ший) to the stem which remains. Thus the past participles of the verbs given are: рабо́тавший, люби́вший, ду́мавший.

The following sentences illustrate the use of the past participle: мой оте́ц, хорошо́ понима́вший по-ру́сски, едва́ мог говори́ть на э́том языке́, *my father, who understood Russian well, could scarcely speak the language;* капита́н, ви́девший опа́сность, останови́л парохо́д, *the captain, who saw the danger, stopped his ship.* Here the two past participles понима́вший and ви́девший are translated "who understood" and "who saw" respectively.

Both the present and the past participles, like ordinary adjectives, have a masculine, a feminine and a neuter form; for example: Present tense: рабо́тающий, рабо́тающая, рабо́тающее; Past tense: рабо́тавший, рабо́тавшая, рабо́тавшее.

They are declined like ordinary adjectives. They govern the same case as the verb from which they are derived. Thus ма́льчик, чита́ющий газе́ту means: *the boy reading the paper.* Чита́ть governs the accusative case and therefore the participle чита́ющий does likewise.

Notice that in Russian the participle can be used alone in the singular or plural to mean: *one who reads, those who read,* or, in the case of the past participle: *one who was reading, those who were reading.* For instance: чита́ющие газе́ты зна́ют, что происхо́дит на све́те, *those who read newspapers know what takes place in the world.*

The two participles with which we have just dealt are both active participles, that is to say, they describe a thing which itself performs or has performed the action. But there are passive participles too. These describe a thing to which something is being or has been done. For example, the phrase: *the book which is read by me* can be translated: кни́га, чита́емая мною, where чита́емая is a passive participle meaning: *which is read* or *is being read.* There are two passive participles, a present and a past, and they are formed from transitive verbs only.

The present passive participle is formed by adding емый to the stem of the present tense if the infinitive of the verb ends in -ать or -ять and имый if it ends in -ить or -еть; for instance, from читать we have чита́емый meaning *being read, which is read,* and from ви́деть—ви́димый, *being seen* or *which is seen.*

The past passive participle has the meaning of *read, which was read, seen, which was seen,* etc. It is formed usually by adding нный to the stem of the infinitive, as for example: читанный from читать; *the book read by me,* кни́га, чи́танная мно́ю; and *the town seen by me,* го́род, ви́денный мно́ю.

But if the infinitive stem ends in a consonant, the ending енный is added instead. For example, from the infinitive унести, *to carry away,* we get уне́сенный. In the case of some verbs the past participle ends in тый, for example: мы́тый, *washed;* тро́нутый, *touched.*

Reflexive verbs form the present and past participle like ordinary verbs, preserving the "self" ся: бо́рящийся, *fighting;* боро́вшийся, *who has fought.* All passive participles are declined, and have an abbreviated form, like ordinary adjectives.

A sentence formed with a participle is separated by commas from the main sentence.

Table Showing Formation of the Participles

Active Participles			
Imperfective		Perfective	
Present			
нес-у́т	несу́щий	None	
чита́-ют	чита́ющий		
бор-ю́т-ся	бо́рящийся		
ды́ш-ат	ды́шащий		
ви́д-ят	ви́дящий		
Past			
нес-ти́	нёсший	унести́	унёсший
чита́-ть	чита́вший	прочита́ть	прочита́вший
ви́д-еть	ви́девший	уви́деть	уви́девший
боро́-ть-ся	боро́вшийся	поборо́ться	поборо́вшийся

Passive Participles

Imperfective		Perfective	
Present			
чита́-ют	чита́емый	None	
ви́д-ят	ви́димый		
Past			
носи́-ть	но́шенный	сноси́-ть	сно́шенный
чита́-ть	чи́танный	прочита́-ть	прочи́танный
ви́де-ть	ви́денный	уви́де-ть	уви́денный
мы́ть	мы́тый	вы́мы-ть	вы́мытый

Vocabulary

боро́ться, борю́сь, бо́решься, to struggle, fight for
вы́дача, issue, distribution
анке́тный (лист), questionnaire, inquiry (sheet)
выздора́вливать, вы́здороветь, to recover
вентили́ровать, to ventilate
благодаря́, thanks to, owing to
дальнозо́ркий, far-sighted
до́лжен, должна́, должно́, must
газ, gas
нужда́ться, to need
заполня́ть, запо́лнить, to fill in
игра́ть, to play
иссле́дователь, explorer
зака́нчивать, закончить, to finish
смея́ться, to laugh
посвяща́ть, посвяти́ть, to devote
висе́ть, вишу́, виси́шь, to hang
бале́т, ballet
бланк, form
брак, marriage
безбе́дный, free of poverty, secure
вновь, recently, again, afresh
безуспе́шно, unsuccessfully, in vain
допуска́ть, to admit
близору́кий, shortsighted
гро́хот, crash, din
достига́ть, дости́гнуть, to reach, achieve
Ита́лия, Italy
заня́тие, occupation
загоре́ться, to catch fire
изобрета́ть, изобрести́, to invent
заблуди́ться, to get lost
разруша́ть, to destroy
подходя́щий, suitable
незамени́мый, indispensable

Exercise 30

Translate into English :—

1. Э́то ваго́н для некуря́щих. 2. Парохо́ды, пла́вающие вдоль бе́рега, обыкнове́нно малы́. 3. Заве́дующий э́тим скла́дом прихо́дит на рабо́ту о́чень ра́но. 4. Все сидя́щие за тем столо́м — иностра́нцы. 5. Шля́па, вися́щая в пере́дней, моя́. 6. Ли́ца, не име́ющие чле́нского биле́та, не бу́дут допу́щены на э́то собра́ние. 7. Автомоби́ль, стоя́щий у на́шего до́ма, принадлежи́т до́ктору. 8. Моя́ сестра́, сиде́вшая во второ́м ряду́, могла́ о́чень хорошо́ ви́деть бале́т. 9. Лю́ди, не име́ющие норма́льного зре́ния, быва́ют ли́бо близору́ки, ли́бо дальнозо́рки. 10. Сталь, изгото́вленная из э́того желе́за, будет очень хру́пкая. 11. До́ктор, посети́вший больну́ю, нахо́дит, что ей необходи́м абсолю́тный поко́й. 12. Худо́жник, пи́шущий э́ту карти́ну, учи́лся жи́вописи в Ита́лии. 13. Не сле́дует доверя́ть автомоби́ль шофёрам, не е́здившим по э́тим доро́гам. 14. Скрипа́ч-соли́ст, игра́вший на вчера́шнем конце́рте, — восходя́щая звезда́. 15. Никто́ из уча́ствующих в экску́рсии не говори́л по-ру́сски. 16. Жела́ющие е́хать заграни́цу должны́ проси́ть о вы́даче им заграни́чного па́спорта. 17. Для по́луче́ния па́спорта необходи́мо запо́лнить два́ бла́нка, так называ́емые анке́тные листы́, содержа́щие не́которые вопро́сы о ли́чности проси́теля. 18. В э́тих бла́нках должны́ быть ука́заны сле́дующие све́дения : и́мя, о́течество и фами́лия проси́теля ; год, ме́сяц и число́ рожде́ния, настоя́щий а́дрес проси́теля, его́ национа́льность, заня́тие и́ли профе́ссия и цель пое́здки. 19. В бла́нках, выдава́емых ко́нсульствами не́которых госуда́рств, кро́ме ука́занных вопро́сов, проси́тель та́кже до́лжен указа́ть испове́дуемую им рели́гию, состои́т-ли он в бра́ке и́ли он хо́лост. 20. К бла́нкам должны́ быть прило́жены две фотографи́ческие ка́рточки. 21. Вдоль всего́ побере́жья Кры́ма и Кавка́за устро́ены отли́чные санато́рии для выздора́влива́ю-

щих. 22. Медици́нская по́мощь в Сове́тском Сою́зе отли́чно организо́вана. 23. Потеря́вшие спосо́бность к труду́ и состаре́вшиеся рабо́тники получа́ют пе́нсию, обеспе́чивающую им безбе́дное существова́ние. 24. Пти́цы, испу́ганные гро́хотом гро́ма, бы́стро скры́лись в свои́х гнёздах. 25. Все, принима́ющие уча́стие в э́той игре́, должны́ подчиня́ться устано́вленным пра́вилам. 26. Мы познако́мились заграни́цей со мно́гими вновь изобре́тенными маши́нами. 27. Мы наслажда́лись о́тдыхом в гора́х Шотла́ндии по́сле дли́нного го́да рабо́ты. 28. Э́тот дом загоре́лся от неизве́стной причи́ны. 29. В пло́хо вентили́руемых ша́хтах ра́бочие ча́сто задыха́ются всле́дствие прису́тствия вре́дных га́зов. 30. Конце́рт обыкнове́нно зака́нчивается о́коло оди́ннадцати часо́в. 31. Междунаро́дный медици́нский конгре́сс откры́лся ре́чью председа́теля. 32. Сове́тскими иссле́дователями ежего́дно организу́ются экспеди́ции в А́рктику. 33. Хра́брое во́йско сто́йко сопротивля́лось нападе́ниям неприя́теля. 34. Мы заблуди́лись в непроходи́мом лесу́ и напра́вились иска́ть до́мик лесни́чего. 35. Вам не сле́дует напряга́ться : вы сли́шком уста́нете, и не смо́жете зако́нчить рабо́ту к тре́буемому сро́ку. 36. Мно́гие безуспе́шно наме́ревались перелете́ть Атланти́ческий Океа́н. 37. Тепе́рь та́кие перелёты соверша́ются без осо́бых затрудне́ний, благодаря́ тем усоверше́нствованиям, кото́рые бы́ли дости́гнуты в после́дние два́дцать пять лет.

Translate into Russian :—

1. Those who know the Russian language do not need a guide when they travel over Russia. 2. There is a bird in Australia which is called the laughing jackass. 3. Any letters addressed to you will be forwarded to Moscow. 4. This is quite a suitable expression. 5. His time is entirely devoted to his work. 6. This engineer is an indispensable worker at our factory. 7. The doctor finds that the patient is suffering from an incurable disease. 8. Her punishment is unmerited. 9. Officers understanding foreign languages receive special appointments. 10. Persons wishing to attend the meeting

should apply to the secretary for tickets. 11. A steamer loaded with grain struck a rock and sank. 12. A flourishing town was destroyed by fire. 13. We hear the gay laughter of bathing children. 14. We saw a weeping woman and comforted her. 15. The engineer who checked the machine was satisfied that it would work properly. 16. The snowy mountains surrounding the lake are beautiful in the sunset. 17. The artist who draws illustrations for these books is a good friend of mine. 18. We saw the ruins of the town destroyed by the earthquake.

LESSON 31

THE GERUND

The gerund is a form derived from a verb, which accompanies another verb in a sentence and explains the manner or circumstances in which something takes place or has taken place, i.e., the gerund is a verbal adverb, as a participle is a verbal adjective. The gerund can therefore be in the present or past tense.

Take the sentences: не зна́я ни сло́ва по-ру́сски, Смит пое́хал в Сове́тский Сою́з, *not knowing a word of Russian, Smith went to the Soviet Union.* The first sentence explains the state in which Smith went to the Soviet Union—not knowing a word of Russian.

Прорабо́тавши весь день в саду́, я был рад отдохну́ть, *having worked through the whole day in the garden, I was glad to have a rest.* In these sentences the first part explains *when* I was glad to have a rest.

The gerund present is formed from the 3rd person plural by replacing the endings -ут, -ют, -ат, -ят by the ending -я (or -а if the stem ends in ж, ч, ш, щ, after which я is replaced by а)

зна-ть, зна́-ют, зна́-я.

Reflexive, reciprocal and other verbs ending in сь of course retain ся in the gerund.

купа́-ть-ся, купа́-ют-ся, купа-я́-сь
встреча́-ть-ся, встреча́-ют-ся, встреча́-я-сь
слу́ша-ть-ся, слу́ша-ют-ся, слу́ша-я-сь

The past gerund is formed by adding to the stem of the past tense вши or в or ши in verbs with the stem ending in д or т.

прорабо́та-ть, прорабо́та-вши, прорабо́та-в
вы́купа-ть-ся, выкупа́-л-ся, выкупа́вши-сь
принес-ти́, принёс, принёс-ши.

Exercise 31

Translate into English :—

1. Я заснýл, сúдя в крéсле. 2. Читáя чáсто áнглийские газéты, я научúлся э́тому языкý. 3. Не знáя рýсского языкá, я поéхал в С.С.С.Р. 4. Я всё врéмя оставáлся на пáлубе, любýясь вúдом мóря. 5. Смотря́ на вас, я вспоминáю своúх сыновéй. 6. Рабóтая усéрдно кáждый день, мы изýчим рýсский язы́к в óчень корóткое врéмя. 7. Оставля́я э́ту странý, он написáл всем своúм друзья́м о том, как приятно и интерéсно бы́ло врéмя, провéденное с нúми. 8. Умы́вшись и одéвшись, мы позáвтракали и отпрáвились осмáтривать гóрод. 9. Прочитáвши письмó от моегó отцá, я немéдленно поéхал в Москвý. 10. Узнáвши, что мой друг в Лóндоне, я просúл егó посетúть меня́. 11. Решúв поселúться в Совéтской Россúи, мы стáли изучáть рýсский язы́к. 12. Знáя двá инострáнных языкá, мы нахóдим рýсскую граммáтику довóльно лёгкой. 13. Стóя у постéли больнóго, дóктор объяснúл студéнтам, как лечúть э́ту болéзнь. 14. Прослýшавши скáзанное, студéнты записáли объяснéния дóктора. 15. Читáя вслух, вы приобретёте хорóшее произношéние. 16. Возвращáясь домóй, я зашёл к моемý дрýгу. 17. Увúдев меня́, мой друг остáвил рабóту и вы́шел со мной на ýлицу. 18. Приéхав в Москвý, мы стáли разы́скивать нáших друзéй. 19. Гуля́я по ýлицам Москвы́, мы срáвнивали жизнь в э́том гóроде с жúзнью в Лóндоне.

Translate into Russian :—

1. Having found my book, I could continue my work. 2. Knowing that he was in Moscow, I went there to spend my leave with him. 3. My mother met my friend while walking in the park. 4. Did you receive my letter ? 5. I received a letter from your brother, but not from you. 6. Have you noted my address ? 7. Who has lost this watch ? I have found it in the garden. 8. Do your work now, if you wish to go for a walk with me. 9. I have finished my work already. 10. You usually reply to letters from your friends very

quickly. 11. My friend writes so quickly that it is difficult to understand his letters. 12. Help me to carry the furniture from the dining room to the drawing room. 13. Here are bread, cheese and butter. 14. Eat if you are hungry. 15. How much did he pay for this ring ? 16. I looked for the key everywhere, but I could not find it. 17. Did you finish the newspaper ? 18. Are you cold ? 19. Take the first turning on the right. 20. He was alone in the room. 21. We shall go out for a walk this evening if it is not too cold. 22. We did not hear what he said. 23. Sitting too far away, we could not see the play very well. 24. We cannot come in the morning. 25. Will you be free at 11.30 a.m. ? 26. Have you found your note book ? 27. I have been waiting here the whole day, but nobody has come. 28. Will you return to Moscow at the end of July ?

LESSON 32

Formation of Words

Words in a language are interwoven. From a noun, there may be formed, other nouns, adjectives, adverbs ; from adjectives adverbs are formed ; from verbs, nouns, other verbs, etc. We therefore advise you, whenever you come across a new word, to see whether you know another word with the same root before you look up the meaning of the new word in the dictionary. Later on you will be able to recognise families of words.

Take an example of a family of English words : abstain, appertain, attain, contain, detain, entertain, maintain, obtain, retain, sustain. The root of all these words is the Latin word " teneo," meaning I hold, to which have been added the various prefixes : abs– (from), at– (to), con– (with), ad– (to) and per– (through), and so on. The d in the ad-pertain and ad-tain has been altered to p and to t for the sake of easier pronunciation. Then let us take another word: conceive, deceive, perceive, receive, which come from the Latin root " capio," I take, added to which are con– and de– (down, away, from), etc.

Russian likewise adds prefixes to modify the meanings and thus new words are created. Let us take the verb : ходить meaning to go, to walk. From this verb are formed the following 18 verbs :

вы-ходи́ть means to go out, come out ; appear, be published
за-ходи́ть " to call (to call on, at, for), go behind, set (sun)
при-ходи́ть " to come, arrive

у-ходи́ть	means to go away
на-ходи́ть	„ to find, come upon
от-ходи́ть	„ to go away, leave
в-ходи́ть	„ to enter into, come in
вс-ходи́ть	„ to mount, rise
до-ходи́ть	„ to go, walk (up to), reach, amount to
ис-ходи́ть	„ to go over, traverse
об-ходи́ть	„ to go, come round
про-ходи́ть	„ to pass, elapse
пере-ходи́ть	„ to pass, cross, get over, go beyond
по-ходи́ть	„ to resemble, be like
под-ходи́ть	„ to approach, come near, suit, match, fit
пре-восходи́ть	„ to surpass, excel, surmount
рас-ходи́ть-ся	„ to part, separate
с-ходи́ть	„ to go down, descend, alight

By changing the ending of the verb in Russian, new words are also created. From ходить we have выха́живать, *to rear, bring up;* заха́живать, *to call often at, on;* уха́живать, *to nurse, wait on, court.*

When reading, you would do well to compare the prefixes with the prepositions dealt with in Lessons 20 and 21. You will see that in most cases the prefixes are just prepositions. If you are confronted with a verb like отгонять try first of all to recognise the root of the verb which in this case is гон. Having the general sense of the root and remembering the meaning of the preposition от- (away), you will easily recognise the meaning of the new word отгонять (to drive away).

Vocabulary

водола́з, diver
весна́, spring
добежа́ть, run up to, reach
дно, bottom
заяви́ть, to declare, state
иссле́довать, explore, investigate
растя́гивать, растяну́ть, stretch
те́сный, tight, narrow
одолева́ть, одоле́ть, surmount, overcome
узнава́ть, узна́ть, to recognise
возника́ть, возни́кнуть, to arise
распродава́ть,распрода́ть, to sell out
пове́сить, to hang
верну́ться, to be back, to return
почита́ть, to read (for a while)
разбира́ть, разобра́ть, to decipher, take to pieces

до́красна, red-hot
нагрева́ть, to heat
жили́ще, dwelling
поврежда́ть, повреди́ть, to damage
взла́мывать, взлома́ть, to break open
проника́ть, прони́кнуть, to penetrate
отменя́ть, отмени́ть, to abolish
подпи́сывать, подписа́ть, to sign
предполага́ть, предположи́ть, to suppose, to presume
откла́дывать, отложи́ть, to postpone, put off
сближа́ться, сбли́зиться, to approach, come near
применя́ть, примени́ть, to apply

Exercise 32

Translate into English :—

1. Сего́дня вы́дали жа́лованье рабо́чим и им заяви́ли, что фа́брика бу́дет закры́та две неде́ли. 2. Мы пригласи́ли не́скольких друзе́й на обе́д. 3. С наступле́нием холо́дной пого́ды пти́цы улете́ли в тё́плые края́. 4. Не откла́дывайте на за́втра то, что вы мо́жете сде́лать сего́дня. 5. На собра́нии бы́ло сде́лано предложе́ние о переизбра́нии председа́теля и това́рища председа́теля. 6. Во́ры взлома́ли замо́к, прони́кли в кварти́ру и унесли́ мно́го́ це́нных веще́й. 7. Я добежа́л сего́дня у́тром до ста́нции в пять мину́т, но всё-же опозда́л на по́езд. 8. Пожа́р, возни́кший от горя́щей папиро́сы, неосторо́жно бро́шенной на ковё́р, уничто́жил в до́ме всю ме́бель. 9. Водола́зы иссле́довали дно парохо́да, повреждё́нного во вре́мя столкнове́ния. 10. До́ктор облегчи́л страда́ния ра́неного, примени́вши наркоти́ческое сре́дство. 11. Мы провели́ ле́то у бе́рега мо́ря. 12. Мы перепра́вились чере́з реку́ ло́дкой. 13. Я не могу́ разобра́ть и́мени подписа́вшего э́то письмо́. 14. Предполага́ют, что вы́ставка бу́дет откры́та весно́ю. 15. Распространи́лся слух, что прави́тельство отмени́ло нало́г на са́хар. 16. Ду́мают, что по́сле войны́ наро́ды А́нглии и СССР сбли́зятся и бу́дут друг дру́гу помога́ть.

Translate into Russian :—

1. He worked for six hours, dined and went for a walk. 2. How does your work get on ? 3. If your new gloves are tight, they ought to be stretched. 4. The steel is made red-hot. 5. Drop in when you are passing our house. 6. They broke off the conversation when I came into the room. 7. The soldiers surmounted all difficulties and have taken the town. 8. I am going to the station to enquire the time of arrival of the Moscow train. 9. Where has my book got to ? 10. You have left it in my room. 11. Many big houses are being built in London, but there is still a great lack of dwellings. 12. We sat for a while at the café, had a chat and went home at about 10 p.m. 13. When do you get up ? 14. I usually get up at seven. 15. When I was younger I used to get up at six and went for a walk before breakfast. 16. He did not recognise me. 17. We have not seen each other for ten years. 18. He took his motor car to pieces. 19. All the tickets for this performance are sold. 20. Carry all these books downstairs. 21. Take off your coat and hat and hang them up in the hall ! 22. Come into my study ! 23. Read the papers for a while ! 24. I shall be back in half an hour. 25. I wrote him a few lines. 26. I have already heard the sad news.

LESSON 33

IRREGULAR CONJUGATIONS

We have said in Lesson 11 that there are verbs which, whilst they are otherwise conjugated regularly and follow one of the four specimens given, чита́ть, гуля́ть, име́ть, хвали́ть, have some irregular tenses. Here are instances of such verbs :

держа́ть, *to hold ;* instead of having the present tense, as in читать, держаю, etc., this verb has держу́, де́ржишь, де́ржит, etc. ; молча́ть has я молчу́ ; слы́шать, *to hear,* has слы́шу ; треща́ть, *to crack,* я трещу́.

Other verbs, for instance, веле́ть, висе́ть, гляде́ть, instead of having, like our model for verbs ending in еть, име́ть, име́ю, have велю́, вишу́, гляжу́.

The verb сеять, *to sow,* has сею ; ви́деть, *to see,* ви́жу ; пла́кать, *to weep ;* писа́ть, *to write ;* иска́ть, *to search,* have пла́чу, пи́шу, ищу́, etc., etc.

We give here a list of the verbs of this kind most frequently met. Knowing by heart the three forms of the verbs in the list will be a very useful acquisition.

Very special attention must be paid to the following few pairs of verbs. Each verb in the pair has its own meaning in Russian, but the meaning of both of them is expressed in English by one word.

1. говори́ть and сказа́ть both mean in English *to say, tell,* but in Russian you use the word говори́ть when you wish to express: *to be speaking, to be talking, to tell or say something in a general way.* For instance, он говори́л гро́мко, *he was talking loudly;* он говори́т пору́сски, *he is speaking Russian;* он бу́дет говори́ть на собра́нии, *he will speak at the meeting.*

You use the word сказа́ть when you wish to express that something definite has been or will be said on a definite occasion: он сказа́л пра́вду, я скажу́ вам его а́дрес.

2. брать (беру́, берёшь) and взять (возьму́, возьмёшь) are both translated into English by *to take,* but in Russian я брал (imperfective) means *I have been taking,* and я взял (perfective) *I took once* (on a definite occasion).

я бу́ду брать уро́ки му́зыки, *I shall take music lessons;*
я взял скри́пку и стал игра́ть, *I took the violin and started playing.*

3. лови́ть (ловлю́, ло́вишь), пойма́ть (пойма́ю, пойма́ешь) are both translated into English by *to catch.*

While лови́ть is used in the sense of chasing after somebody or something with the intention of catching it, пойма́ть means to have caught; де́ти ло́вят мяч, *the children are chasing a ball* (trying to catch it); де́ти пойма́ли мяч, *the children have caught the ball;* он ловил рыбу, *he was catching fish;* он пойма́л щу́ку, *he caught a pike.*

4. ходи́ть (хожу́, хо́дишь) is translated *to go* and means *to walk, to go on foot.*

е́здить (е́зжу, е́здишь) is also translated *to go,* but is used in the sense of driving, riding.

я хожу́ по па́рку, *I walk in the park;* я е́зжу в конто́ру трамва́ем, *I go to the office by tram.*

5. идти́ (иду́, идёшь, я шел, мы шли) and е́хать (е́ду, е́дешь). The first verb is used when on foot, the second when in a vehicle.

ходи́ть means *to go often,* or *usually;* for instance: я хожу́ в шко́лу, *I go to school;* идти́ means *to go once, on a definite occasion,* with a definite purpose; я иду́ в теа́тр, *I am going to the theatre.*

6. стать means *to begin, to start, set about;* он стал проси́ть меня́, *he began to beg me* (to do something).

7. нести́: я несу́, несёшь, нес, *to carry once*, on a definite occasion; он несёт письмо́ на по́чту, *he is carrying a letter to the post office.* носи́ть: ношу́, но́сишь, но́сит, *to carry, bear* or *to wear;* верблю́д но́сит тя́жести, *a camel carries burdens;* она́ но́сит краси́вую шля́пу, *she is wearing a pretty hat.*

8. есть, *to eat* (on a definite occasion, once, i.e., perfective) is an irregular verb; я ел икру́, *I ate caviar* (once).

Present: я ем, ты ешь, он, она́ ест, мы еди́м, вы еди́те, они́ едя́т.
Past: я ел, е́ла, е́ли.
Future: я бу́ду есть.

ку́шать means also to eat, but to eat usually: я ку́шаю до́ма, *I eat at home.*

The four useful verbs that follow should be memorised:

Irregular Present Tense			Irregular Future Tense
1. бежа́ть, *to run*	2. хоте́ть, *to wish, want*	3. есть, *to eat*	4. дать, *to give*
я бегу́	я хочу́	я ем	я дам
ты бежи́шь	ты хо́чешь	ты ешь	ты дашь
он бежи́т	он хо́чет	он ест	он даст
мы бежи́м	мы хоти́м	мы еди́м	мы дади́м
вы бежи́те	вы хоти́те	вы еди́те	вы дади́те
они бегу́т	они хотя́т	они едя́т	они даду́т

Learn the following verbs by heart at your leisure:

бере́чь, берегу́, бережёшь, to watch, look after, guard
бить, бью, бьёшь, to beat, strike
брать, беру́, берёшь, to take
брить, бре́ю, бре́ешь, to shave
буди́ть, бужу́, бу́дишь, to wake
води́ть, веду́, ведёшь, to lead
везти́, везу́, везёшь, to carry, to drive
веле́ть, велю́, вели́шь, to order
ве́рить, ве́рю, ве́ришь, to believe
ве́сить, ве́шу, ве́сишь, to weigh
ви́деть, ви́жу, ви́дишь, to see

висе́ть, вишу́, виси́шь, to hang
вить, вью́, вьёшь, to wind
воева́ть, вою́ю, вою́ешь, to fight, be at war
гляде́ть, гляжу́, гляди́шь, to look, gaze at
гнать, гоню́, го́нишь, to chase, drive
горди́ться, горжу́сь, горди́шься, to be proud of
горе́ть, горю́, гори́шь, to burn, be burning
гости́ть, гощу́, гости́шь, to stay, visit
гото́вить, гото́влю, гото́ви́шь, to prepare
грусти́ть, грущу́, грусти́шь, to grieve, be sad
дви́гать, дви́жу, дви́жешь, to move
де́йствовать, де́йствую, де́йствуешь, to act, function
держа́ть, держу́, де́ржишь, to hold
дорожи́ть, дорожу́, дорожи́шь, to value, cherish
достава́ть, достаю́, достаёшь, to get, fetch, obtain
жа́ловаться, жа́луюсь, жа́луешься, to complain
ждать, жду, ждёшь, to wait, await, expect
жить, живу́, живёшь, to live
застава́ть, застаю́, застаёшь, to find
звони́ть, звоню́, зво́нишь, to ring
знако́миться, знако́млюсь, знако́мишься, to make the acquaintance of, get to know
зна́чить, зна́чу, зна́чишь, to mean
интересова́ться, интересу́юсь, интересу́ешься, to be interested
иска́ть, ищу́, и́щещь, to seek, look for
каза́ться, кажу́сь, ка́жешься, to seem, appear
кипе́ть, киплю́, кипи́шь, to boil
крича́ть, кричу́, кричи́шь, to shout
кури́ть, курю́, ку́ришь, to smoke
лгать, лгу, лжёшь, to lie, tell lies
лежа́ть, лежу́, лежи́шь, to lie (position)
лезть, ле́зу, ле́зешь, to climb
лете́ть, лечу́, лети́шь, to fly
лови́ть, ловлю́, ло́вишь, to chase
ложи́ться, ложу́сь, ложи́шься, to lie down
люби́ть, люблю́, лю́бишь, to like, love
любова́ться, любу́юсь, любу́ешься, to admire (with instr.)
маха́ть, ма́шу, ма́шешь, to wave
мёрзнуть, мёрзну, мёрзнешь, to freeze
молча́ть, молчу́, молчи́шь, to be silent
мочь, могу́, мо́жешь, to be able

мыть, мóю, мóешь, to wash
находи́ть, нахожу́, нахóдишь, to find
носи́ть, ношу́, нóсишь, to carry
нрáвиться, нрáвлюсь, нрáвишься, to please
образовáть, образу́ю, образу́ешь, to form
оставáться, остаю́сь, остаёшься, to remain, be left
отставáть, отстаю́, отстаёшь, to lag, be slow
переводи́ть, перевожу́, перевóдишь, to translate, transfer
пóмнить, пóмню, пóмнишь, to remember
пóртить, пóрчу, пóртишь, to spoil
прáвить, прáвлю, прáвишь, to drive (instr.), to rule (reign)
приноси́ть, приношу́, принóсишь, to bring
прóбовать, прóбую, прóбуешь, to attempt, try
прощáть, прощáю, прощáешь, to forgive, pardon
проси́ть, прошу́, прóсишь, to ask, beg
рáдоваться, рáдуюсь, рáдуешься, to be glad, rejoice
расти́, расту́, растёшь, to grow
рвать, рву́, рвёшь, to tear
рéзать, рéжу, рéжешь, to cut
рекомендовáть, рекоменду́ю, рекоменду́ешь, to recommend
рисовáть, рису́ю, рису́ешь, to draw, paint
сади́ться, сажу́сь, сади́шься, to sit down
серди́ться, сержу́сь, сéрдишься, to be angry
слéдовать, слéдую, слéдуешь, to follow
служи́ть, служу́, слу́жишь, to serve
слы́шать, слы́шу, слы́шишь, to hear
смея́ться, смею́сь, смеёшься, to laugh
смотрéть, смотрю́, смóтришь, to look
совéтовать, совéтую, совéтуешь, to advise
сойти́, схожу́, схóдишь, to go (come) down
спеши́ть, спешу́, спеши́шь, to hurry
спóрить, спóрю, спóришь, to argue, quarrel
стучáть, стучу́, стучи́шь, to knock
топи́ть, топлю́, тóпишь, to heat (stove), to drown
трáтить, трáчу, трáтишь, to spend
трясти́, трясу́, трясёшь, to shake
тяну́ть, тяну́, тя́нешь, to pull
целовáть, целу́ю, целу́ешь, to kiss
чи́стить, чи́щу, чи́стишь, to clean
чу́вствовать, чу́вствую, чу́вствуешь, to feel
шить, шью, шьёшь, to sew

SUMMARY TABLE OF CONJUGATIONS

Verbal Form.				Perfective Aspect.	Imperfective Aspect.
INFINITIVE:				реши́ть	реша́ть
Indicative Mood.	Present.	Sing.	1st Person	нет	реша́ю
			2nd ,,		реша́ешь
			3rd ,,		реша́ет
		Plural	1st ,,		реша́ем
			2nd ,,		реша́ете
			3rd ,,		реша́ют
	Past.	Sing.	Masc. Gender	реши́л	реша́л
			Fem. ,,	реши́ла	реша́ла
			Neut. ,,	реши́ло	реша́ло
		Plural ..	.. ..	реши́ли	реша́ли
	Future.	Sing.	1st Person	решу́	бу́ду реша́ть
			2nd ,,	реши́шь	бу́дешь реша́ть
			3rd ,,	реши́т	бу́дет реша́ть
		Plural	1st ,,	реши́м	бу́дем реша́ть
			2nd ,,	реши́те	бу́дете реша́ть
			3rd ,,	реша́т	бу́дут реша́ть
Conditional.		Sing.	Masc. Gender	реши́л-бы	реша́л-бы
			Fem. ,,	реши́ла-бы	реша́ла-бы
			Neut. ,,	реши́ло-бы	реша́ло-бы
		Plural ..	.. ..	реши́ли-бы	реша́ли-бы
Impera-tive.		Sing.	2nd Person	реши́	реша́й
		Plural	1st ,,	реши́м	бу́дем реша́ть
			2nd ,,	реши́те	реша́йте
GERUND:				реши́в(ши)	реша́я
Participle.		Active	Present	нет	реша́ющий
			Past	реши́вший	реша́вший
		Passive	Present	нет	реша́емый
			Past	решённый	нет

Exercise 33

Translate into English :—

1. Ве́тер разогна́л ту́чи. 2. Мой сосе́д горди́тся успе́хами своего́ сы́на. 3. Э́тот у́голь сгора́ет о́чень бы́стро. 4. Наш друг бу́дет гости́ть у нас две неде́ли. 5. Мы гото́вим запа́сы для зи́мней экспеди́ции. 6. Не грусти́те по про́шлому! 7. Мы передви́нули дива́н от стены́ в у́гол ко́мнаты. 8. Он де́йствовал по указа́нию до́ктора. 9. Держи́тесь пра́вой стороны́. 10. Я дорожу́ его́ дру́жбой. 11. Доста́ньте э́ту кни́гу с ве́рхней по́лки и прочита́йте предисло́вие. 12. Она́ жа́луется на зубну́ю боль. 13. Я жду письма́ от мои́х бра́тьев. 14. Я жил в Сталингра́де о́коло двух лет. 15. Я не заста́л до́ктора до́ма. 16. Позвони́те по телефо́ну и спроси́те, до́ма ли он тепе́рь? 17. Я познако́мился с достиже́ниями учёных э́того Институ́та в хи́мии. 18. Что означа́ет э́тот знак? 19. Мы интересу́емся исто́рией литерату́ры европе́йских стран. 20. Я ищу́ небольшу́ю кварти́ру в це́нтре го́рода. 21. Мне ка́жется, что он позабы́л мой а́дрес. 22. Вода́ кипи́т при восьми́десяти гра́дусах по Реомю́ру. 23. Де́ти крича́т и шумя́т, когда́ они́ выхо́дят из шко́лы. 24. Я курю́ сли́шком мно́го. 25. Э́ти часы́ лгут, тепе́рь гора́здо ра́ньше. 26. Мы ча́сто лежи́м на траве́ и отдыха́ем по́сле рабо́ты. 27. Он взлез на стену́. 28. Пти́цы улете́ли в тёплые стра́ны. 29. Де́ти ло́вят ба́бочек. 30. Я ложу́сь спать по́здно. 31. Мы любу́емся восхо́дом со́лнца. 32. Де́вочка ма́нит голубе́й кро́шками хле́ба. 33. Пассажи́ры замаха́ли платка́ми, когда́ парохо́д стал ме́дленно отходи́ть от при́стани. 34. Он бережёт своё пла́тье. 35. Де́ти бегу́т по бе́регу реки́. 36. Хоти́те-ли вы ча́ю или ко́фе? 37. Еди́те-ли вы мя́со? 38. Часы́ проби́ли де́сять. 39. Погляди́те на э́ту карти́ну. 40. Не ве́рьте слу́хам! 41. Мы уви́дели вдали́ бы́стро-дви́гавшийся автомоби́ль. 42. Моя́ мать сама́ сши́ла э́то пла́тье. 43. Он вдру́г почу́вствовал боль в пра́вой руке́. 44. Я тра́чу

мно́го вре́мени на по́иски кварти́ры. 45. Оте́ц ре́дко се́рдится на меня́. 46. Сади́сь в по́езд и поезжа́й к нам в дере́вню. 47. Де́ти гро́мко смея́лись, гля́дя на грима́сы ма́ленькой обезья́ны. 48. Я спешу́ на рабо́ту. 49. Я сове́тую вам следи́ть за свои́м здоро́вьем. 50. Нас си́льно трясло́ на э́той неро́вной доро́ге. 51. Слы́шите-ли вы како́й-то стра́нный шум? 52. Посмотри́те на ка́рту и найди́те на ней местоположе́ние на́шей гости́ницы.

LESSON 34

ADVERBS

Adverbs are used to supplement verbs; they are words which describe the manner, or circumstances, in which something takes place. The verb denotes a plain action or state; the adverb explains how, when, why, or where the action or state occurs. For instance, in the phrases: *he lives gaily, the train runs fast, I sometimes read the newspaper*, the words "gaily," "fast," and "sometimes" are adverbs telling us something about the actions: "live," "run" and "read."

In English there are some words which, though ordinarily adjectives, can be used as adverbs without being changed at all. Thus in *he stayed long, he spoke loud, he came early, he stands near, he rode fast*, the words "long," "loud," "early," "near" and "fast" are all adverbs, although in other contexts they could be used as adjectives. But the usual method of forming an adverb in English is to add —ly to the adjective, for example: wise, wisely; easy, easily; loud, loudly.

In Russian many adverbs are formed from adjectives by changing the ending ый into о, thus: у́мный, *clever;* умно́, *cleverly;* краси́вый, *pretty;* краси́во, *prettily;* приле́жный, *diligent;* приле́жно, *diligently;* по́здний, *late* (adjective), по́здно, *late* (adverb).

Some adverbs are formed from adjectives ending in ний and take the ending не. For instance: кра́йний, *extreme;* кра́йне, *extremely;* и́скренний, *sincere;* и́скренне, *sincerely*. If an adjective ends in ский the adverb is formed by putting по in front of the adjective and replacing the ending ий by и: ру́сский, *Russian;* по ру́сски, *in Russian;* англи́йский, *English;* по англи́йски, *in English;* дру́жеский, *friendly;* по-дру́жески, *in a friendly manner;* солда́тский, *soldierly;* по-солда́тски, *in a soldierly way.* Some such adverbs are used without по: физи́чески, *physically;* ра́бски, *slavishly.*

Adverbs, like adjectives, have a comparative degree: cleverly, more cleverly; diligently, more diligently. Adverbs which are formed from adjectives and end in о take the same ending as adjectives in the comparative degree, namely, ее, for instance: бы́стрый, *quick;* бы́стро, *quickly;* быстре́е, *quicker* or *more quickly,* according to the context.

The irregular comparative form of Russian adjectives given in Lesson 23 serves for the comparative degree both of the adjective and of the adverb formed from it. For example: ре́дкий, *rare;* ре́дко, *rarely;* ре́же, *rarer* or *more rarely;* хоро́ший, *good;* хорошо́, *well;* лу́чше, *better.*

The adverbs: 1. мно́го, 2. ма́ло, 3. далеко́, and 4. до́лго have each two forms of the comparative degree:

мно́го	much	more	бо́лее, бо́льше
ма́ло	little	less	ме́нее, ме́ньше
далеко́	far	farther	да́лее, да́льше
до́лго	long	longer	до́лее, до́льше

Vocabulary

гро́мко, loudly
глухо́й, deaf
да́тский, Danish
досто́йный, worth, deserving
дух, spirit
Госба́нк (Госуда́рственный Ванк), Gosbank (State Bank)
буфе́т, refreshment room
отча́сти, partly
сра́зу, at once
напра́сно, in vain
науда́чу, haphazard
несомне́нно, undoubtedly
граждани́н, гражда́нка, citizen
кре́пкий, strong
игро́к, player
пови́димому, apparently
удо́бный, convenient, comfortable
пальто́, overcoat
пита́тельный, nourishing
ряд, row
кре́сло, stall
повсю́ду, everywhere
спра́ва, on the right
сравни́тельно, comparatively
вполне́, entirely

Exercise 34

Translate into English :—

1. Мы и́зредка быва́ем в теа́тре. 2. Он всегда́ гро́мко разгова́ривает. 3. Моя́ сетра́ зна́ет э́то стихотворе́ние наизу́сть. 4. На́ша ба́бушка почти́ глуха́. 5. Мой сын бе́гает быстре́е Ва́ни. 6. Э́то не осо́бенно кре́пкие папиро́сы. 7. Э́то сли́шком дорога́я цена́. 8. Э́то совсе́м нену́жный инстру́мент. 9. Э́то дово́льно тёплое пальто́. 10. Говори́те по-ти́ше, мать спит в сме́жной ко́мнате. 11. Иди́те поскоре́е, вы опозда́ете на уро́к. 12. Бери́те побо́льше молока́, ваш чай сли́шком кре́пкий. 13. Все наде́ются, что по́сле войны́ жизнь пойдёт совсе́м по-но́вому. 14. По мо́ему, вы сде́лали непра́вильный ход, а вы пови́димому хоро́ший игро́к в ша́хматы. 15. Купи́те перча́тки подоро́же, вы бу́дете носи́ть их гора́здо до́льше. 16. Почему́ вы прихо́дите на уро́к так по́здно ? 17. Ва́ша кварти́ра удо́бнее на́шей. 18. Соба́ка умне́е ко́шки. 19. Э́тот учени́к бо́лее спосо́бен, чем тот. 20. На́ши ро́зы свеже́е ва́ших. 21. Ле́то прия́тнее зимы́. 22. Он был бо́лее сча́стлив, чем я. 23. Ди́ккенс са́мый изве́стный писа́тель А́нглии. 24. Он здорове́е меня́. 25. Чай горяче́е молока́. 26. Здесь прохла́днее, чем там. 27. Э́та кни́га интере́снее той. 28. Он са́мый образо́ванный среди́ инжене́ров э́той фа́брики. 29. Ко́шка глупе́е соба́ки. 30. Мы́ши ду́мают, что нет зве́ря страшне́е ко́шки. 31. У вас прекра́снейший дом. 32. Ита́лия бедне́е Фра́нции. 33. Нет ничего́ ужа́снее войны́. 34. Ру́сский язы́к трудне́е англи́йского. 35. Он рабо́тает быстре́е меня́. 36. Твоя́ шля́па нове́е мое́й. 37. Мой оте́ц старе́е твоего́. 38. Э́та бе́лая ле́нта длине́е, чем та си́няя. 39. Гру́ша вкусне́е я́блока. 40. Ска́зки да́тского писа́теля А́ндерсона са́мые интере́сные и заба́вные. 41. Мой брат са́мый осторо́жный шофёр. 42. Соба́ка — са́мый ве́рный друг челове́ка. 43. Э́та маши́на ме́дленне той. 44. Зо́лото са́мый драгоце́нный мета́лл. 45. Э́та де́вочка — са́мая

лени́вая учени́ца в кла́ссе. 46. Желе́зо тяжеле́е де́рева. 47. Э́та у́лица са́мая гря́зная в го́роде. 48. Лёд холодне́е сне́га. 49. Э́тот ма́льчик са́мый скро́мный среди́ ученико́в на́шего кла́сса. 50. Во́лга длинне́е Днепра́. 51. Свет со́лнца са́мый я́ркий. 52. Ло́ндон велича́йший го́род Евро́пы. 53. Э́та ла́мпа краси́ве́е на́шей. 54. Моя́ ко́мната са́мая све́тлая во всем до́ме.

Translate into Russian :—

1. This road is longer than that. 2. The Thames is one of the longest rivers in England. 3. Which language is more difficult, Russian or English ? 4. The Chinese language is more difficult than English. 5. The evening train is more convenient than the morning one. 6. This small island is the prettiest of all. 7. This is the most expensive shop in the town. 8. The church is the town's oldest building. 9. The warmest days of the year are in July. 10. This problem is more difficult than the one I had yesterday. 11. The blue pencil is longer than the red. 12. The Volga is the longest river in the Soviet Union. 13. Leningrad, Kiev and Kharkov are large towns, but Moscow is the largest of all Russian towns. 14. The air by the sea is more pleasant than that of the town. 15. This apple is riper than that pear. 16. The hospital is older than the University. 17. The population of this village is poorer than that of other villages. 18. Iron is the most useful of all metals. 19. The smell of this soap is more pleasant than the smell of that one. 20. The illness of this child is more serious than the doctor thought. 21. Butter is more nourishing than margarine. 22. The invention of the steam engine has been most useful. 23. This is the shortest day of the year. 24. The Arabs are most hospitable people. 25. My mother has bought plenty of meat, cheese, butter and eggs because we are expecting guests. 26. Come home early, don't be late for dinner. 27. Buy some cheaper cigars, these are too expensive. 28. We shall live somewhere on the South coast next summer. 29. The production of coal and of many valuable minerals is growing in the U.S.S.R. from year to year. 30. I am in a hurry because my friend is waiting for me. 31. What is on at the People's Theatre to-day ? 32. When does the performance begin ? 33. Let me have two tickets for the fourth row of the stalls. 34. Send Kolya to the chemist's to get this prescription made up. 35. I have lost my key. 36. Where is the refreshment room ? 37. Show me on the map where your hotel is.

LESSON 35

DIMINUTIVES AND AUGMENTATIVE NOUNS

You have nouns in English which are diminutives, i.e., denote endearment or smallness, for example, Charles, Charlie ; puss, pussy ; dog, doggie ; brook, brooklet ; dear, darling ; lock, locket ; cigar, cigarette.

A great variety of endings in Russian give to the noun a diminutive meaning or a meaning of familiarity, and since " familiarity breeds contempt " diminutive endings may also convey the idea of contempt or disdain.

1. We shall here mention only the most common endings which transform a noun into a diminutive with a sense of *endearment*.

Masc.	ик	стол, сто́лик	table, little table
	чик	па́лец, па́льчик	finger, little finger
	ок, ек	друг, дружо́к, дружо́чек	friend, little or dear friend
		конь, конёк	horse, little horse
	ец	брат, бра́тец	brother, little or darling brother
Fem.	ка	рука́, ру́чка	hand, little hand
	ца	ве́щь, вещи́ца	thing, little thing
	очка, ечка	ветвь, ве́точка	twig, little twig
	енька	ма́ма, ма́менька	mammy, little mammy
	ушка, юшка	тётя, тётушка	aunt, auntie
Neut.	цо, це	де́рево, деревцо́	tree, little tree
		зе́ркало, зе́ркальце	mirror, little mirror
	ышко	со́лнце, со́лнышко	sun
	ко	молоко́, молочко́	milk, sweet milk

The use of diminutives for Christian names and objects of everyday use, or even of abstract nouns, gives the Russian a peculiarly pleasing tone which it is often impossible to render in a foreign language and no dictionary can give their fanciful variety. Note as examples: ду́ма, *thought;* ду́мушка, *my very own thought;* во́ля, *will, liberty.* Expressions like волюшка can be felt, but not translated exactly into another tongue.

2. The following are diminutive endings which give the noun the sense of disdain:

Masculine:

ишко, го́род	*town*	городи́шко	*a paltry town*
ишка, ма́льчик	*boy*	мальчи́шка	*urchin*

Feminine:

енка, шу́ба	*fur coat*	шубё́нка	*shaggy fur coat*
чонка, де́вочка	*little girl*	девчо́нка	*hussy*

The endings which masculine and feminine Christian names may receive are of particular variety. Let us take the names Па́вел *Paul,* and Ве́ра, *Vera.* You can express endearment to Pauls of any age in Russian, Па́вел, Па́влик, Па́вочка, Павлу́ша, Па́вонька, but Павка gives the name a sense of disdain. Ве́ра, Ве́рочка, Веру́ся, Ве́ронька, while Ве́рка gives the name a sense of disdain.

3. There are endings which are described as augmentative, and by adding them to a noun the Russian suggests ugliness or deformity, bigness, clumsiness or awkwardness.

Masculine and neuter: ище, дом, *house;* доми́ще, *enormous house.* Чудо, *wonder, marvel;* чудо́вище, *monster.*

Feminine: ища, рука, *hand;* ручи́ща, *enormous hand.*

Adjectives also have endings which give them a diminutive sense:

1. оватый, ая, ое; 2. енький, ая, ее; 3. онький, ая, ое.

The first ending expresses a certain lack or shortage in the quality in question: си́ний, *blue;* синева́тый, *bluish;* скучный, *dull;* скучноватый, *dullish.*

The second and third endings express endearment: сла́бый, *weak;* сла́бенький, *weakling;* лё́гкий, *light;* лё́гонький, *light as a feather.*

CONJUNCTIONS, PARTICIPLES AND ABBREVIATIONS

A conjunction is a word that joins words in a sentence or one sentence to another.

Some conjunctions, for instance, и, *and;* а, *but;* но, *but, yet;* да, *and, but;* или, *or,* serve to join single words as well as independent sentences:

Ива́н и О́льга сидя́т в саду́, *John and Olga are sitting in the garden.* Подня́лся ве́тер, и мо́ре ста́ло бу́рным, *the wind rose and the sea became stormy.*

Other conjunctions, for instance: когда́, *when;* что, *that;* что́бы, *in order that;* так как, *as;* потому́ что, *because;* е́сли, *if,* etc., connect sentences depending on other sentences which they explain: мы спеши́м, что́бы не опозда́ть на поё́зд, *we hurry in order not to be late for the train.*

The conjunctions та́кже, *also;* то́же, *too, likewise;* что́бы, *in order to, so that;* зато́, *on the other hand, but then;* оттого́, *because;* поэ́тому, *therefore;* ита́к, *thus, so,* are written as one word although they are made up of two words.

Particles are words which serve to give a sentence, or a word in a sentence, a particular meaning or emphasis. For instance: ра́зве, неуже́ли, что за, как, ведь serve to express surprise or emphasise the question or an explanation: ра́зве вы не знаете? *don't you know?* Неуже́ли Вы не узнаёте меня́? *really, do you not recognise me?* Что за несча́стье! *what a misfortune!* Как здесь ую́тно! *how cosy it is here!* Ведь я вам говори́л? *well, did I not tell you so?*

Vocabulary

что́бы, in order to, so that
так как, as
ведь, but, then
так, so, like that
так же . . . как, as . . . as
и так да́лее, и. т. д., and so on, and so forth, etc.
поэ́тому, потому́ что, therefore
да́же, even
затрудне́ние, difficulty
устро́ить, устра́ивать, to arrange, organise
моро́женое, ice cream

то́же, та́кже, also, too, likewise
то есть, that is
т. е., i.e.
оттого́ что (pron. ottovó), because
зато́, on the other hand, but then
плаву́чий мая́к, lightship
расстоя́ние, distance, way
теря́ть, потеря́ть, to lose, waste (time)
поступа́ть, поступи́ть, to act, deal, behave
благоро́дный, noble
ухудша́ться, ухудши́ться, to become worse, to be aggravated
изве́стие, information, news
про́шлого го́да, п. г., of last year
сего́ ме́сяца, с. м., of this month, inst.
страни́ца, page
верну́ться, возвраща́ться, to be back, to return, come back
полёт, flight
лётчик, airman, flyer
благополу́чно, safely
уви́деть, to observe, catch sight of
уви́деться, to see each other
регуля́рно, regularly
наско́лько, возмо́жно, as far as possible
за́мок, castle
стро́ить, постро́ить, to build, erect, construct
заказно́е письмо́, registered letter
наприме́р, напр., for instance, e.g.
про́шлого ме́сяца, п. м., т. е., of last month, ultimo
у́лица, street

Exercise 35

Translate into English :—

1. Я зна́ю, что э́то пра́вда. 2. Мой друг пи́шет мне, что он бо́лен. 3. Орёл лете́л так высоко́, что он был едва́ ви́ден. 4. Что с ва́ми? 5. Что за шум! 6. Мне что́-то нездоро́вится. 7. Не говори́те так гро́мко! 8. Он написа́л письмо́ отцу́. 9. Он так за́нят, что не име́ет вре́мени писа́ть пи́сьма друзья́м. 10. Я тре́бую, что́бы он сде́лал э́то. 11. Что бы с ва́ми ни случи́лось, не па́дайте ду́хом. 12. Па́вел та́кже хо́чет идти́ в цирк. 13. Он так же досто́ен награ́ды, как и вы. 14. Я то́же был в музе́е и ви́дел то́ же, что и ты. 15. Я так же удивлён, как и ты. 16. Мы то́же уезжа́ем за́втра в Москву́, и мы бу́дем там в то же вре́мя, как и вы. 17. Он рабо́тал

мно́го, зато́ доби́лся це́ли. 18. Спря́чься за то де́рево. 19. От того го́рода до грани́цы недалеко́. 20. Мы опозда́ли отто́го, что мы должны́ были око́нчить рабо́ту. 21. Обрати́тесь к нему по э́тому де́лу. 22. Наш автомоби́ль в почи́нке, поэ́тому мы идём на фа́брику пешко́м. 23. Этот ма́льчик нарисова́л кузнеца́, и по э́тому рису́нку мо́жно было суди́ть о тала́нте ю́ного худо́жника. 24. Ну́жно бы́ло зако́нчить рабо́ту, поэ́тому мы рабо́тали без о́тдыха. 25. Я был так за́нят вчера́, что я да́же не обе́дал. 26. Э́то и ребёнок поймёт. 27. Ведь э́то всем изве́стно! 28. Отвеча́йте-же! 29. Что же мне де́лать? 30. Ра́зве вы не получи́ли письма́? 31. Матро́сы ча́сто получа́ли пи́сьма от свои́х ро́дственников. 32. Я получи́л заказно́е письмо́ сего́дня у́тром.

Translate into Russian :—

1. Here is a book for you from your friend. 2. We saw him there. 3. That is his ice cream. 4. He told me that he had not received a letter from his brother. 5. I thought that I should be back early. 6. I wrote to him because I wanted him to send me a camera. 7. My friend asked me to send him a few English books. 8. I asked my mother to buy me some warm gloves because it is very cold here in the winter. 9. We asked her to play the piano. 10. Even he came to help. 11. Everybody helped in the arrangement of the exhibition. 12. He helped me in my task. 13. He often helped me previously when I was in difficulty. 14. The flyer returned safely. 15. Last winter he usually returned home from work after midnight. 16. The captain sighted a lightship a great way off. 17. I shall see you to-morrow. 18. I have read the newspaper through from the beginning to the end. 19. He lost his passport. 20. When I was a boy, I was always losing my books. 21. He will deal with you as you deserve. 22. He will always act as a just man. 23. If mother's condition becomes worse, we shall send for the doctor. 24. We shall be sending news to you regularly. 25. We live in the country for the sake of our mother ; her health is bad and the doctor has ordered her to be in the open air as much as possible. 26. He likes to build castles in the air. 27. We have decided to build a factory near the river.

LESSON 36

THE TIME

What is the time?	котóрый теперь час? скóлько врéмени? (lit.: Which hour? How much time?)
Twelve o'clock	двенáдцать часóв
One o'clock	час
Two, three o'clock	два, три часá
Five, twelve o'clock	пять, двенáдцать часóв
Quarter past five	чéтверть шестóго
Half past eight	половúна девя́того

Note.—After the hour has passed you count so much time off the following hour, so that five minutes past six becomes пять минýт седьмóго (five minutes of the seventh); after the half hour you say: Less so many minutes before the completion of the current hour; thus a quarter to ten (9.45) becomes без чéтверти дéсять (lit.: minus a quarter ten); ten to ten (9.50) без десятú деся́ть (lit.: minus ten ten).

The time is sometimes stated like this: *I shall come home in the seventh hour,* я вернýсь домóй в седьмóм часý. It would mean any time between six and seven or just after six: в начáле седьмóго (lit.: at the beginning of the seventh).

The times of trains are given as in English: *the train leaves at* 11.12, пóезд отхóдит в одúннадцать двенáдцать, but the expressions A.M. and P.M. are not used. The time of the day is defined by adding утрá, of the morning, the morning hours being those between 4 a.m. and noon, пóлдень, or by adding дня, of the day, if the hours are between noon and 6 p.m., or вéчера, of the evening, for hours between 6 p.m. and midnight, пóлночь. To hours between midnight and 4 a.m., нóчи, of the night, is added.

Сýтки means 24 hours counted from any hour; пароxóд был в мóре шесть сýток, *the steamer was at sea for six full days.*

Here are the names of the days of the week: воскресéнье, *Sunday;* понедéльник, *Monday;* втóрник, *Tuesday;* средá, *Wednesday;* четвéрг, *Thursday;* пя́тница, *Friday;* суббóта, *Saturday.*

The months of the year : янва́рь, февра́ль, март, апре́ль, май, ию́нь, ию́ль, а́вгуст, сентя́брь, октя́брь, ноя́брь, дека́брь.

The names of the days and months are not written with a capital :

On Tuesday, во вто́рник

On Saturday, в суббо́ту

At Christmas, на Рождестве́

At Easter, на Па́схе

For Easter, на Па́сху

Easter is in April, Па́сха в апре́ле

What date is it? кото́рое (какое) сего́дня число́?

It is the 8th of November, сего́дня восьмо́е ноября́

(The ordinals are in the neuter because the expression in full should be восьмо́е число́, the eighth date, but the word число́ is usually omitted.)

On what date will you be in London? кото́рого (како́го) числа́ вы бу́дете в Ло́ндоне?

I shall be there on the 27th April, я буду там два́дцать седьмо́го апре́ля.

1945, ты́сяча девятьсо́т со́рок пя́тый год.

In 1945, в ты́сяча девятьсо́т со́рок пя́том году́.

You date your letter : 2nd March, 1945, 2-ое ма́рта 1945

On the 2nd March, 1945, 2-го ма́рта 1945 го́да

About six, часо́в в шесть, instead of в шесть часо́в, which means exactly at six.

Exercise 36

Translate into English :—

1. Мо́жете-ли Вы сказа́ть мне, кото́рый тепе́рь час? 2. Мои́ часы́ стоя́т. 3. У меня́ нет часо́в. 4. Мои́ часы́ в почи́нке. 5. Ва́ши часы́ отстаю́т. 6. В кото́ром часу́ приде́т до́ктор? 7. Он обеща́л притти́ в шесть. 8. Я встаю́ ро́вно в шесть, в полови́не седьмо́го я за́втракаю и е́ду в го́род по́ездом, кото́рый отхо́дит в семь со́рок. 9. Я конча́ю рабо́ту в шесть часо́в ве́чера и возвраща́юсь домо́й к семи́ часа́м.

10. Я бу́ду у вас за́втра у́тром, ме́жду десятью́ и одиннадцатью́. 11. В кото́ром часу́ вы идёте на конце́рт? 12. Я вы́йду и́з дому в два́дцать мину́т восьмо́го. 13. Конце́рт начина́ется без че́тверти во́семь. 14. Я верну́сь в оди́ннадцатом часу́. 15. Я рабо́тал вчера́ о́чень по́здно. 16. Я лег спать в два часа́ но́чи. 17. Мой друг живёт в не́скольких мину́тах ходьбы́ от ста́нции. 18. Телегра́мма была́ отпра́влена в шесть со́рок во́семь и пришла́ без че́тверти де́вять. 19. Тепе́рь де́сять мину́т деся́того.

Translate into Russian:—

1. It has struck 9 o'clock. 2. He came at 1 o'clock. 3. It is now 8 o'clock. 4. When do you leave London? 5. On Wednesday at half past seven in the evening. 6. Can I get breakfast at 8.15? 7. May I use the telephone during the night? 8. Not later than 1 a.m. 9. On what days is the Rumiantzev Gallery open? 10. Daily from 10.30 a.m. to 4.30 p.m. 11. When does the train leave for Moscow? 12. There are three trains, one early in the morning at 5.25, another at 1.25 in the afternoon and the third at 9.40 in the evening. 13. He was born on the 5th of July, 1912. 14. When is the opening of the Exhibition? 15. On the 2nd September next. 16. He promised to be here at a quarter to six. 17. It is already ten past six and he is not here yet. 18. What time does the meeting begin? 19. At eight sharp. 20. It is very hot in the Crimea in August. 21. At what time do you dine? 22. At four o'clock. 23. When does he arrive in the office? 24. After nine. 25. We shall be here at half past five or a quarter to six. 26. Is it long since he went? 27. He left at twenty to eight. 28. We shall be in London at Christmas and in the New Year we shall go to Scotland. 29. When is Easter this year, in March or in April? 30. I shall wait here a quarter of an hour. 31. I shall be in London in a week. 38. We dine at half past seven. 33. I will be at the station at five minutes to one. 34. My father will be abroad from the 5th of March to the 22nd of May. 35. He has been in Alexandria since the 30th October. 36. Lenin died on the 22nd January. 37. Constitution Day is on the 6th of July. 38. We stayed in the Crimea three full days. 39. Come at five instead of four. 40. I waited for my sister from five to six. 41. It is about half past four now. 42. He will be here on Saturday, the 8th February at about seven p.m.

LESSON 37

IMPERSONAL EXPRESSIONS

English expressions like: *it is cold, it is clean, it is dull,* etc., are expressed by adverbs formed from adjectives by changing the ending of the adjective into о. Чи́ст-ый, чи́сто, *clean;* прия́т-ный, прия́тно, *pleasant;* холо́дн-ый, хо́лодно, *cold,* etc. Note expressions: мне хо́лодно, *I am cold* (literally, to me cold); ему было жа́рко, *he was hot;* ей будет удо́бно, *she will be comfortable* (literally, to her will be convenient). Нам было ску́чно, *we felt dull* (literally, to us it was dull). Больно́му пло́хо, *the sick person is in a bad state.*

Such expressions can also be used in the comparative degree: ей здесь удо́бнее, *she is more comfortable here.* Больно́му сего́дня лу́чше, *the patient is better to-day.* They are often accompanied by words сли́шком, *too;* о́чень, *very;* дово́льно, *fairly,* etc. Мне бы́ло о́чень неприя́тно слы́шать его́ упрёки, *it was very unpleasant to me to hear his reproaches.* Вам бу́дет сли́шком хо́лодно в саду́, *you will be too cold in the garden.* Де́тям бы́ло жу́тко в лесу́, *the children felt frightened in the forest.*

The English expressions: *it is raining, it was snowing,* are translated идёт дождь, (literally, *it goes rain*); шел снег, *it was snowing* (literally, *snow went*); тума́нно, *it is foggy;* морози́т, *it freezes.*

For impersonal expressions like: *one says, one writes in the papers, one is surprised,* the third person singular is used in English, while in Russian the third person plural is used without the pronoun они. Говоря́т, *one says;* пи́шут в газе́тах, *the papers say;* пре́жде ду́мали, *it used to be thought;* утвержда́ли, *it was affirmed;* здесь говоря́т по-ру́сски, *Russian is spoken here. It is permissible, one may, one can,* is translated мо́жно; *it is not permissible, one may not, one cannot,* нельзя́.

мо́жно кури́ть, *smoking is allowed;* нельзя́ ходи́ть по траве́, *don't walk on the grass;* больно́му мо́жно есть мя́со, *the sick person may eat meat.*

Must, should, ought to, have, are translated by на́до, ну́жно, if the action depends on the person: мне на́до, ну́жно рабо́тать, *it is necessary for me to work;* я до́лжен рабо́тать, *I must work.* Вам сле́дует быть внима́тельнее, *you ought to be more attentive.*

Им приходится ходи́ть до ста́нции две ми́ли, *they have to walk two miles to the station.*

You must not is translated вам нельзя́.

I must not smoke, мне нельзя́ кури́ть.

It is time is translated: де́тям пора́ спать, *it is time for the children to go to bed.* Мне пора́ идти́, *it is time for me to go.* Note the expressions: мне ка́жется, *it seems to me;* ей хо́чется, *she would like;* мнё по́мнится, *I seem to remember;* which denote indecision, hesitation.

мне не спи́тся, *I am neither awake nor asleep.*

мне нра́вится expresses definite liking. Мне нра́вится э́тот рома́н, *I like this novel;* она́ мне нра́вится, *I like her.*

To like is also translated by люби́ть, *to love,* when you wish to say: *I am fond of.* Я люблю́ му́зыку, *I am fond of music;* я не люблю́ ко́фе, *I am not fond of coffee;* э́то мне годи́тся, *this suits me;* не годи́тся, *does not suit.*

Exercise 37

1. Никто́ не зна́ет, что с ним случи́тся за́втра. 2. В сентябре́ быва́ет хо́лодно по вечера́м. 3. Мне прия́тно бы́ло провести́ день в дере́вне. 4. Де́тям ску́чно, когда́ у них нет игру́шек. 5. Прися́дьте бли́же к ками́ну, вам бу́дет тепле́е. 6. Нам не удало́сь попа́сть на по́езд. 7. Мне необходи́мо зако́нчить э́ту рабо́ту к ве́черу. 8. Про́сят соблюда́ть тишину́. 9. Воспреща́ется кури́ть. 10. Э́то ме́сто свобо́дно. 11. На у́лице бы́ло мно́го наро́ду. 12. В э́том кафе́ всегда́ о́чень шу́мно. 13. На мо́ре бы́ло всё вре́мя па́смурно. 14. Говоря́т, что в ско́ром вре́мени начнётся постро́йка ли́нии трамва́я от на́бережной до це́нтра го́рода. 15. Мо́жно-ли отпра́вить телегра́мму по телефо́ну? 16. Здесь нельзя́ доста́ть пи́ва. 17. Де́тям хо́чется ку́шать. 18. Мне ка́жется, что нам пора́ идти́. 19. Изве́стно-ли вам, что поe̋зд отхо́дит в 11.30? 20. Больно́му нельзя́ выходи́ть в сыру́ю пого́ду. 21. Нам бы́ло ве́село на вечери́нке. 22. На ю́ге Фра́нции зимо́ю дово́льно

тепло́. 23. Неприя́тно сиде́ть в ду́шном ваго́не. 24. Удо́бно-ли вам у окна́? 25. На́шей ма́тери гора́здо лу́чше тепе́рь. 26. Нам не было ску́чно в дере́вне. 27. Де́тям хо́лодно бе́гать в саду́. 28. Когда́ мы возвраща́лись домо́й, подня́лся си́льный ве́тер и поли́л дождь. 29. Ему живётся непло́хо. 30. Сего́дня у́тром вы́пало мно́го сне́га. 31. Дождь переста́л. 32. Но́сятся слу́хи, что в э́том го́роде открыва́ется вы́сшая техни́ческая шко́ла. 33. Вход на фа́брику посторо́нним ли́цам воспрещён. 34. Мне нра́вится э́тот тру́бочный таба́к. 35. Я, ка́жется, зна́ю э́тот магази́н. 36. Мо́жет быть, мне ну́жно бу́дет уе́хать за́втра в Москву́. 37 Вам ну́жно отдохну́ть, вы мно́го рабо́тали.

LESSON 38

COMMON EXPRESSIONS AND INTERJECTIONS

Common expressions and interjections are words which serve to express various feelings. For instance: ах, как хорошо́ в э́том прохла́дном лесу́, *oh, how nice it is in this cool wood!* Here, ах expresses the feeling of delight; ура́! *hurrah!* бра́во! *bravo!* express rejoicing. Увы́! means *alas!* Ну! *come on! now then!* expresses impatience, encouragement.

Vocabulary

здра́вствуйте, good day!
до свида́ния, good bye! (au revoir)
как (вы) пожива́ете? how do you do?
извини́те (меня), excuse me
прости́те, I beg your pardon
пожа́луйста, please
прекра́сно, that is all right
звони́ть, звоню́, зво́нишь, позвони́ть, to ring
прое́хать, to ride, drive, pass
пое́хать, to ride, go
пройти́, to pass to
спаси́бо, I thank you
не́ за что, Don't mention it!
сла́ва Бо́гу, thank God!
ра́ди Бо́га, for God's sake!
ей-Бо́гу, by God!
до́брый ве́чер, good evening!
до́брое у́тро, good morning!
с удово́льствием, with pleasure
ка́сса, booking office
подожда́ть, to wait
отделе́ние, branch
обменя́ть, change
оплати́ть чек, to cash a cheque

F

сади́ться, to sit down, take a seat
перево́дчик, interpreter
заблуди́ться, to lose one's way
пря́мо, straight
записна́я кни́жка, note book
перекрёсток, cross roads
курс, rate
пло́щадь, square
ко́нсульство, Consulate
побри́ться, to have a shave
подстри́чь во́лосы, to have a hair cut
спекта́кль, performance

Exercise 38

Translate into English :—

1. Извини́те меня́, как прое́хать на пло́щадь Свердло́ва? 2. Поезжа́йте автобу́сом № 4. 3. Он идёт от Ва́шей гости́ницы до са́мой пло́щади. 4. Как пройти́ на Петро́вку? 5. Возьми́те тре́тью у́лицу напра́во, и втору́ю нале́во. 6. Мо́жете-ли вы, пожа́луйста, указа́ть мне ближа́йшую апте́ку? 7. У перекрёстка, в углово́м до́ме. 8. До́брый ве́чер, могу́-ли я ви́деть заве́дующего фа́брикой? 9. Вот рекоменда́тельное письмо́ от секретаря́ Профсою́за Печа́тников. 10. Скажи́те мне, пожа́луйста, где спра́вочное бюро́? 11. Сади́тесь, пожа́луйста! 12. Ну́жен ли вам перево́дчик? 13. Нет, благодарю́, я говорю́ по ру́сски. 14. Позвони́те ко мне по телефо́ну! 15. Вот мой но́мер, 1–72–83, оди́н се́мьдесят два, во́семьдесят три. 16. Попроси́те Петра́ Серге́евича Ба́рлова к телефо́ну. 17. Говори́те ме́дленнее и гро́мче. 18. Алло́, вы слы́шите меня́? 19. Споко́йной но́чи, мы увидимся за за́втраком. 20. Я позвоню́ к вам ра́но у́тром. 21. Я заблуди́лся, проводи́те меня́ в Госба́нк. 22. Я оста́влю запи́ску для граждани́на Перо́ва. 23. Бу́дьте любе́зны, е́сли кто меня́ спро́сит, скажи́те, что я бу́ду обра́тно в полови́не тре́тьяго. 24. Попроси́те его́ подожда́ть.

Translate into Russian :—

1. Where is the nearest post office? 2. How do I get there? 3. What car should I take to get there? 4. Go straight on, then turn to the left at the cross roads. 5. You will find the post office

at the corner of the second street. 6. The post office faces the All-Union Central Council of Trade Unions (В.Ц.С.П.С.). 7. My name is John Smith. 8. I am an English tourist. 9. Can I change English money? 10. Where can I get this cheque cashed? 11. At the nearest branch of the State Bank. 12. What is the rate to-day? 13. Where is the British Consulate? 14. First to the right, second to the left. 15. I want to have a shave and a hair cut. 16. Please tell me the way to the Ethnographic Museum. 17. Where can I have my spectacles mended? 18. How much is this note book? 19. Where is the cloak-room? 20. I have lost my key. 21. Where can I buy a guide book? 22. Are you free this evening? 23. I will come round at about half past seven. 24. Let us go to the Art Theatre or to the Opera House. 25. I prefer to see the ballet. 26. When does the performance begin? 27. Please book four seats in the stalls. 28. My wife and I would be glad if you and your wife will come and spend the evening with us. 29. Thank you for your kind invitation, which I am sure my wife will accept with great pleasure. 30. And so, au revoir until 7.30.

1. КНИ́ГА.

Л. Н. Толсто́го.

Два́ челове́ка на у́лице нашли́ вме́сте кни́гу и ста́ли спо́рить кому́ её взять. Тре́тий шёл ми́мо и спроси́л :

— „Кто́ из вас уме́ет чита́ть"?

— „Никто́".

— „Так заче́м вам кни́га? Вы спо́рите всё равно́, как два плеши́вых дра́лись за гре́бень, а сами́м чеса́ть не́чего бы́ло".

2. БОГА́ТЫЙ И БЕ́ДНЫЙ.

Л. Н. Толсто́го.

В одно́м до́ме жи́ли наверху́ бога́ч, а внизу́ бе́дный портно́й. Портно́й за рабо́той всё пел пе́сни и меша́л богачу́ спать. Бога́ч дал портно́му мешо́к де́нег, чтоб он не пел. Портно́й стал бога́т и все стерёг свои́ де́ньги, а петь уже не стал. И ста́ло ему́ ску́чно ; он взял де́ньги и снёс их наза́д богачу́ и сказа́л : „Возьми́ свои́ де́ньги наза́д, а мне уж позво́ль петь, а то на меня́ напа́ла тоска́".

3. КОРО́ЛЬ И РУБА́ШКА.

Л. Н. Толосто́го.

Оди́н коро́ль был бо́лен и сказа́л : „Полови́ну короле́вства отда́м тому́, кто меня́ вы́лечит". Тогда́ собрали́сь все мудрецы́ и ста́ли суди́ть, как его вы́лечить. Никто́ не знал. Оди́н то́лько мудре́ц сказа́л, что короля́ мо́жно вы́лечить. Он сказа́л : „Е́сли найти́ счастли́вого челове́ка, снять с него́ руба́шку и наде́ть на короля́, он вы́здоровеет".

Коро́ль посла́л иска́ть по своему́ короле́вству счастли́вого челове́ка, но послы́ до́лго е́здили по всей стране́ и не могли́ найти́ счастли́вого челове́ка. Не было ни одного́ тако́го, что́бы всем был дово́лен. Кто бога́т, да хвора́ет ; кто здоро́в, да бе́ден ; кто здоро́в да и бога́т, да жена́ не хороша́, а у кого́ де́ти не хороши́ ; все на что-нибу́дь жа́луются.

Оди́н раз идёт по́здно ве́чером сын короля́ ми́мо избу́шки, и слы́шит кто-то говори́т : „Вот нарабо́тался, нае́лся и спать ля́гу ; чего́ мне еще ну́жно...“ Сын короля́ обра́довался, веле́л снять с э́того челове́ка руба́шку, ему дать за э́то де́нег, ско́лько он захо́чет, а руба́шку отнести́ к отцу́. По́сланные пришли́ к счастли́вому челове́ку и хоте́ли с него́ снять руба́шку ; но счастли́ый был так бе́ден, что на нём не было и руба́шки.

4. ЗИ́МНЕЕ У́ТРО.

А. С. Пу́шкина.

В тот год осе́нняя пого́да
Стоя́ла до́лго на дворе́ ;
Зимы́ ждала́ — ждала́ приро́да, —
Снег вы́пал то́лько в январе́,
На тре́тье в ночь. Просну́вшись ра́но,
В окно́ уви́дела Татья́на
Поу́тру побеле́вший двор,
Курти́ны, кро́вли и забо́р ;
На стёклах лёгкие узо́ры,
Дере́вья в зи́мнем серебре́,
Соро́к весёлых на дворе́,
И мя́гко у́стланные го́ры
Зимы́ блиста́тельным ковро́м.
Всё я́рко, всё бе́ло круго́м.

5. СЕМЕ́ЙНОЕ СЧА́СТЬЕ.

Л. Н. Толсто́го.

На́ша пое́здка в Петербу́рг, неде́ля в Москве́, его́, мои́ родны́е, устро́йство на но́вой кварти́ре, доро́га, но́вые города́, ли́ца, — всё э́то прошло́ как сон. Всё э́то бы́ло так разнообра́зно, но́во, ве́село, всё это так тепло́ и я́рко освещено́ бы́ло его́ прису́тствием, его́ любо́вью, что ти́хое деревéнское житьё показа́лось мне чем-то да́внишним и ничто́жным. К вели́кому удивле́нию моему́, вме́сто све́тской го́рдости и холо́дности, кото́рую я ожида́ла найти в лю́дях, все встреча́ли меня́ так неподде́льно ла́сково и ра́достно (не то́лько родны́е, но и незнако́мые), что, каза́лось, они́ все то́лько обо́ мне и ду́мали, то́лько меня́ ожида́ли, чтоб им сами́м бы́ло хорошо́. То́же неожи́данно для меня́ и в кругу́ све́тском и каза́вшимся мне са́мым лу́чшим у му́жа откры́лось мно́го знако́мых, о кото́рых он никогда́ не говори́л мне ; и ча́сто мне стра́нно и неприя́тно бы́ло слы́шать от него́ стро́гие сужде́ния о не́которых из э́тих люде́й, каза́вшихся мне таки́ми до́брыми. Я не могла́ поня́ть заче́м он так су́хо обраща́лся с ни́ми и стара́лся избега́ть мно́гих знако́мств, каза́вшихся мне ле́стными. Мне каза́лось, чем бо́льше зна́ешь до́брых люде́й, тем лу́чше, а все бы́ли до́брые.

6. ПИ́КОВАЯ ДА́МА.

А. С. Пу́шкина.

Одна́жды игра́ли в ка́рты у конногварде́йца Нару́мова. До́лгая зи́мняя ночь прошла́ незаме́тно ; се́ли у́жинать в пя́том часу́ утра́. Те, кото́рые оста́лись в вы́игрыше, е́ли с больши́м аппети́том ; про́чие, в рассе́янности, сиде́ли пе́ред свои́ми пусты́ми прибо́рами. Но шампа́нское яви́лось, разгово́р оживи́лся, и все при́няли в нем уча́стие.

„Что ты сде́лал, Су́рин ?" спроси́л хозя́ин.

— Проигра́л, по обыкнове́нию. На́добно призна́ться, что я несча́стлив : когда́ игра́ю, никогда́ не горячу́сь, ниче́м меня́ с то́лку не собьёшь, а всё прои́грываюсь.

„И ты ни ра́зу не соблазни́лся ? Ни ра́зу не поста́вил на ру́те ? Твёрдость твоя́ для меня́ удиви́тельна".

— А како́в Ге́рман, — сказа́л оди́н из госте́й, ука́зывая на молодо́го инжене́ра : — о́троду не брал он ка́рты в ру́ки, а до пяти́ часо́в сиди́т с на́ми и смо́трит на на́шу игру́.

„Игра́ занима́ет меня́ си́льно", сказа́л Ге́рман : „но я не в состоя́нии же́ртвовать необходи́мым в наде́жде приобрести́ изли́шнее".

7. ПОЭМА́ ЛЮБВИ́.

А. С. Пу́шкина.

Я вас люби́л ; любо́вь ещё, быть-мо́жет,
В душе́ мое́й уга́сла не совсе́м ;
Но пусть она́ вас бо́льше не трево́жит ;
Я не хочу́ печа́лить вас ниче́м.
Я вас люби́л безмо́лвно, безнадёжно,
То ра́достью, то ре́вностью томи́м ;
Я вас люби́л так и́скренно, так не́жно,
Как дай вам Бог люби́мой быть други́м.

8. РЕВИЗО́Р.

Н. В. Гоголя.

Акт 5. Сцена 8.

Почтме́йстер (впопыха́х, с распеча́танным письмо́м в руке́).

Почтме́йстер : Удиви́тельное де́ло, господа́. Чино́вник, кото́рого мы при́няли за ревизо́ра, был не ревизо́р.

Все : Как, не ревизо́р ?

Почтме́йстер : Совсе́м не ревизо́р, — я узна́л э́то из письма́.

Городни́чий : Что вы, что вы, из како́го письма́ ?

Почтме́йстер : Да из со́бственного его́ письма́. Прино́сят ко мне на по́чту письмо́. Взгляну́л на а́дрес — ви́жу : „в Почта́мскую у́лицу". Я так и обомле́л. „Ну", ду́маю себе́, „ве́рно, нашёл безпоря́дки по почто́вой ча́сти и уведомля́ет нача́льство". Взял, да и распеча́тал.

Городни́чий : Как же вы ?

Почтме́йстер : Сам не зна́ю : неесте́ственная си́ла побуди́ла.

9. ВНИМА́Я У́ЖАСАМ ВОЙНЫ́.

Н. А. Некрасова.

Внима́я у́жасам войны́,
При ка́ждой но́вой же́ртве бо́я
Мне жаль не дру́га, не жены́,
Мне жаль не са́мого геро́я . . .
Увы́ ! Уте́шится жена́
И дру́га лу́чший дру́г забу́дет ;
Но где́-то есть душа́ одна́ —
Она́ до сме́рти по́мнить бу́дет.
Средь лицеме́рных на́ших дел
И вся́кой по́шлости и про́зы

Одни́ я в ми́ре подсмотре́л
Святы́е, искре́нние слёзы —
То слёзы бе́дных матере́й.
Им не забы́ть свои́х дете́й,
Поги́бших на крова́вой ни́ве,
Как не подня́ть плаку́чей и́ве
Свои́х пони́кнувших ветве́й . . .

10. МЫ ЕЩЕ ПОВОЮЕМ.

И. С. Тургенева.

Кака́я ничто́жная ма́лость мо́жет иногда́ перестро́ить всего́ челове́ка.

По́лный разду́мья, шёл я одна́жды по большо́й доро́ге.

Тя́жкие предчу́вствия стесня́ли мою́ грудь ; уны́лость овладева́ла мно́ю.

Я по́днял го́лову . . . Пре́до мно́ю, ме́жду двух рядо́в высо́ких тополе́й, стрело́ю уходи́ла в даль доро́га.

И че́рез неё, че́рез э́ту са́мую доро́гу, в десяти́ шага́х от меня́, вся раззоло́ченная я́рким ле́тним со́лнцем, пры́гала гусько́м це́лая семе́йка воробьёв, пры́гала бо́йко, заба́вно, самонаде́янно.

Осо́бенно оди́н из них так и надса́живал бочко́м, бочко́м, вы́пуча зоб и де́рзко чири́кая, сло́вно и чорт ему́ не брат. Завоева́тель — и по́лно.

А ме́жду тем, высоко́ на не́бе кру́жил я́стреб, кото́рому, быть-мо́жет, суждено́ сожра́ть и́менно э́того са́мого завоева́теля.

Я погляде́л, рассмея́лся, встряхну́лся — и гру́стные ду́мы тотча́с отлете́ли прочь : отва́гу, у́даль, охо́ту к жи́зни почу́вствовал я.

И пуска́й на́до мной кру́жит мой я́стреб . . .

— Мы ещё повою́ем, чорт возьми́.

11. „КАК ХОРОШИ́, КАК СВЕ́ЖИ БЫ́ЛИ РО́ЗЫ . . .“

И. С. Тургенева.

Где́-то, когда́-то, давно́-давно́ тому́ наза́д, я прочёл одно́ стихотворе́ние. Оно́ ско́ро позабы́лось мно́ю . . . но пе́рвый стих оста́лся у меня́ в па́мяти :

„Как хороши́, как све́жи бы́ли ро́зы . . .“

Тепе́рь зима́ ; моро́з запу́шил стёкла око́н ; в тёмной ко́мнате гори́т одна́ свеча́. Я сижу́, заби́вшись в у́гол ; а в голове́ всё звени́т да звени́т :

„Как хороши́, как све́жи бы́ли ро́зы . . .“

И ви́жу я себя́ пе́ред ни́зким окно́м загоро́дного ру́сского до́ма. Ле́тний ве́чер ти́хо та́ет и перехо́дит в ночь, в тёплом во́здухе па́хнет резедо́й и ли́пой ; — а на окне́, оперши́сь на вы́прямленную ру́ку и склони́в го́лову к плечу́, сиди́т де́вушка — и безмо́лвно, и при́стально смо́трит на не́бо, как бы выжида́я появле́ния пе́рвых звёзд. Как простоду́шно вдохнове́нны заду́мчивые глаза́, как тро́гательно-неви́нны раскры́тые, вопроша́ющие гу́бы, как ро́вно ды́шит ещё не вполне́ расцве́тшая, еще ниче́м не взволно́ванная грудь, как чист и не́жен о́блик ю́ного лица́. Я не дерза́ю заговори́ть с не́ю, но как она́ мне дорога́, как бьётся моё се́рдце́.

„Как хороши́, как све́жи бы́ли ро́зы . . .“

А в ко́мнате всё темне́й да темне́й . . . Нагоре́вшая свеча́ трещи́т, бе́глые те́ни коле́блются на ни́зком потолке́, моро́з скрипи́т и зли́тся за стено́ю — и чу́дится ску́чный, ста́рческий шо́пот . . .

„Как хороши́, как све́жи бы́ли ро́зы . . .“

Встаю́т пе́редо мно́ю други́е о́бразы . . . Слы́шится весёлый шум семе́йной, дереве́нской жи́зни. Две ру́сые голо́вки, прислоня́сь друг к дру́жке, бо́йко смо́трят на меня́ свои́ми све́тлыми гла́зками, а́лые щёки трепе́щут сде́ржанным сме́хом, ру́ки ла́сково сплели́сь, в переби́вку звуча́т молоды́е, до́брые голоса́ ; а немно́го пода́льше, в глубине́ ую́тной ко́мнаты, други́е, то́же молоды́е ру́ки бе́гают, пу́таясь па́льцами, по кла́вишам ста́ренького пиани́но, и Ла́ннеровский вальс не мо́жет заглуши́ть воркотню́ патриарха́льного самова́ра . . .

„Как хороши́, как све́жи бы́ли ро́зы . . .“

Свеча́ мёркнет и га́снет . . . Кто это ка́шляет там так хри́пло и глу́хо. Сверну́вшись в кала́чик, жмётся и вздра́гивает у ног мои́х ста́рый пёс, мой еди́нственный това́рищ . . . Мне хо́лодно . . . Я зя́бну . . и все они умерли́ . . . умерли́ . . .

„Как хороши́, как све́жи бы́ли ро́зы . . .“

PAPER VERSUS TEXTILES

Wood pulp has other uses besides that of papermaking. In a paper recently read before the London section of the Society of Dyers and Colorists, it was stated that the wood pulp was made into paper, then cut, rolled and twisted into a thread. (This was done because ordinary spinning was impossible owing to the shortness of the fibre.) From this thread there were manufactured tablecloths, hat bands, carpets, suitings, mats, and decorative articles. Three shillingsworth of wood was worth £2. 5s. 0d. as paper yarn, and £7. 10s. 0d. as " rayon " or artificial silk.

Vocabulary

artificial, иску́сственный
besides, поми́мо
colorist, москате́льщик
dyer, краси́льщик
fibre, волокно́
manufacture, выде́лывать
mat, цыно́вка
ordinary, обы́чный
owing to, вследствие, по причи́не
paper (report), докла́д
paper-making, вы́делка бума́ги
read before, прочи́танный, ая, ое
roll, прока́тывать
short, коро́ткий
society, о́бщество
spin, прясти́
stated, сообща́ть
suiting, мате́рия для оде́жды
table cloth, ска́терть
thread, нить
twist, скру́чивать
use, примене́ние
wood pulp, древеси́на
worth, сто́имость
yarn, пря́жа
recently, неда́вно

THERMOMETER

The thermometer is an instrument for measuring the intensity of heat by means of the expansive properties of a liquid or gas. The liquid found to be most suitable, and which is usually employed, is mercury. An ordinary type of thermometer consists of a spherical glass bulb at the end of a fine tube, the bulb being filled, and the tube partly filled with mercury.

When a change in temperature takes place it is indicated by a rise or fall of the mercury in the tube. A graduated scale, calibrated to show boiling and freezing points of water, is attached to the thermometer, the interval between the two points being divided into a certain number of divisions. On the centigrade thermometer the distance between the two points is divided into 100°; on the Reaumur thermometer, which is used chiefly in the north-west of Europe, the distance between boiling and freezing points is divided into 80°; on the Fahrenheit thermometer the distance is divided into 180°; freezing point being 32° and boiling point 212°.

Vocabulary

to attach, прикрепля́ть
boiling point, то́чка кипе́ния
bulb, по́лый ша́рик
by means of, посре́дством
to calibrate, калибри́ровать
centigrade thermometer, термо́метр Цельсия
chiefly, преиму́щественно
consist of, состоя́ть из
1 degree (1°), гра́дус (°)
distance, расстоя́ние
divide, разделя́ть
division, подразделе́ние
to employ, употребля́ть
expansive properties, спосо́бность расширя́ться
the fall, паде́ние
to fill, наполня́ть
fine, то́нкий
freezing point, то́чка замерза́ния
gas, газ
to graduate, разделя́ть на гра́дусы
heat, теплота́
to indicate, обознача́ть, ука́зывать
the interval, промежу́ток
liquid, жи́дкость
mercury, ртуть
North-West, се́веро-за́пад
ordinary, обы́чный, обыкнове́нный
partly, отча́сти
the rise, восхожде́ние, подня́тие
scale, шка́ла
to show, показа́ть
spherical, сфери́ческий
suitable, подходя́щий, приго́дный
to take place, и́меет ме́сто
tube, тру́бка
type, тип

CAN AMERICA GROW HER OWN RUBBER ?

Guayule, a native American rubber-producing shrub, is being cultivated on a large scale in California to-day.

Not until the last half of the nineteenth century was any additional utilisation of caoutchouc (rubber) made, when it began to be employed in rain-coats, shoes, hose-pipes and other articles. No extended demand, however, was made for it until inflammable gasoline, coming as a by-product of oil-refining, was utilized. When the internal combustion machine was born, the general interest shifted from railways to highways.

Circular rubber tubes were attached to the rims of wheels ; the epoch of rubber was initiated.

The total American consumption of rubber requires 66 per cent. of the world's production. 81 per cent. of the rubber coming into the market every year is made into tyres.

With this material assuming such importance in daily life that it ranks below only steel, sugar, textiles and wool, problems arise which are not to be solved by statistics of population and production. The American consumer, who uses more than half of the world production, controls less than 1 per cent. of the tropical areas in which rubber trees may be grown profitably. No part of this area is within the boundaries of the United States. A country so highly mechanised would be inconvenienced or crippled by a serious interruption of the rubber supply. The economic stability of a country depends upon the degree to which it is self-maintenant as to its manufactures. It depends also upon the main supplies of raw material within the borders of the country. Common sense, then, requires that other plants furnishing caoutchouc be exploited.

Vocabulary

area, плóщадь
arise, возникáть
assume, принимáть на себя
boundary, границa
by-product, побóчный продукт
century, столéтие
circular, крýглый, круговóй
internal, внýтренний
interruption, перерыв
market, рынок
native, тузéмный
oil, нéфть
profitably, прибыльно
produce, производить
rank, занимáть мéсто

combustion, горе́ние
common-sense, здра́вый смысл
consumption, потребле́ние
cripple, кале́чить, ослабля́ть
degree, сте́пень
demand, спрос
depend, зави́сить
extended, обши́рный
furnish, снабжа́ть
highway, больша́я доро́га
hose pipe, кишка́, шла́нга
inconvenience, неудо́бство, затрудне́ние
initiate, начина́ть
raw materials, сыро́й материа́л
refine, очища́ть
rim, о́бод, край
scale, масшта́б
self-maintenant, самостоя́тельный
shift, перейти́, передви́нуть
shrub, куста́рник
stability, усто́йчивость
textiles, ткань
utilisation, примене́ние
wheel, колесо́
inflammable, воспламеня́ющийся

RED RIDING HOOD

There was once a little girl called Red Riding Hood, and one day, as she was playing in the garden her mother called her. "Poor Granny is lying ill in her cottage in the wood," she said, "I want you to take her this basket full of good things."

"Of course I'll go, Mummy," said Red Riding Hood, and in a very few minutes, away she started. But just as she reached the lane, her mother called anxiously: "Mind you hurry, dear, don't stop, and remember, don't talk to anyone you may meet."

Red Riding Hood promised to do as she was told, then off she ran. The lane was hot and dusty, and how glad she was when she reached the shady wood! The path was covered with soft green moss, and the birds were singing. "How lovely it is!" she cried.

She hummed to herself as she danced along, and presently she saw a squirrel frisking about. Quite forgetting what her mother had told her, she stopped to watch him, but when Busheytail caught sight of her he soon scrambled up a tall tree.

A ROYAL VISITOR

(From "Robin Hood and His Merry Men")

Robin's Lady, the fair Maid Marian, came one spring to live in the Greenwood, and it was a year of joy and feasting for all the Merry Men. Maid Marian was almost as brave as they were and she loved to ride and shoot with them.

One day as Robin was walking with his lady in the Forest, he saw that his men had captured an Abbot, whom they had tied to a tree like a felon to wait their captain.

The Abbot was a tall and handsome man. Robin freed him and took him back to have supper with him and his lady. Then after the feast, the men took out their bows to show their skill in shooting.

A garland of roses was tied between the trees and each man had to shoot through a rose. Whoever failed to hit the rose was given a cuff on the ear by the next man.

When Robin failed to hit the rose by a hair's breath, he chose to be cuffed by the Abbot and there was much merriment in the camp.

VOCABULARY

A

able, способный
to be able, мочь, могу́, мо́жешь
to abolish, отмени́ть
to abound, изоби́ловать
about, о́коло, приблизи́тельно
above, над
abroad, грани́цей
absent-minded, рассе́янный
to absorb, поглоща́ть
to accept, принима́ть, приня́ть
accident, несча́стный слу́чай
to accompany, сопровожда́ть
to accord, разреша́ть, разреши́ть
account, счёт
accumulation, накопле́ние
accurate, аккура́тный
to achieve, достига́ть, дости́гнуть
acquaintance, знако́мый
to make the acquaintance of, познако́миться
across, че́рез
to act, де́йствовать
addition, сложе́ние
additional, доба́вочный
address, а́дрес
to admire, любова́ться
to admit, допуска́ть, допусти́ть
advice, сове́т
to advise, сове́товать
adult, взро́слый
aeroplane, аэропла́н
after, по́сле
again, опя́ть
against, про́тив
to aggravate, ухудши́ть, отягча́ть
to agree, соглаша́ться, согласи́ться
aim, цель
air, во́здух
airman, лётчик
airy, возду́шный
alarm signal, трево́жный сигна́л
Alexandria, Алекса́ндрия
all, весь, всё, вся́кий
allow, позволя́ть, позво́лить
All-Union, всесою́зный
almost, почти́
alms, ми́лостыня
along, вдоль
aloud, вслух
already, уже́
also, та́кже
although, хотя́, не смотря́ на то, что
always, всегда́
to be amazed, изумля́ться
American, америка́нский

amiable, любе́зный
among, среди́
to amuse, забавля́ть
amusing, заба́вный
anchor, я́корь
ancient, дре́вний
and, и
angle, у́гол
angry, серди́тый
to be angry, серди́ться
animal, живо́тное
anniversary, годовщи́на
annually, ежего́дно
another, друго́й
answer, отве́т
to answer, отвеча́ть, отве́тить
ant, мураве́й
any, любо́й
anybody, кто-нибу́дь
anyone, вся́кий
anxiety, беспоко́йство
apparently, очеви́дно
apartment, кварти́ра
apologise, извини́ться
to appear, каза́ться
appearance, вид
apple, я́блоко
appointment, назначе́ние
to approach, приближа́ться, прибли́зиться
approve, одобря́ть, одо́брить
April, апре́ль
Arab, ара́б
architect, архите́ктор
arctic, аркти́ческий
area, пло́щадь
to argue, спо́рить
armchair, кре́сло
army, а́рмия
around, вокру́г
to arrange, усло́виться
to arrest, арестова́ть
arrival, прибы́тие, прихо́д
to arrive, прибы́ть, прибыва́ть
Art Theatre, Худо́жественный Теа́тр
article, статья́
artificial, иску́сственный
artist, худо́жник
as, как
ascend, поднима́ться
ask, спра́шивать, проси́ть
assistance, по́мощь
to be astonished, изумля́ть
at, у
at all, совсе́м
at least, покра́йней ме́ре
at once, сра́зу
to attach, соединя́ть, привя́зывать
to attack, напада́ть, напа́сть
to attempt, пыта́ться
to attend, посеща́ть, посети́ть
attentive, внима́тельный
attentively, внима́тельно
August, а́вгуст
aunt, тё́тка
Australia, Австра́лия
author, а́втор
automobile, автомоби́ль
autumn, о́сень
to await, ожида́ть
axe, топо́р
axle, ось

B

bachelor, холосто́й
bad, плохо́й
bag, су́мка

ball, мяч, шар
ballet, балéт
band, лéнта
bank (river), бéрег
bank, банк
banner, знáмя
to bar, загорáживать
basket, корзи́на
to bathe, купáться
bathroom, вáнная
to be, быть
to be back, вернýться
bear, медвéдь
beast, зверь
to beat, бить
beautiful, прекрáсный
beauty, красотá
beaver, бобёр
because, потомý что
to become, стать, сдéлаться
bed, постéль
bee, пчелá
beer, пи́во
before, прéжде чем
to beg, проси́ть
to begin, начинáть
beginning, начáло
to behave oneself, вести́ себя́
behind, позади́
to believe, вéрить
to belong, принадлежáть
beneath, под
benefit, пóльза
besides, крóме
best, лýчший
better, лýчше
between, мéжду
big, большóй
bill, счет
to bind, свя́зывать
birch, берéза
bird, пти́ца
birth, рождéние
birthday, день рождéния
black, чёрный
blanket, одея́ло
blind, слепóй
to blow, дуть
blue, си́ний
to boast, хвáстаться
boat, лóдка
body, тéло
to boil, кипéть
boiler, котёл
boiling point, тóчка кипé-
ния
bone, кость
book, кни́га
booking-office, кáсса
book-shop, кни́жный мага-
зи́н
boot, сапóг
booty, добы́ча
border, край, грани́ца
to be born, роди́ться
to borrow, занимáть
both, óба
bottle, буты́лка
bottom, дно
boundary, грани́ца
bountiful, щéдрый, благо-
твóрный
box, корóбка
boy, мáльчик
branch, ветвь
brave, хрáбрый
bravely, хрáбро
bread, хлеб
breadth, ширинá
to breakfast, зáвтрак, зáв-
тракать
to break open, взломáть
bride, невéста
bridge, мост

bright, све́тлый, я́сный
to bring, приноси́ть, принести́
British, брита́нский
brother, брат
brush, щётка
to build, стро́ить
building, зда́ние
bullet, пу́ля
to burn, сжига́ть, горе́ть
burning, горя́щий
business, де́ло
busy, занято́й
but, но
butcher, мясни́к
butter, ма́сло
butterfly, ба́бочка
button, пу́говица
to buy, покупа́ть
by means of, посре́дством

C

cabin, каю́та
cafe, кафе́
cage, кле́тка
to calibrate, калибри́ровать
California, Калифо́рния
to call, называ́ть
calm, споко́йный
camera, фотографи́ческий аппара́т
canal, кана́л
capable, спосо́бный
capital, столи́ца
captain, капита́н
captive, пле́нник
captivity, плен
car, автомоби́ль
care, забо́та
careful, осторо́жный
cargo, груз
carpenter, пло́тник
carpet, ковёр
carriage, ваго́н
to carry, вози́ть
case, случа́й
castle, за́мок
cat, ко́шка
to catch, пойма́ть
to catch fire, загоре́ться
to catch sight of, взгляну́ть
to cause, причиня́ть
ceiling, потоло́к
centigrade, термо́метр Це́льсия
centre, центр
century, век, столе́тие
certain, изве́стный, не́который
certain, sure, уве́ренный
chair, стул
chairman, председа́тель
chalk, мел
change, сда́ча
to change, меня́ть
chauffeur, шофёр
cheap, дешёвый
to check, прове́рить
cheek, щека́
cheese, сыр
chemist, хи́мик
cherry, ви́шня
chess, ша́хматы
chicken, ку́рица
chief, гла́вный
chiefly, гла́вным о́бразом
child, дитя́
childish, де́тский
children, де́ти
Chinese, кита́йский

to choose, выбира́ть, выбрать
Christmas, Рождество́
church, це́рковь
cigar, сига́ра
cigarette, папиро́са
cinema, синемато́граф
citizen, граждани́н
city, го́род
class, класс
to clean, чи́стить
clean, чи́стый
clear, я́сный
clearly, я́сно
clever, спосо́бный
to climb, взбира́ться
cloak-room, гардеро́б
clock, часы́
close, бли́зко
closed, закры́тый
cloth, сукно́
clothes, оде́жда
cloud, о́блако
cloudy, о́блачный
club, клуб
coal, у́голь
coast, бе́рег
coffee, ко́фе
cold, холо́дный
collar, воротни́к
to collide with, столкну́ться
colour, цвет
comb, гре́бень
combustion, горе́ние
to come, приходи́ть, прийти́
to comfort, утеша́ть
comfortable, удо́бный
commander, нача́льник
comparatively, сравни́тельный
to complain, жа́ловаться
complaint, жа́лоба
complete, по́лный
to complete, зако́нчить
completely, соверше́нно
concert, конце́рт
to congratulate, поздра́вить
to consist of, состоя́ть
to construct, стро́ить
to consult, справля́ться
consulate, ко́нсульство
consumer, потреби́тель
consumption, потребле́ние
content, дово́льный
contents, содержа́ние
to contradict, противоре́чить
convenient, удо́бный
conversation, бесе́да, разгово́р
convict, заключённый
to convince, убежда́ть
to cook, вари́ть
cool, холо́дный, прохла́дный
copeck, копе́йка
corner, у́гол
to correct, исправля́ть
correctly, пра́вильно
to cost, сто́ить
cotton, хло́пок
council, сове́т
to count, счита́ть
country, дере́вня, страна́
courteous, ве́жливый
cradle, колыбе́ль
to creep, полза́ть
Crimea, Крым
cross-roads, перекрёсток
cruel, жесто́кий
cup, ча́шка
curious, любопы́тный
current, тече́ние
curved, изо́гнутый, криво́й
to cut, ре́зать

D

daily, ежедне́вно
to damage, поврежда́ть, повреди́ть
dangerous, опа́сный
Danish, да́тский
daring, сме́лый, отва́жный
dark, тёмный
date, число́
daughter, дочь
day, день
dead, мёртвый
deaf, глухо́й
to deal with, поступа́ть
dear, дорого́й
debt, долг
December, дека́брь
to decide, реша́ть, реши́ть
deck, па́луба
to declare, объявля́ть, объяви́ть
to decompose, разлага́ть
deep, глубо́кий
degree, гра́дус
to demand, тре́бовать
departure, отхо́д
to depend, зави́сеть
depth, глубина́
to descend, сходи́ть
desert, пусты́ня
to deserve, заслу́живать
to desire, жела́ть
to destroy, уничтожа́ть, уничто́жить
to develop, развива́ть
to devote, посвяща́ть
diamond, алма́з
dictionary, слова́рь
different, разли́чный
difficult, тру́дный
difficulty, затрудне́ние
to dig, копа́ть
diligent, приле́жный
diligently, приле́жно
to dine, обе́дать
dining-room, столо́вая
dinner, обе́д
direct, прямо́й
to direct, направля́ть
director, дире́ктор
dirty, гря́зный
to discuss, обсужда́ть
disease, боле́знь
dislocation, вы́вих
to disperse, рассе́ять
to dissolve, растворя́ть
distant, отдалённый
distance, расстоя́ние
to disturb, беспоко́ить
diver, водола́з
to do, де́лать
doctor, до́ктор
dog, соба́ка
doll, ку́кла
door, дверь
downstairs, внизу́
dozen, дю́жина
drawer, я́щик
drawing, рису́нок
drawing-room, гости́ная
dreadful, стра́шный, ужа́сный
dress, пла́тье
to dress, одева́ть
to drink, пить
to drive, е́хать, е́здить
drop, ка́пля
to drop in, загляну́ть
dry, сухо́й
to dry, суши́ть
during, во вре́мя
during the day, днём
during the evening, ве́чером

Dutch, голла́ндский
duty, долг, по́шлина
dwelling, жили́ще

E

each, вся́кий, ка́ждый
early, ра́но
to earn, зараба́тывать
earth, земля́
earthquake, землетрясе́ние
east, восто́к
Easter, Па́сха
easily, легко́
easy, лёгкий
to eat, ку́шать, есть
eclipse, затме́ние
edge, край
editor, реда́ктор
to educate, воспи́тывать, воспита́ть
educated, образо́ванный
egg, яйцо́
Egypt, Еги́пет
eight, во́семь
eighteen, восемна́дцать
eighty, во́семьдесят
either . . . or, и́ли . . .и́ли
elder, ста́рший
to elect, избира́ть
electricity, электри́чество
elegant, изя́щный
eleven, оди́ннадцать
embankment, на́бережная
to employ, по́льзоваться, употребля́ть
empty, пусто́й
end, коне́ц
to endeavour, пыта́ться
enemy, враг, неприя́тель
engaged, за́нятый
engine, маши́на
engineer, инжене́р
England, А́нглия
English, англи́йский
Englishman, англича́нин
Englishwoman, англича́нка
enough, дово́льно
to enquire, справля́ться
to enter, входи́ть, войти́
entirely, совсе́м, соверше́нно
entrance, вход
envelope, конве́рт
epoch, эпо́ха
equal, ра́вный
equator, эква́тор
to erect, строить, постро́ить
ermine, горноста́й
error, оши́бка
Europe, Евро́па
European, европе́йский
even, да́же
evening, ве́чер
in the evening, ве́чером
evening party, вечери́нка
event, собы́тие
every, ка́ждый
exact, то́чный
example, приме́р
excellent, отли́чный
except, исключа́ть, исключить
to excuse, извиня́ть, извини́ть
exhibition, вы́ставка
exit, вы́ход
to expect, ожида́ть
expedition, экспеди́ция
expensive, дорого́й
to explain, объясни́ть
explanation, объясне́ние
explorer, иссле́дователь
to express, выража́ть, вы́разить
expression, выраже́ние

extensive, обши́рный
to extinguish, потуши́ть
extraction, добы́ча

F

factory, фа́брика
fairly, доста́точно
fairy tale, ска́зка
faithful, ве́рный
to fall, па́дать
family, семья́
famous, знамени́тый
far, далёкий
far-sighted, дальнозо́ркий
farther, да́льше
farthest, са́мый далёкий
fast, бы́стрый
fat, жи́рный
fate, судьба́
father, оте́ц
fault, недоста́ток
favourite, люби́мый
February, февра́ль
to feed, корми́ть
to feel, чу́вствовать
feeling, чу́вство
festival, пра́здник
to fetch, достава́ть
few, не́сколько
fibre, волокно́
field, по́ле
fifteen, пятна́дцать
fifth, пя́тый
fifty, пятьдеся́т
to fight, боро́ться
to fill, наполня́ть, напо́лнить
to find, находи́ть, найти́
to find oneself, находи́ться
fine, прекра́сный
to finish, око́нчить
fire, ого́нь
first, пе́рвый
five, пять
flag, флаг
flame, пла́мя
flash, сия́ние
flat, кварти́ра
fleet, флот
flight, бе́гство
floor, пол
flour, мука́
to flourish, процвета́ть
flower, цвето́к
fly, му́ха
to fly, лета́ть
flyer, лётчик
fog, тума́н
folk song, наро́дная пе́сня
to follow, сле́довать
food, пи́ща
foot, нога́
for, для
to forbid, запреща́ть, запрети́ть
for ever, наве́ки
for instance, наприме́р
for the sake of, ра́ди
force, си́ла
forecast, предсказа́ние
foreign, иностра́нный
foreigner, иностра́нец
forest, лес
to forget, забыва́ть, забы́ть
to forgive, проща́ть, прости́ть
fork, ви́лка
to form, образова́ть
fortress, кре́пость
forty, со́рок
forward, вперёд
four, четы́ре
fourteen, четы́рнадцать
fourth, четвёртый
frame, ра́ма

France, Фра́нция
free, свободный
free of poverty, безбе́дный
French, францу́зский
Frenchman, Француз
frequently, ча́сто
fresh, све́жий
Friday, пя́тница
friend, друг
friendly, по-дру́жески
frightened, испуганный
from, из, от
from under, из-под
in front of, впереди́
frontier, грани́ца
full, по́лный
to function, де́йствовать
funny, стра́нный
to furnish, доставля́ть, доста́вить
furniture, ме́бель

G

gallery, галлере́я
game, игра
garden, сад
gardener, садо́вник
gas, газ
gay, весёлый
geographical, географи́ческий
German, неме́цкий
Germany, Герма́ния
to get up, встава́ть, встать
ghost, при́зрак
gifted, одарённый
gilded, позоло́ченный
girl, де́вочка
give, дать
to give a present, подари́ть
glad, рад
glass, стака́н, стекло́
glasses, очки́
globe, шар
glove, перча́тка
to go, итти́, ходи́ть
to go for a walk, гуля́ть
gold, зо́лото
good, хоро́ший
good-bye, проща́й, проща́йте
good-day, досвида́ния
good evening, до́брый ве́чер
good morning, до́брое у́тро
grain, зе́рно
grammar, грамма́тика
gramophone, грамофо́н
granddaughter, вну́чка
grandfather, де́душка
grandmother, ба́бушка
grandson, внук
granite, грани́т
grass, трава́
grateful, благода́рный
gratitude, благода́рность
grave, моги́ла
great, вели́кий
Great Britain, Великобрита́ния
Greece, Гре́ция
green, зелёный
greetings, приве́т
grey, се́рый
grief, го́ре
to grieve, горева́ть
ground, земля́
grow, расти́
grown-up, взро́слый
guest, го́сть
guide, проводни́к, руководитель
to guide, проводи́ть, руководить
guide-book, путеводи́тель
guilt, вина́

H

hair, во́лос
haircut, стри́жка воло́с
hairdresser, парикма́хер
half, полови́на
half-an-hour, полчаса́
half-a-pound, полфу́нта
half-a-year, полго́да
ham, ветчина́
hammer, мо́лот
to hand, переда́ть
hand, рука́
handkerchief, плато́к
handle, ру́чка
handsome, краси́вый
happy, счастли́вый
harbour, га́вань
hard, твёрдый
hard-boiled, вкруту́ю
harmful, вре́дный
harvest, жа́тва
hat, шля́па
to have, име́ть
hay, се́но
he, он
head, голова́
head (chief), нача́льник
health, здоро́вье
healthy, здоро́вый
to hear, слы́шать
heart, се́рдце
heat, теплота́
to heat, топи́ть
heavy, тяжёлый
height, высота́
help, по́мощь
to help, помога́ть, помо́чь
her, её
here, здесь
hero, геро́й
heroine, герои́ня
to hesitate, колеба́ться
hide, шку́ра
to hide, скрыва́ть
high, высо́кий
hill, холм
him, ему́
to hinder, меша́ть
his, его́
historical, истори́ческий
history, исто́рия
to hold, держа́ть
hole, дыра́
holiday, о́тпуск
home, домо́й
at home, до́ма
honey, мёд
honour, честь
to honour, почита́ть
hope, наде́жда
horse, ло́шадь
hosepipe, шла́нга
hospitable, гостеприи́мный
hospital, больни́ца
host, хозя́ин до́ма
hostess, хозя́йка до́ма
hostel, общежи́тие
hot, горя́чий
hotel, гости́ница
hour, час
house, дом
how, как
how many, ско́лько
huge, огро́мный
human being, челове́к
hundred, сто
hungry, голо́дный
to hurry, спеши́ть
in a hurry, впопыха́х
to hurt, ушиби́ть
husk, шелуха́
hut, изба́

I

I, я
ice, лёд
ice-cream, морóженое
idle, ленйвый
i.e. (*id est*, that is), то-есть
ill, больнóй
illness, болéзнь
illustration, иллюстрáция
to imitate, подражáть
important, вáжный
impossible, невозмóжный
in, в
inattentive, невнимáтельный
incorrect, непрáвильный
incurable, неизлечúмый
to indicate, укáзывать, укa-зáть
indispensable, незаменúмый
indistinct, неясный
indolent, беспéчный
industrious, трудолюбúвый
industry, промышленность
information, свéдение
in front of, впередú
in order to, для тогó, чтóбы
inhabitant, жúтель
injustice, несправедлúвость
ink, чернúла
inquiry, спрáвка
insect, насекóмое
inside, внутрú
instance, примéр
for instance, напримéр
instead, вмéсто
instrument, инстрýмент
intention, намéрение
to be interested, интересо-вáться
interesting, интерéсный
to interfere, вмéшиваться
internal, внýтренний
interpreter, перевóдчик
interruption, переры́в
intrepid, бесстрáшный
to invade, вторгнýться
invention, изобрéтение
to investigate, исслéдовать
Ireland, Ирлáндия
iron, желéзо
to be irritable, раздражáться
island, óстров
Italian, итальянец
Italy, Итáлия

J

jacket, пиджáк
jam, варéнье
January, январь
joiner, столяр
joke, шýтка
jolly, весёлый
journalist, журналúст
journey, путешéствие
to judge, судúть
judge, судья
July, июль
June, июнь
just, справедлúвый

K

to keep, держáть
key, ключ
kind, дóбрый, любéзный
kiosk, киóск
to kiss, целовáть
kitchen, кýхня
kitchen-garden, огорóд
knee, колéно
knife, нож
to knock, стучáть

to know, знать
to get to know, узна́ть
knowledge, зна́ние

L

laboratory, лаборато́рия
lace, кру́жево
lack, недоста́ток
ladder, ле́стница
lake, о́зеро
lamp, ла́мпа
language, язы́к
to languish, томи́ться
lantern, фона́рь
large, широ́кий
last, после́дний
to last, продолжа́ться
late, по́здно
to be late, опа́здывать
lathe, стано́к
to laugh, смея́ться
laughter, смех
law, зако́н
law court, суд
to lay, лежа́ть
lazy, лени́вый
to lead, ве́сти
leaf, лист
to learn, изуча́ть
leave, о́тпуск
to leave, оставля́ть
left, ле́вый
to the left, нале́во
lemon, лимо́н
lemonade, лимона́д
length, длина́
Leo, Лев
less, ме́ньше
lesson, уро́к
to let, пуска́ть, пусти́ть
letter, письмо́
library, библиоте́ка
lie, ложь
to lie, лгать
to lie down, ложи́ться
life, жизнь
lift, лифт
to lift, поднима́ть
light, лёгкий
light, свет
to light, освеща́ть
to lighten, облегчи́ть
lighthouse, мая́к
lightning, мо́лния
to like, нра́виться, люби́ть
line, ли́ния
linen, бельё
lion, лев
liquid, жи́дкий
listen, слу́шать
little, ма́ленький
a little, немно́го
to live, жить
load, груз
to load, грузи́ть
locality, ме́стность
lock, замо́к
to lock, закрыва́ть, замыка́ть
to lock up, замыка́ть
log, поле́но
lonely, одино́ко
long, дли́нный
longer, до́льше
longest, са́мый до́лгий
to long for, тоскова́ть
to look, смотре́ть
to look after, забо́титься
to look for, иска́ть
to lose, теря́ть
to lose (time), теря́ть вре́мя
to lose one's way, заблуди́ться
loud, гро́мкий

loudly, гро́мко
love, любо́вь
to love, люби́ть
low, ни́зкий
lower, ни́же
lowest, са́мый ни́зкий
lucky, счастли́вый
ludicrous, смешно́й
luggage, бага́ж

M

machine, маши́на
made of, сде́ланный
magazine, журна́л
to make, сде́лать
to make arrangements, сгово-ри́ться
mail, по́чта
man, мужчи́на
manager, заве́дующий
many, мно́гие
many times, мно́го раз
map, ка́рта
March, март
market, ры́нок
marriage, брак
master, хозя́ин
mat, цыно́вка
match, спи́чка
May, май
me, меня́
to mean, означа́ть
meaning, значе́ние
measure, ме́ра
meat, мя́со
mechanised, механизи́рован-ный
medicine, лека́рство
meet, встреча́ть, встре́тить
to meet each other, встре-ча́ться
meeting, собра́ние
melon, ды́ня
melt, та́ять
melting, та́ющий
member, член
memorial, па́мятник
memory, па́мять
mend, починя́ть
mercury, ртуть
to make merry, весели́ться
metal, мета́лл
metre, метр
Michael, Михаи́л
middle, сре́дний
in the middle, посреди́
midnight, по́лночь
milk, молоко́
mill, ме́льница
million, миллио́н
mine, мой, моя́, моё
mineral, минера́л
minute, мину́та
mirror, зе́ркало
miser, скря́га
miserable, несча́стный
mist, тума́н
mistake, оши́бка
to mix, меша́ть
model, моде́ль
modest, скро́мный
Monday, понеде́льник
money, де́ньги
monkey, обезья́на
month, ме́сяц
monument, па́мятник
moon, луна́
more, бо́льше, бо́лее
morning, у́тро
in the morning, у́тром
Moscow, Москва́
mother, мать
motherland, оте́чество

motor car, автомоби́ль
mouse, мышь
mountain, гора́
mouth, рот
to move, дви́гать, дви́нуть
much, мно́го
museum, музе́й
music, му́зыка
musician, музыка́нт
must, до́лжен
mustard, горчи́ца
my, мой, моя́, моё

N

name, и́мя
narrow, у́зкий
native, родно́й
nature, приро́да
near, бли́зко
nearer, бли́же
nearest, са́мый бли́зкий
neat, опря́тный
necessary, необходи́мый
neck, ше́я
to need, нужда́ться
needle, игла́
neighbour, сосе́д
neither . . . . nor, ни . . . . ни
nest, гнездо́
little nest, гнёздышко
never, никогда́
new, но́вый
news, изве́стия
newspaper, газе́та
New Year, Но́вый Год
next, сле́дующий
nice, краси́вый
niece, племя́нница
night, ночь
nine, де́вять
nineteen, девятна́дцать
ninety, девяно́сто
noble, благоро́дный
nobody, никто́
noise, шум
to make a noise, шуме́ть
noisy, шу́мный
north-north-west, се́веро-за́пад
not, нет
not any, никако́й
note-book, записна́я кни́жка
nothing, ничего́
nourishing, пита́тельный
novel, рома́н
November, ноя́брь
now, тепе́рь
nowhere, нигде́
number, число́

O

oak, дуб
to obey, повинова́ться
obliging, любе́зный
oblique, косо́й
to observe, наблюда́ть
obstinate, упря́мый
to obtain, получа́ть, получи́ть
obtuse, тупо́й
occasion, слу́чай
occupation, заня́тие
occupied, заня́той
October, октя́брь
odd, стра́нный
of course, коне́чно
to offend, оби́деть
to offer, предложи́ть
office, конто́ра
officer, офице́р
often, ча́сто
oil, ма́сло
old, ста́рый

old man, стари́к
omelette, яи́чница
on, на
one, оди́н
one-and-a-half, полтора́
only, то́лько
open, откры́тый
to open, открыва́ть, от-кры́ть
opening, отве́рстие
opera-glasses, бино́кль
opera-house, о́пера
opinion, мне́ние
opposite, противополо́жный
or, и́ли
orange, апельси́н
orchard, огоро́д
to order, зака́зывать
ordinary, обыкнове́нный
to organise, организова́ть
orphan, сирота́
other, друго́й
others, други́е
our, ours, наш, на́ша, на́ше
out, из
outside, вне
over, сверх
overcoat, пальто́
to overflow, разлива́ться
owing to (because of), потому́ что
own, свой, своя́, своё
owner, владе́лец
ox, вол

P

to pack, укла́дывать
page, страни́ца
pain, боль
paint, кра́ска
to paint, кра́сить
painter, маля́р
pair, па́ра
pal, прия́тель
pale, бле́дный
paper, бума́га
parcel, паке́т
to pardon, извиня́ть, извини́ть
Pardon! извини́те
parents, роди́тели
Parisian, пари́жский
park, парк
parrot, попуга́й
part, часть
particularly, осо́бенно
partly, отча́сти
to pass to, переда́ть
passenger, пассажи́р
passport, па́спорт
past, ми́мо
pastry, пиро́жное
patient, паци́ент
pattern, образе́ц
to pay, плати́ть
pay-desk, ка́сса
peace, мир
pear, гру́ша
peasant, крестья́нин
peeling, шелуха́
pen, перо́
pencil, каранда́ш
to penetrate, проника́ть, прони́кнуть
penholder, ру́чка
penknife, перочи́нный но́жик
people, наро́д
pepper, пе́рец
performance, спекта́кль
permission, позволе́ние
to permit, про́пуск
to persuade, убежда́ть, убеди́ть
photograph, фотогра́фия
physician, врач

piano, пиани́но
piano (grand), роя́ль
picture, карти́на
pie, пиро́г
piece, кусо́к
pigeon, го́лубь
pillow, поду́шка
pine, сосна́
pipe, тру́бка
place, ме́сто
to place, помеща́ть, поме-
стить
plant, расте́ние
to plant, насажда́ть
plate, таре́лка
to play, игра́ть
player, игро́к
pleasant, прия́тный
Please! пожа́луйста
to please, нра́виться
pleased, дово́льный
pleasure, удово́льствие
plenty, изоби́лие
pocket, карма́н
pocket handkerchief, носово́й
плато́к
poison, яд
Poland, По́льша
polite, ве́жливый
poor, бе́дный
popular, популя́рный
population, населе́ние
port, порт
porter, носи́льщик
possession, владе́ние
post, по́чта
postcard, откры́тка
postman, почталио́н
post-office, почто́вая кон-
то́ра
to postpone, отложи́ть
pound (weight), фунт
powder, порошо́к
power, власть
Prague, Пра́га
to praise, хвали́ть
precious, драгоце́нный
to prefer, предпочита́ть
preliminary, предвари́тель-
ный
to prepare, приготовля́ть,
пригото́вить
prescription, лека́рство
presence, прису́тствие
present, пода́рок
president, президе́нт
to presume, предполага́ть
to pretend, притворя́ться
pretty, краси́вый
previously (to), пре́жде
price, цена́
prison, тюрьма́
prize, награ́да
problem, зада́ча
progress, успе́хи
prohibit, запреща́ть
promise, обеща́ние
to promise, обеща́ть
pronunciation, произноше́ние
to be proud (of), горди́ться
provision, прови́зия
to pull, тяну́ть
pump, насо́с
to pump, нака́чивать
to punish, нака́зывать,
наказа́ть
punishment, наказа́ние
pupil, учени́к, учени́ца
purchase, поку́пка
to purchase, покупа́ть
purpose, цель
to put, положи́ть
to put on (clothes), одева́ть
to put off, отложи́ть

Q

quality, ка́чество
quantity, коли́чество
to quarter, помеща́ть, помести́ть
quarter, че́тверть
quay, на́бережная
queer, стра́нный
question, вопро́с
questionnaire, анке́та, опро́сный лист
quick, ско́рый
quickly, ско́ро
quiet, споко́йно
quite, совсе́м

R

raid, налёт
railway, желе́зная доро́га
rain, дождь
raincoat, дождеви́к
rainy, дождли́вый
to raise, поднима́ть
rapid, бы́стрый
rapidly, бы́стро
rare, ре́дкий
rarely, ре́дко
rate (of exchange), курс
raw materials, сырьё
ray, луч
razor, бри́тва
to reach, достига́ть
to read, чита́ть
reading, чте́ние
ready, гото́вый
to receive, получа́ть
recently, неда́вно
to recognise, узна́ть
to recommend, рекомендова́ть
record, пласти́нка
to recover, вы́здороветь
red, кра́сный
to refer to, ссыла́ться
to reflect, отража́ться
refreshment room, буфе́т
region, край
registered (letter), заказно́е письмо́
regularly, регуля́рно
to relate, расска́зывать
to remain, остава́ться
to remember, вспомина́ть
remote, отдалённый
remove, удаля́ть
to render, ока́зывать
to repair, починя́ть
reply, отве́т
to reply, отвеча́ть
to rescue, спаса́ть
to resound, раздава́ться
to respect, уважа́ть
rest, о́тдых
to rest, отдыха́ть
restaurant, рестора́н
return, возвраще́ние
to return, возвраща́ться
revolution, револю́ция
to reward, награжда́ть
ribbon, ле́нта
rich, бога́тый
riches, бога́тство
to ride, е́здить
right, пра́вый
(to the) right, напра́во
right-angle, прямо́й у́гол
ring, кольцо́
to ring, звони́ть
ripe, спе́лый
to rise, поднима́ть
rise, восхо́д
river, река́

road, доро́га
to roll, ката́ть
roof, кры́ша
room, ко́мната
root, ко́рень
rose, ро́за
rouble, рубль
round, кру́глый
row (a line, series), ряд
rubber, рези́на
rudder, руль
ruins, разва́лины
rule, пра́вило
to run, бежа́ть, бе́гать
to rush, ки́нуться, бро́ситься
Russia, Росси́я
Russian, ру́сский

S

sack, мешо́к
sad, печа́льный
to be sad, печа́литься
safely, благополу́чно
sailor, матро́с
(for the) sake (of), ра́ди
salary, жа́лованье
salt, соль
same, са́мый
sample, образе́ц
sand, песо́к
satisfied, дово́льный
to satisfy, удовлетворя́ть, удовлетвори́ть
Saturday, суббо́та
saucer, блю́дце
sausage, колбаса́
savage, дика́рь
savage, ди́кий
to save, спаса́ть, спасти́
to say, сказа́ть, говори́ть
to scatter, расбра́сывать
school, шко́ла
scientist, учёный
scissors, но́жницы
Scotland, Шотла́ндия
sea, мо́ре
seamstress, швея́
to search, иска́ть
seat, сиде́ние
second, второ́й
secretary, секрета́рь
section, отде́л
secure, надёжный
security, обезпече́ние
to see, ви́деть
to see off, проводи́ть
to see each other, ви́деться
to seem, каза́ться
seldom, ре́дко
to select, избира́ть
self, себя́
to sell, продава́ть
to sell out, распрода́ть
to send, посыла́ть
sentiment, чу́вство
September, сентя́брь
serious, серьёзный
to serve, служи́ть
seven, семь
seventeen, семна́дцать
seventh, седьмо́й
seventy, се́мьдесят
several, не́сколько
severe, стро́гий
to sew, шить
shade, тень
shadow, тень
shady, тени́стый
to shake, встря́хивать
sharp, о́стрый
to shave, брить
shave, бритьё

she, она́
sheet, лист бума́ги
shelf, по́лка
shell, скорлупа́
shine, блеск
ship, парохо́д
shirt, руба́ха
shoe, боти́нок
shop, ла́вка
shore, бе́рег
short, коро́ткий
short-sighted, близору́кий
to shout, крича́ть
to show, пока́зывать, показа́ть
shrub, куста́рник
to shut, закрыва́ть, закры́ть
sick, больно́й
side, сторона́
sight, зре́ние
to sign, подпи́сывать, подписа́ть
significance, значе́ние
silence, молча́ние
silent, молчали́вый
to be silent, молча́ть
silk, шёлк
silly, глу́пый
silver, серебро́
simple, просто́й
since, с
to sing, петь
single, еди́нственный
to sink, потону́ть
sister, сестра́
to sit, сиде́ть
to sit down, сесть
to be situated, находи́ться
six, шесть
sixteen, шестна́дцать
sixty, шестьдеся́т
size, величина́, разме́р
sky, не́бо
sleeve, рука́в
slice, ло́моть
slow, ме́дленный
to be slow, медли́ть
slowly, ме́дленно
small, ма́лый
smell, за́пах
smile, улы́бка
to smile, улыба́ться
to smoke, кури́ть
smooth, пла́вный
snow, снег
so, так
soap, мы́ло
society, о́бщество
sofa, дива́н
so forth, и так да́лее
soft, мя́гкий
soft-boiled, всмя́тку
soldier, солда́т
solution, реше́ние
to solve, реша́ть, реши́ть
some, не́которые
somebody, someone, кто-то
something, что-то
sometimes, иногда́
somewhat, что-то
somewhere, где-то
so much, сто́лько
son, сын
song, пе́сня
so, так
soon, ско́ро
sorrow, печа́ль
sort, сорт
sound, здоро́вый
to sound, раздава́ться
south, юг
southern, ю́жный
spade, лопа́та
Spain, Испа́ния

to speak, говори́ть
special, специа́льный
spectacles, очки́
to spend, тра́тить
splinter, оско́лок
to spoil, по́ртить
spoon, ло́жка
spot, ме́сто
Spring, ве́сна
square, пло́щадь
stain, пятно́
staircase, ле́стница
stall, кре́сло
stamp, ма́рка
to stand, стоя́ть
star, звезда́
state, госуда́рство
station, ста́нция
to stay at, быва́ть у
steam, пар
steam engine, парова́я машина
steamer, парохо́д
steel, сталь
steep, круто́й
stick, па́лка
still, ещё
stocking, чуло́к
stone, ка́мень
stop, остано́вка
to stop, останови́ться, жить у
store, склад, магази́н
storm, бу́ря
stormy, бу́рный
story, ска́зка, расска́з
straight, пря́мо
strange, стра́нный
stranger, чужо́й
street, у́лица
strength, си́ла
to stretch, тяну́ться
strict, стро́гий
to strike, уда́рить
strong, си́льный
to struggle, боро́ться
stubborn, упо́рный
student, студе́нт
study, кабине́т
to study, изуча́ть
stupid, глу́пый
such, тако́й
suddenly, внеза́пно
to suffer, страда́ть
sugar, са́хар
suit (of clothes), костю́м
suitable, подходя́щий
suitcase, чемода́н
Summer, ле́то
summit, верши́на
sun, со́лнце
sunrise, восхо́д со́лнца
Sunday, воскресе́нье
sunset, захо́д со́лнца
to sup, у́жинать
supper, у́жин
supply, доставля́ть
to suppose, предполага́ть
sure, ве́рный
to be sure, быть уве́ренным
surface, пло́щадь
to surmount, одолева́ть
surname, фами́лия
to surround, окружа́ть
swarm, ста́я
sweet, сла́дкий
sweets, сла́дости
Swiss, швейца́рский
symphonic, симфони́ческий
systematic, системати́ческий

T

table, стол
tablecloth, ска́терть
tailor, портно́й
to take, брать, взять
to take off, снять
to take to pieces, разобра́ть
to take a seat, сесть
tale, расска́з
tall, высо́кий
task, зада́ча
taste, вкус
to taste, име́ть вкус
tasty, вку́сный
tax, нало́г
tea, чай
teacher, учи́тель, учи́тельница
to tear, рвать
technical, техни́ческий
telegram, телегра́мма
telephone, телефо́н
to tell, сказа́ть
temperature, температу́ра
ten, де́сять
ten pieces, деся́ток
tenth, деся́тый
tender, не́жный
tennis court, те́ннисная площа́дка
terrible, стра́шный
to test, пробова́ть
test, про́ба, испыта́ние
text-book, уче́бник
Thames, Те́мза
to thank, благодари́ть
thankful, благода́рный
that, что
that is (i.e.), то есть
theatre, теа́тр
their, theirs, их
them, им
themselves, им сами́м
there, там
therefore, поэ́тому
thermometer, термо́метр
these, э́ти
they, они́
thick, то́лстый, густо́й
thickness, толщина́
thief, вор
thing, вещь
to think, ду́мать
thin, то́нкий
thirteen, трина́дцать
thirty, три́дцать
this, э́тот, эта, это
those, те
though, хотя́
thought, мысль
thousand, ты́сяча
thread, ни́тка
three, три
through, че́рез
to throw, броса́ть, бро́сить
to throw oneself, бро́ситься
thunder, гром
Thursday, четве́рг
ticket, биле́т
tidy, опря́тный
tie, га́лстук
to tie, привя́зывать
tight, те́сный
till, до
time, вре́мя
tip, чаевы́е
to tip, дава́ть на чай
tired, уста́лый
title, назва́ние
tobacco, таба́к
to-day, сего́дня
to-morrow, за́втра
tongue, язы́к

too, сли́шком
top, верху́шка
touch, тро́гать
tourist, тури́ст
towards, по направле́нию к
towel, полоте́нце
town, го́род
trade union, Профессиона́льный Сою́з
traffic, движе́ние
train, по́езд
tramway, трамва́й
to transfer, переводи́ть, перевести́
transparent, прозра́чный
to travel, путеше́ствовать
travel, путеше́ствие
to treat, поступа́ть, лечи́ть, обраща́ться
treatment, лече́ние
tree, де́рево
trial, про́ба
tropical, тропи́ческий
to trust, доверя́ть
to try, пыта́ться
tube, тру́бка
Tuesday, вто́рник
tulip, тюльпа́н
to tumble, споткну́ться
to turn, поверну́ть
twelve, двена́дцать
twenty, двадца́ть
to twist, скру́чивать
two, два
type, тип
tyre, ши́на

U

umbrella, зо́нтик
uncle, дя́дя
under, под
underground, подзе́мный
to understand, понима́ть
unfamiliar, незнако́мый
unfounded, неосновá́тельный
unhappy, несча́стный
union, сою́з
university, университе́т
unknown, незнако́мый
unmerited, незаслу́женный
unsuccessfully, неуда́чно
until, до
upstairs, наверху
Ural, Ура́льский
urban, городско́й
to use, употребля́ть
useful, поле́зный
U.S.S.R., С.С.С.Р.
usual, обы́чный
usually, обы́чно

V

vacant, свобо́дный
in vain, напра́сно, безуспе́шно
valuable, це́нный
to value, цени́ть
various, разнообра́зный
vast, огро́мный
vegetarian, вегетериа́нский
to ventilate, вентили́ровать
very, о́чень
view, вид
village, дере́вня
vinegar, у́ксус
violin, скри́пка
visa, ви́за
visit, посеще́ние
to visit, посеща́ть, посети́ть
visitor, посети́тель
vivid, живо́й
vocabulary, слова́рь

voice, го́лос
Volga, Во́лга
volume, том
voyage, путеше́ствие

W

wages, зарабо́тная пла́та
to wait, ожида́ть
to wake, просну́ться
walk, прогу́лка
to walk, гуля́ть
wall, стена́
to want, хоте́ть
war, война́
to be at war, воева́ть
wardrobe, шкаф
warm, тё́плый
to warm, согрева́ть
to warn, предупрежда́ть
warning, предупрежде́ние
to wash, мыть
to waste (time), тра́тить (время)
watch, часы́
to watch, следи́ть, стере́чь
watchman, сто́рож
water, вода́
wave, волна́
to wave, маха́ть
way, доро́га
we, мы
weak, сла́бый
wealth, бога́тство
to wear, носи́ть
weather, пого́да
Wednesday, среда́
week, неде́ля
to weep, пла́кать
to weigh, ве́сить
well, хорошо́
well-known, изве́стный
west, за́пад
western, за́падный
wet, мо́крый
what, что
whatever, что бы то ни было
what for, для чего́
wheel, колесо́
when, когда́
where, где
whether, ра́зве
which, кото́рый
while, в то вре́мя, как
white, бе́лый
who, кто
whole, весь
wholesome, здоро́вый
whom, кого́
whose, чьё
why, почему́
wide, широ́кий
width, ширина́
wife, жена́
wild, ди́кий
willingly, охо́тно
wind, ве́тер
window, окно́
wine, вино́
wing, крыло́
winter, зима́
in the winter, зимо́й
to wipe, вытира́ть
wise, му́дрый
to wish, жела́ть
with, с
within, внутри́
without, без
witness, свиде́тель
wolf, волк
woman, же́нщина

wood, де́рево
wood pulp, древеси́на
wooden, деревя́нный
wool, шерсть
woollen, шерстяно́й
word, сло́во
work, рабо́та
worker, рабо́тник
working, workman, рабо́чий
works, заво́д
world, свет, мир
worse, ху́же
worst, са́мый ху́дший
to become worst, ухудши́ться

Y

yarn, пря́жа
year, год
yellow, жёлтый
yes, да
yesterday, вчера́
yesterday's, вчера́шний
yet, ещё
you, вы
young, молодо́й
your, yours, ваш

Z

zero, ноль

СЛОВАРЬ

А

а, but, and
(не мы, а вы, not we, but you)
áвгуст, August
Австрáлия, Australia
автобýс, omnibus, 'bus
автомобúль, motor-car, automobile
автомобúльный (adj.), motor car
áвтор, author
áдрес, address
Áзия, Asia
аккурáтный, punctual, neat, tidy
Алексáндр, Alexander
Александрúя, Alexandria
Алексéй, Alexis
алмáз, diamond
áлый, rosy red
америкáнский, American
англúйский, English
англичáнин, Englishman
англичáнка, Englishwoman
Амéрика, America
Áнглия, England
Андрéй, Andrew
анкéта, questionnaire, inquiry form
аппарáт, apparatus
аппетúт, appetite
апрéль, April
аптéка, chemist's store
арáб, Arab
арестовáть, to arrest
Áрктика, Arctic regions
áрмия, army
архитéктор, architect
аэроплáн, aeroplane

Б

бáбочка, butterfly
бáбушка, grandmother
багáж, luggage, baggage
балéт, ballet
бáловать, to spoil, pet
банк, bank
башмáк, shoe
бáшня, tower
бéгать, to run
бéглый, rapid, floating
бéдный, poor
бежáть, to flee, run
без, without
беззабóтный, light-hearted, care-free
безбéдный, free of poverty, secure
безмóлвно, silently
безнадёжно, hopelessly
безуспéшно, unsuccessfully
бельё, linen
бéлый, white
бéрег, bank, coast
берёза, birch

беречь, to watch, guard
беседа, conversation
беспокоить, to trouble, disturb
беспокойство, trouble, anxiety
бесполезный, useless
беспорядок, disorder
библиотека, library
билет, ticket
бинокль, opera glasses
бить, to beat
биться, to fight
благодарить, to thank
благодарный, thankful
благодаря, thanks to, owing to
благородный, noble
бланк, form
бледный, pale
блеск, shine, lustre
блеснуть, to flush
блестящий, shiny
ближайший, the nearest
ближе, nearer
близ, near
близкий, near, close
близко, near, close
близорукий, short-sighted
блистательный, glistening
блюдце, saucer
бобёр, beaver
богатство, riches, wealth
богатый, rich
бой, fight, battle
бойко, vividly
бок, side
более, more
болезнь, illness, disease
боль, pain, ache
больница, hospital
больной, ill, sick, patient
больше, larger, more
большой, big, large, great
бороться, to fight for, struggle
ботинок, shoe
бочком, sideways
брак, marriage
брать, to take
брить, to shave
бросать, бросить, to throw
броситься, to throw oneself, to rush
буря, storm
бывать, to stay at, to frequent

В

в, in, into
вагон, car, carriage
важный, important
вальс, waltz
вам, you
вами, by you
ванная, bathroom
варенье, jam
варить, to boil, to cook
вас, you
ваш, your, yours
вблизи, near
вверх, up, upwards
вдвое, twice
вдвоём, the two together
вдоль, along
вдруг, suddenly
вегетерианский, vegetarian
ведь, but, then
вежливый, polite
везде, everywhere
велеть, to order
великий, great
величайший, the greatest
величина, size
вентилировать, to ventilate

ве́рить, to believe
верну́ться, to return
ве́рный, correct, true, faithful
ве́рхний, upper
верху́шка, top
верши́на, summit
весели́ться, to make merry
весёлый, merry, gay
ве́сить, to weigh
весна́, Spring
весно́й, in Spring
вести́, to conduct, lead
весь, all, whole
ветвь, branch
ве́тер, wind
ве́чер, evening
вече́рний, evening
ве́чером, in the evening
ве́шать, to hang
вещь, thing
взбира́ться, to climb up
взгляну́ть, to look, glance, to catch sight of
взлома́ть, to break open
взро́слый, grown up, adult
взять, to take
вид, view
ви́деть, to see
ви́деться, to see each other
ви́за, visa
ви́лка, fork
вина́, fault, blame
вино́, wine
винова́т, excuse me, I am sorry
висе́ть, to hang
ви́шня, cherry
вкус, taste
вку́сный, tasty
владе́ние, possession
вме́сте, together
вме́сто, instead of
внеза́пно, suddenly
внизу́, downstairs
внима́ние, attention
внима́тельно, attentively
внима́тельный, attentive
внук, grandson
внутри́, inside, within
вну́тренний, internal
вну́чка, granddaughter
вода́, water
водола́з, diver
воева́ть, to be at war
возврати́ть, возвраща́ть, to return
во́здух, air
возду́шный, airy
вози́ть, везти́, to carry
во́зле, by, near
возмути́ть, возмуща́ть, to rouse indignation
вознагражде́ние, reward
возража́ть, contradict, retort
во́зраст, age
война́, war
во́йско, army
вокза́л, station
вокру́г, round
вол, ox
во́лк, wolf
волна́, wave
во́лос, hair
во-пе́рвых, firstly
вопро́с, question
вопро́сный лист, questionnaire
вор, thief
воробе́й, sparrow
воротни́к, collar
восемна́дцатый, eighteenth
во́семь, eight
во́семьдесят, eighty
восемьсо́т, eight hundred
воскресе́нье, Sunday

воспрети́ть, воспреща́ть, to forbid
восхо́д солнца rise (sun)
восьмо́й, the eighth
вот, here
вперё́д, forward
впереди́, in front
вполне́, fully
впра́во, to the right
враг, enemy
врач, doctor
вре́дный, harmful
вре́мя, time
все, all, everybody
всё, all
всегда́, always
все-сою́зный, All-Union
вслух, aloud
всмя́тку (яйцо), soft-boiled (egg)
вспоминать, to recollect
вспо́мнить, remember
впопыха́х, in haste
встава́ть, встать, to get up
встреча́ть, встре́тить, to meet
встря́хивать, встряхну́ть, to shake
всю́ду, everywhere
вся́кий, anyone, anybody, everyone, everybody
вто́рник, Tuesday
второ́й, the second
втроё́м, three together, all three
вход, entrance
вчера́, yesterday
вчера́шний, of yesterday
вчетверё́м, four together, all four
выбира́ть, вы́брать, to choose, elect
вы́вих, dislocation
выжида́ть, to wait for
вы́здороветь, to recover
вы́игрыш, gain, winning
вы́лечить, to cure
вы́прямить, to straighten out
высо́кий, tall, high
вы́ставка, exhibition
вытира́ть, to wipe

Г

га́вань, harbour, port
газ, gas
газе́та, newspaper
галлере́я, gallery
га́лстук, tie
гара́нтия, security, guarantee
гардеро́б, cloak-room
где, where
где-ли́бо, somewhere
где-нибу́дь, anywhere
геогра́фия, geography
герои́ня, heroine
геро́й, hero
гла́вный, chief, main, principal
гла́дкий, smooth
глаз, eye
глубина́, depth
глубо́кий, deep
глу́пый, silly, foolish, stupid
глухо́й, deaf
гляде́ть, to look
гнать, to drive, to chase
гнездо́, nest
говори́ть, to speak, say, tell
год, year
годовщи́на, anniversary
голла́ндский, Dutch
голова́, head
голо́дный, hungry

го́лос, voice
го́лубь, pigeon
гора́, mountain
гора́здо, much, far
горди́ться, to be proud of
го́ре, grief, sorrow
горе́ть, to burn
горизо́нт, horizon
горноста́й, ermine
го́род, town, city
городско́й, urban, municipal
горчи́ца, mustard
горя́чий, hot
Госба́нк (*see* банк)
гостеприи́мный, hospitable
гости́ница, hotel
госуда́рство, State
госуда́рственный, state
гото́вый, ready
гра́дус, degree
граждани́н, citizen
грамма́тика, grammar
грани́т, granite
грани́ца, boundary, frontier, border
гре́бень, comb
гром, thunder
грома́дный, huge, enormous
гро́мкий, loud
гро́мко, loudly
гро́хот, crash, din
груз, load, burden
гру́стный, sad
гря́зный, dirty
гуля́ть, (to go for a) walk
густо́й, thick, dense

Д

да, yes
дава́ть, дать, to give, let, allow
давле́ние, pressure
давно́, long ago
да́же, even
да́лее, further
далёкий, remote
далеко́, far (off)
дальнозо́ркий, far-sighted
два, two
двадца́тый, twentieth
два́дцать, twenty
два́жды, twice
двена́дцатый, twelfth
двена́дцать, twelve
дверь, door
две́сти, two hundred
дви́гать, to move
движе́ние, traffic
двор, yard
де́вочка, little girl
девяно́сто, ninety
девятна́дцатый, nineteenth
девятна́дцать, nineteen
девя́тый, ninth
де́вять, nine
девятьсо́т, nine hundred
де́душка, grandfather
де́йствовать, to act, work
дека́брь, December
де́лать, to make do
де́ло, business
день, day
дере́вня, village, countryside
де́рево, tree
деревя́нный, wooden
держа́ть, to hold
деся́ток, ten pieces
деся́тый, tenth
де́сять, ten
де́ти, children
де́тский, children's
дешёвый, cheap
дива́н, sofa
Ди́зель, Diesel

ди́кий, wild
дитя́, child
длина́, length
дли́нный, long
для, for, to
днём, by day
дно, bottom
до, to, until
доба́вочный, additiona
до́брый, kind, good
добы́ча, extraction
доверя́ть, to trust, entrust
дово́льно, enough
дово́льный, pleased
дождеви́к, raincoat
дождли́вый, rainy
дождь, rain
до́ктор, doctor
долг, duty, debt
до́лжен, must
дом, house
до́ма, at home
домо́й, home
допуска́ть, допусти́ть, to admit
доро́га, road, way
дорого́й, dear, expensive
доставля́ть, supply
доста́точно, enough, sufficiently
достига́ть, дости́гнуть, to achieve
дочь, daughter
драгоце́нный, precious
древеси́на, wood, wood-pulp
дре́вний, ancient
друг, friend
друго́й, another
дуб, oak
ду́мать, to think
дуть, to blow
ды́ня, melon
дю́жина, dozen
дя́дя, uncle

Е

Евро́па, Europe
его́, him, it (accus.), his, its (gen.)
еди́нственный, single
её, her
ежего́дно, annually
ежедне́вно, daily
е́здить (*see* ехать)
ей, (to) her
ему́, (to) him
е́сли, if
есть (ку́шать), to eat
е́хать, to ride, drive
е́хать по́ездом, to go by train, etc.
ещё, yet, still, more, some more
ещё раз, once more
е́ю, by her

Ж

жале́ть, to pity, regret
жа́лованье, salary
ждать, to wait for, expect
же, but, and
жела́ть, to wish, to desire
желе́зная доро́га, railway
желе́зный, iron
желе́зо, iron
жёлтый, yellow
жена́, wife
же́нщина, woman
жесто́кий, cruel
живо́й, living, lively, vivid
живо́тное, animal
жи́дкость, liquid
жизнера́достный, cheerful

жизнь, life
жили́ще, dwelling
жи́рный, fat, greasy
жи́тель, inhabitant
жить, to live
журна́л, magazine, journal

З

за, behind, beyond, for, during, after
забавля́ть, to amuse
заба́вный, amusing
заблуди́ться, to get lost
забо́титься, to take care of, care for
забыва́ть, забы́ть, to forget
заве́дующий, manager
зави́довать, to envy
зави́сеть, to depend
заво́д, factory, works
за́втра, to-morrow
за́втрак, breakfast
за́втракать, to have breakfast
загля́дывать, загляну́ть, to drop in
загоре́ться, to catch fire
загра́ни́цей, abroad
заграни́чный, foreign
зада́ча, problem
задохну́ться, задыха́ться, to choke, suffocate
зака́зывать, заказа́ть, to order
зако́н, law
закрыва́ть, закры́ть, to shut, close
закры́тый, closed
за́мок, castle
замо́к, lock
занима́ть, to borrow
заня́тие, occupation, employment
за́пад, west
за́падный, western
запа́с, provision, stock, supply
за́пах, smell
запере́ть, запира́ть, to lock
записна́я кни́жка, note-book
заплати́ть, to pay
запо́лнить, to fill (in, up)
запреща́ть, запрети́ть, to forbid, to prohibit
зараба́тывать, зарабо́тать, to earn
зарабо́тная пла́та, wages
заседа́ние, meeting, sitting
заслу́живать, заслужи́ть, to deserve
застава́ть (до́ма), to find at home
затме́ние, eclipse
затрудне́ние, difficulty
захо́д со́лнца, sunset
звезда́, star
зверь, beast, animal
звони́ть, to ring
зда́ние, building
здесь, here
здоро́вый, healthy, strong, wholesome
здра́вствуйте, how do you do?
зелёный, green
землетрясе́ние, earthquake
земля́, earth
зима́, winter
зимо́й, in winter
знак, sign
знако́мый, acquaintance
зна́мя, banner
значе́ние, meaning
зо́лото, gold
золото́й, gold

зóнтик, umbrella
зрéлый, ripe
зрéние, eyesight

И

и, and, also
иглá, needle
игрá, game
игрáть, to play
игрóк, player
игрýшка, toy
из, of, from
избá, hut
избирáть, to elect
извéстие, news
извéстный, well known
извинúте, excuse me
извинúться, to apologise
из-за, owing to, because of
измерять, to measure
изобúлие, plenty
изобúловать, abound
изобретáть, to invent
изобрéтение, invention
úзредка, seldom, rarely
изумляться, to be amazed
изучáть, to study
изучéние, the study
изящный, elegant
им, by him
имéть, to have
úмя, name
инженéр, engineer
иногдá, sometimes, now and then
инострáнец, foreigner
инострáнный, foreign
инструмéнт, instrument, tool
интенсúвный, intensive
интерéсный, interesting
Ирлáндия, Ireland
искáть, to look for
искýсство, art
искýственный, artificial
Испáния, Spain
исповéдывать, to confess
испугáться, to become frightened
испытáние, trial
исслéдовать, to explore
исслéдователь, explorer
истóрия, history
Итáлия, Italy
иттú, to go, walk
их, them, their

К

к, towards
кабинéт, study
кáждый, everyone, each
как, how
какóй, what, which
какóй-лúбо, какóй-нибýдь, some, any
казáться, to seem, appear
калéка, cripple
кáменный, stone
кáмень, stone
капитáн, captain
карандáш, pencil
кармáн, pocket
кáрта, map, card
картúна, picture
кáсса, pay-desk, booking office
кафé, cafe
кáчество, quality
каюта, cabin
квартúра, apartments, flat
кем, by whom
кидáться, to throw oneself, rush
кипéть, to boil

кита́йский, Chinese
кле́тка, cage
клуб, club
ключ, key
кни́га, book
кни́жный магази́н, bookshop
ковёр, carpet
когда́, when
кого́, whom
коле́но, knee
колесо́, wheel
коли́чество, quantity
колыбе́ль, cradle
кольцо́, ring
команди́р, commander
ко́мната, room
кому́, (to) whom
конве́рт, envelope
коне́ц, end
ко́нсул, consul
конце́рт, concert
конча́ть, ко́нчить, to finish, to end
конь, horse
копа́ть, to dig
копе́йка, copeck
корзи́на, basket
коро́бка, box
коро́ткий, short
корреспонде́нция, correspondence, mail
ко́сть, bone
костю́м, suit
котёл, boiler
кото́рый, which
ко́шка, cat
край, border, region
краси́вый, pretty, handsome
кра́сный, red
красо́та, beauty
кре́пкий, strong
кре́пость, fortress
кре́сло, armchair
крестья́нин, peasant
криво́й, curved
крик, cry, shout
кро́шка, crumb
кру́жево, lace
круто́й, sleep
крыло́, wing
Крым, Crimea
кры́ша, roof
кто, who
кто-нибу́дь, somebody
куда́, where
ку́кла, doll
купа́ться, to bathe
купи́ть, to buy
кури́ть, to smoke
ку́рица, hen
кусо́к, piece, lump

Л

лаборато́рия, laboratory
ла́вка, shop
ла́мпа, lamp
ла́па, paw
ла́сточка, swallow
лгать, to lie, tell lies
лев, lion
ле́вый, left
лёгкий, light
лёд, ice
лежа́ть, to lie (position)
лека́рство, medicine
лени́вый, lazy
ле́нта, ribbon, band
лес, forest
ле́стница, staircase, ladder
лета́ть, to fly
ле́тний, summer
ле́то, Summer
лётчик, airman, flyer

лече́ние, treatment
лечи́ть, to treat
лимо́н, lemon
лимона́д, lemonade
ли́ния, line
лист, leaf, sheet
литерату́ра, literature
лить, pour
ло́дка, boat
ложи́ться, to lie down
ло́жка, spoon
ломо́ть, slice
лопа́та, spade
ло́шадь, horse
луна́, moon
луч, ray, beam
лу́чше, better
лу́чший, better
любе́зный, obliging, courteous
люби́мый, favourite
люби́тель, amateur, lover
люби́ть, to love, to like
любова́ться, to admire
любо́вь, love
любопы́тный, curious
лю́ди, people

М

магази́н, shop, store
май, May
мале́йший, the slightest, smallest
ма́ленький, little, small
ма́ло, little, few
малый, small
ма́льчик, boy
ма́рка, stamp
март, March
ма́сло, oil, butter
матро́с, sailor
маха́ть, to wave
маши́на, engine
мая́к, lighthouse
ме́бель, furniture
мёд, honey
медве́дь, bear
ме́дленно, slowly
ме́дленный, slow
медли́ть, to be slow
ме́жду, between
мел, chalk
ме́ньше, less
меня́, me
ме́ра, measure
мёртвый, dead
ме́стность, locality
ме́сто, place, seat, spot
ме́сяц, month
мета́лл, metal
метр, metre
мех, fur
механизи́ровать, to mechanise
меша́ть, to disturb
ми́лостыня, alms
ми́мо, by, past
минера́л, mineral
мину́та, minute
мир, peace, world
мла́дший, younger
мне, (to) me
мно́го, much
мной, (by) me
моги́ла, grave
мо́жет быть, perhaps
мой, mine, may be
мо́крый, wet
мо́лния, lightning
молодо́й, young
молоко́, milk
мо́лот, hammer
молчали́вый, silent
молча́ние, silence

молча́ть, to be silent
мо́ре, sea
моро́з, frost
Москва́, Moscow
мост, bridge
мочь, могу́, мо́жешь, to be able
му́дрый, wise
музе́й, museum
му́зыка, music
мука́, flour
мураве́й, ant
мы́ло, soap
мысль, thought
мыть, to wash
мя́гкий, soft
мясни́к, butcher
мя́со, meat
мяч, ball

Н

на, on
на́бережная, embankment, quay
наве́рху, upstairs
награ́да, reward, prize
над, over, above
надева́ть, to put on
наде́жда, hope
надёжный, safe, reliable
наде́яться, to hope
наза́д, back
назва́ние, name
назначе́ние, appointment
называ́ть, to call
наказа́ние, punishment
наказа́ть, to punish
нале́во, (to the) left
налёт, air raid
нало́г, tax
нам, to us
наме́рение, intention
на́ми, by us
напада́ть, напа́сть, to attack
написа́ть, to write
направля́ть, to direct
напра́во, (to the) right
наприме́р, for example
наро́д, people
насажда́ть, to plant
насеко́мое, insect
населе́ние, population
наско́лько возмо́жно, as far as possible
насо́с, pump
находи́ть, to find
находи́ться, to be situated
нача́ло, beginning
нача́льник, head, chief
начина́ть, to begin
наш, our, ours
не́бо, sky
неве́ста, bride, fiancee
неде́ля, week
недоста́ток defect, lack, shortage
не́жный, tender
незаслу́женный, unmerited
незнако́мый, unknown
не́который, certain, some
нельзя́, it is prohibited
не́мец, не́мка, German
неме́цкий, German
немно́го, a little
неоснова́тельный, unfounded
не́сколько, several
нести́, to carry
несча́стный, unhappy
нет, no
неуда́чио, unsuccessfully
ни . . . ни, neither . . . nor
нижа́йший, the lowest

ни́зкий, lower
ни́зко, low
никогда́, never
ни́тка, thread
ничего́, nothing
нога́, foot
нож, knife
но́жницы, scissors
ноль, nought, zero
но́мер, number
носи́льщик, porter
носи́ть, to wear
носово́й плато́к, handkerchief
но́ты, music
ночь, night
ноя́брь, November
нра́виться, to please
ну́жно, it is necessary

O

о, about
о́ба, both
обе́д, dinner
обе́дать, to dine
обезья́на, monkey
обеспече́ние, security, guarantee
обеща́ть, to promise
оби́деть, to offend
о́бласть, district, region
о́блачный, cloudy
обменя́ть, exchange
образо́ванный, educated
обраща́ться, обрати́ться, to apply
обсужда́ть, обсуди́ть, to discuss
обши́рный, extensive
общежи́тие, hostel
о́бщество, society
объясне́ние, explanation
обыкнове́нно, usually, as a rule
обычно, ordinarily
обычный, usual, common
огро́мный, huge, immense
одева́ть, to dress
оде́жда, clothes
одея́ло, blanket
оди́н, one, single
оди́ннадцатый, eleventh
одино́кий, lonely
одобря́ть, одобри́ть, to approve
одолева́ть, to surmount
ожида́ть, to expect, await, wait
о́зеро, lake
ока́зывать, render
океа́н, ocean
окно́, window
о́коло, near
окружа́ть, to surround
октя́брь, October
он, he
она́, she
они́, they
оно́, it
опа́здывать, to be late
опа́сный, dangerous
опря́тный, tidy
о́пыт, experiment
о́пытный, experienced
опя́ть, again
осёл, ass, donkey
о́сень, Autumn
оско́лок, splinter
оста́вить, оставля́ть, to leave
остано́вка, stop, stopping place
останови́ться, to stop, stay
осторо́жный, careful

о́стров, island
о́стрый, sharp
ось, axle
от, from
отве́т, answer
отвеча́ть, отве́тить, to answer
отдалённый, distant
отде́л, section
о́тдых, rest
отдыха́ть, to rest
оте́ц, father
открыва́ть, откры́ть, to open
откры́тка, post-card
отли́чный, excellent
отложи́ть, to put off, postpone
отменя́ть, отмени́ть, to abolish
отправля́ть, отпра́вить, to send
о́тпуск, leave
отхо́д, departure
о́тчество, patronymic
охо́та, hunting
охо́тно, willingly, with pleasure
о́чень, very
очки́, eye-glasses, spectacles
оши́бка, mistake, error

П

па́дать, to fall
па́лец, finger, toe
па́лка, stick
па́луба, deck
пальто́, overcoat
па́мятник, monument, memorial
папиро́са, cigarette
пар, steam
Пари́ж, Paris
парикма́хер, hairdresser, barber
парк, park
парова́я маши́на, steam engine
парохо́д, steamer
па́спорт, passport
пассажи́р, passenger
Па́сха, Easter
пе́нье, singing
пе́пел, ash(es)
пе́рвый, first
переводи́ть, перевести́, to transfer, translate
пе́ред, before (time); in front of (place)
передать, to hand (over), to pass on
перекрёсток, cross-roads
пе́рец, pepper
перочи́нный но́жик, pen-knife
перча́тка, glove
пе́сня, song
петь, to sing
печа́ль, sorrow
пешко́м, on foot
пиани́но, piano
пи́во, beer
пиджа́к, jacket
пиро́г, pie
писа́тель, writer
писа́ть, to write
письмо́, letter
пла́вный, smooth
пла́кать, to weep
пла́мя, flame
пласти́нка, plate, gramophone record
плати́ть, to pay
плато́к, kerchief

(носовой) плато́к, pocket handkerchief
пла́тье, dress, clothes
племя́нник, nephew
плен, captivity
пле́нник, prisoner, captive
плечо́, shoulder
пло́тник, carpenter
плохо́й, bad
площа́дка, play ground, platform
пло́щадь, square
плюс, plus
по, by, on, through
побере́жье, shore, coast
поверну́ть, to turn
пове́рхность, surface
повсю́ду, everywhere
пого́да, weather
под, under, near
пода́рок, present, gift
подзе́мный, underground
поднима́ть, подня́ть, to raise
поднима́ться, подня́ться, to ascend
подно́жие, foot
по́дпись, signature
подража́ть, to imitate
поду́шка, pillow
подходя́щий, suitable
подъе́зд, entrance
по́езд, train
пое́здка, journey, trip
пожа́луйста, please!
пожа́р, fire
позади́, behind
позволе́ние, permission
позво́лить, to permit
позвони́ть, to ring, to 'phone
по́здно, late
познако́миться, to make the acquaintance of
пойма́ть, to catch
пойти́, to go
пока́зывать, показа́ть, to show
покупа́ть, to buy, purchase
поку́пка, purchase
пол, floor
по́ле, field
поле́зный, useful
поле́но, log (of fire-wood)
по́лзать, ползти́, to creep
по́лка, shelf
по́лночь, midnight
по́лный, full
полови́на, half
положи́ть, to put
полоте́нце, towel
полтора́, one-and-a-half
получа́ть, получи́ть, to receive
по́льза, use, benefit, good
По́льша, Poland
помеща́ть, помести́ть, to place, quarter
помеща́ться, to be situated
по́мнить, to remember
помога́ть, помочь, to help
по-мо́ему, in my opinion
помо́щник, assistant
по́мощь, help, aid, assistance
понеде́льник, Monday
понима́ть, to understand
попуга́й, parrot
популя́рный, popular
пора́, time
порошо́к, powder
порт, port
по́ртить, to spoil
портно́й, tailor
портре́т, portrait
посвяща́ть, посвяти́ть, to devote

посети́тель, visitor
посеща́ть, to visit
посеще́ние, visit
по́сле, after
после́дний, the last
посреди́, in the midst of
посре́дством, by means of
посте́ль, bed
постоя́нно, constantly
постро́ить, to erect
поступа́ть, поступи́ть, to deal with, treat
посыла́ть, посла́ть, to send
потоло́к, ceiling
потому́ что, because
потону́ть, to sink
потуши́ть, to extinguish
почему́, why
починя́ть, почини́ть, to mend, to repair
почи́нка, mending, repairing
по́чта, post
почтальо́н, postman
почти́, almost
поэ́тому, therefore
пра́вда, truth
пра́вило, rule
пра́вильно, correctly
пра́вильный, correct
Пра́га, Prague
пра́вый, right
предвари́тельный, preliminary
предполага́ть, предположи́ть, presume
предпочита́ть, предпоче́сть, prefer
предупре́ждение, warning
пре́жде чем, before
прекра́сный, beautiful
при, during, by, near, attached to
приближа́ться, прибли́зиться, to approach
приблизи́тельно, about
прибыва́ть, прибы́ть, to arrive
приве́т, greetings
привя́зывать, to tie
приглаша́ть, пригласи́ть, to invite
приготовля́ть, пригото́вить, to prepare
признава́ться, призна́ться, to confess
прика́зывать, приказа́ть, to order
приле́жный, diligent
приме́р, example
принадлежа́ть, to belong
принима́ть, приня́ть, to accept, to take
приноси́ть, принести́, to bring
приро́да, nature
прису́тствовать, to attend, to be present
притворя́ться, to pretend
прибы́тие, arrival
причи́на, reason, cause
причиня́ть, причини́ть, to cause
прия́тель, friend
прия́тный, pleasant
про́ба, trial
проверя́ть, прове́рить, to check
проводи́ть, to see off, to spend (time)
прогу́лка, walk
продава́ть, прода́ть, to sell
продолжа́ться, to last
прозра́чный, transparent

произво́дство, industry, production
произноше́ние, pronunciation
про́пуск, pass
проси́ть, to ask, to beg
просну́ться, to wake
прости́те, Excuse me!
просто́й, simple
про́тив, against
Профессиона́льный Сою́з, Trade Union
пря́жа, yarn
пря́мо, прямо́й, straight
пти́ца, bird
пу́говица, button
пу́ля, bullet
пуска́ть, пусти́ть, to let, to start (engine)
пусть, let, allow
пусты́ня, desert
путеводи́тель, guide-book
путеше́ствовать, to travel
путеше́ствие, journey, voyage
пчела́, bee
пыта́ться, to attempt, try
пятна́дцатый, fifteenth
пятна́дцать, fifteen
пя́тница, Friday
пятно́, spot, stain
пятьдеся́т, fifty
пятьсо́т, five hundred

Р

рабо́та, work
рабо́тать, to work
рабо́тник, worker
рабо́чий, workman, worker's
рад, glad
ра́ди, for the sake of
раз, time, once (мно́го раз, many times)
разбира́ть, разобра́ть, to take to pieces, dismantle
разва́лины, ruins
ра́зве, whether
развива́ть, to develop
разгово́р, conversation
раздава́ться, to sound
разлага́ть, to decompose
разли́чный, different
разме́р, size
разнообра́зный, various, diverse
разреше́ние, permit
разреши́ть, to allow
ра́ма, frame
ра́но, early
распрода́ть, to sell out
рассе́ивать, рассе́ять, to disperse
рассе́янный, absent-minded
расска́з, tale, story
рассказа́ть, to tell
расстоя́ние, distance
растворя́ть, раствори́ть, to dissolve
расте́ние, plant
рвать, to tear
ребёнок, child
револю́ция, revolution
реда́ктор, editor
ре́дкий, rare
ре́дко, rarely, seldom
рези́на, rubber
река́, river
рекомендова́ть, to recommend
рестора́н, restaurant
реце́пт, prescription
реша́ть, реши́ть, to decide
реше́ние, solution
рисова́ть, to draw
рису́нок, drawing

ро́дина, native country, fatherland
роди́тели, parents
роди́ться, to be born
родно́й, native
рожде́ние, birth
Рождество́, Christmas
ро́за, rose
рома́н, novel
роя́ль, piano (grand)
ртуть, quicksilver, mercury
руба́ха, shirt
руби́ть, to fell
рука́, arm, hand
рука́в, sleeve
руль, rudder
ру́чка, handle, penholder
ры́ба, fish
ры́нок, market
ряд, row, series, line

С

с, with, from, since
сад, garden
сади́ться, to take a seat, sit down
садо́вник, gardener
сам, self
са́мый, the most
сапо́г, boot
са́хар, sugar
сбить (с то́лку), to disconcert
све́жий, fresh
свет, light, world
све́тлый, light, bright
свиде́тель, witness
свобо́дный, free, vacant
свя́зывать, to bind
сда́ча, (small) change
сде́ланный, made of
сде́лать, де́лать, to do
себя́, oneself
сего́дня, to-day
седьмо́й, seventh
секу́нда, second
село́, village
семна́дцать, seventeenth
семь, seven
се́мьдесят, seventy
семья́, family
сентя́брь, September
серди́тый, angry
серди́ться, to be angry
се́рдце, heart
серебро́, silver
се́рый, grey
серьёзный, serious
сестра́, sister
сесть, to sit down, to take a seat
сига́ра, cigar
сиде́ть, to sit
си́ла, force, strength, power
си́льный, strong
си́льно, strongly, extremely
си́мвол, symbol
симфони́ческий, symphonic
синемато́граф, cinema
си́ний, blue
сирота́, orphan
системати́ческий, systematic
сказа́ть, to say, to tell
ска́зка, story, fairy tale
скала́, rock
ска́терть, table cloth
склад, warehouse, store
ско́лько? how much?
скорлупа́, shell
ско́ро, soon, quickly
скри́пка, violin
скру́чивать, to twist
скря́га, miser

скýчный, boring, weary, dull
слáбый, weak
слáдкий, sweet
слáдости, sweets
следи́ть, to watch, guard
слепóй, blind
сли́шком, too (much)
словáрь, dictionary
слóвно, as if
слóво, word
служи́ть, to serve
слýчай, case, occurrence
слýшать, to listen
слы́шать, to hear
смéлый, daring
смерть, death
смех, laughter
смешнóй, funny, ludicrous
смея́ться, to laugh
смотрéть, to look
снег, snow
снести́, to carry
сни́мок, photograph
снять, to take off
собáка, dog
соблазня́ться, to be tempted
сóболь, sable
собрáние, meeting
собрáться, to assemble
сóбственный, own
собы́тие, event
совершéнно, quite, completely
совéт, council, advice
совéтовать, to advise
совсéм, quite, at all, altogether
соглáсие, consent
согревáть, to warm
содержáние, content
сожалéние, regret
солдáт, soldier
сóлнце, sun
соловéй, nightingale
соль, salt
сон, dream
сопровождáть, to accompany
сóрок, forty
сороковóй, fortieth
сорт, sort, kind
сосéд, neighbour
соснá, pine
состоя́ть, to consist
сóтый, hundredth
сою́з, union
Сою́з Совéтских Социалисти́ческих Респýблик, The Union of Soviet Socialist Republics. U.S.S.R.
спасáть, спасти́, to save
спаси́бо, thank you
спать. to sleep
спектáкль, play, performance
спéлый, ripe
специали́ст, specialist
специáльный, special
спеши́ть, to hurry
спи́чка, match
спокóйной нóчи, good-night
спокóйный, quiet, calm
спóрить, to quarrel
спорти́вная площáдка, sports-ground
спосóбный, able
споткнýться, to tumble
справедли́вость, justice
справля́ться, to consult, to inquire
спрáшивать, спроси́ть, to ask
спускáться, to descend
срáзу, at once
средá, Wednesday
стакáн, glass, tumbler
сталь, steel

стано́к, lathe
ста́нция, station
стара́ться, to try
стари́к, old man
ста́рший, elder, eldest
ста́рый, old
стату́я, statue
стать, to begin, to become
статья́, article
ста́я, swarm
стекло́, glass
стена́, wall
стере́чь, to guard
сто, hundred
сто́ить, to cost
сто́йкий, firm, steadfast, staunch
стол, table
столе́тие, century
столи́ца, capital
столкнове́ние, collision
столо́вая, dining-room
сто́лько, so many, much, as many, much
столя́р, joiner
сто́рож, watchman
сторона́, side
стоя́ть, to stand
страда́ть, to suffer
страна́, country
страни́ца, page
стра́нный, strange, queer
страх, fear
стра́шный, terrible, dreadful
стрела́, arrow
стричь, to cut (hair)
стро́гий, strict, severe
стро́ить, to build
студе́нт, student
стул, chair
стуча́ть, to knock
суббо́та, Saturday
суд, Court of Law
суди́ть, to judge
судьба́, fate
судья́, judge
сужде́ние, judgment
сужённый, destined
сукно́, cloth
су́мка, bag
су́тки, day (24 hours)
сухо́й, dry
суши́ть, to dry
сходи́ть, to descend
счастли́вый, happy, lucky
счёт, account, bill
сын, son

Т

та, that
таба́к, tobacco
так, so then
та́кже, also
тако́й, such
такси́, taxi
там, there
таре́лка, plate
та́ять, to melt
твёрдость, firmness
твёрдый, hard
твой, your(s)
те, those
теа́тр, theatre
телегра́мма, telegram
телефо́н, telephone
те́ло, body
тем, by (with) that, to those
Те́мза, Thames
тёмный, dark
температу́ра, temperature
те́ннисная площадка, tennis court
тени́стый, shady

тень, shadow, shade
тепе́рь, now
тёплый, warm
термо́метр, thermometer
терпели́вый, patient
терпе́ние, patience
теря́ть, to lose
те́рять вре́мя, to waste time
те́сный, tight, narrow
те́тка, aunt
техни́ческий, technical
тече́ние, current
тип, type
ти́хий, quiet, calm
тогда́, then
то есть, that is
толк, sense
то́лстый, thick
толщина, thickness
то́лько, only
том, volume
томи́ться, to languish
то́нкий, thin
то́поль, poplar
топо́р, axe
тоска́, sadness, melancholy
тоскова́ть, to long, pine
тот, та, то, that
тотча́с, immediately
то́чка кипе́ния, boiling point
то́чный, exact
трава́, grass
трамва́й, tram
тра́тить, to spend
тре́бовать, to demand
трево́га, alarm
тре́тий, third
треть, a third
три, three
тридца́тый, thirtieth
три́дцать, thirty
трина́дцатый, thirteenth
трина́дцать, thirteen
три́ста, three hundred
тропи́ческий, tropical
труба́, tube, pipe
тру́бка, small tube, smoking pipe
тру́дный, difficult
трус, coward
тума́н, mist
тури́ст, tourist
ту́ча, cloud
ты́сяча, (one) thousand
тяжёлый, heavy, hard
тя́жкий, heavy
тяну́ться, stretch

У

у, at, by, near
убега́ть, убежа́ть, to run away
убежда́ть, убеди́ть, to persuade, convince
уве́ренный, certain, sure
у́гол, corner, angle
у́голь, coal
уда́рить, to strike
удиви́тельный, surprising
удивле́ние, surprise
удово́льствие, pleasure
ужа́сный, awful
уже́, already
у́жин, supper
у́жинать, to have supper
у́зкий, narrow
узнава́ть, узна́ть, to learn
указа́ть, to point out
у́ксус, vinegar
у́лица, street, road

улыба́ться, to smile
улы́бка, smile
уме́ть, to be able
у́мный, intelligent, clever
университе́т, University
уничтожа́ть, уничто́жить, to destroy
упо́рный, stubborn
употребля́ть, to use, employ
упря́мый, obstinate
Ура́льский, Ural
уро́к, lesson
успе́х, success
успе́хи, progress
уста́лый, tired
устро́йство, the settling
у́тро, morning
уходи́ть, уйти́, to go away
ухудши́ться, to become worse
уча́стие, part
учёбник, text-book
учени́к, pupil
учи́тель, teacher

Ф

фа́брика, factory
фами́лия, name, surname
февра́ль, February
флаг, flag, standard
флот, fleet
фона́рь, lamp, lantern
фо́рма, form
фотографи́ческий аппара́т, camera
фотогра́фия, photograph
Фра́нция, France
францу́зский, French
фунт, pound

Х

хвали́ть, to praise
хва́статься, to boast
хвора́ть, to be ill
хи́мик, chemist
хлеб, bread
хло́пок, cotton
ходи́ть, to go, walk
хозя́ин, master, host
хозя́йка, housewife, hostess
холм, hill
хо́лод, cold
хо́лодно, it is cold
холо́дный, cold
холосто́й, single
хоро́ший, good, nice, fine (weather)
хорошо́, well
хоте́ть, to want, wish
хотя́, although, though
хра́бро, bravely
хра́брый, brave
худо́жественный теа́тр, Art theatre
худо́жник, artist
ху́дший (са́мый), the worst
ху́же, worse

Ц

цвет, colour
цвето́к, flower
це́лый, whole
цель, aim, purpose
цена́, price
цени́ть, to value
це́нный, valuable
центр, centre
цепь, chain
це́рковь, church
цирк, circus
цыно́вка, mat

Ч

чай, tea
чаевы́е, tips
час, hour
ча́сто, often
часть, part
часы́, watch
ча́шка, cup
чек, cheque
челове́к, man, person
чем, than
чем бо́льше тем лу́чше, the more . . . the better
чемода́н, suit-case
че́рез, across, over, through
чёрный, black
черти́ть, to draw
чеса́ть, to comb
четве́рг, Thursday
четвёртый, fourth
че́тверть, quarter
четы́ре, four
четы́реста, four hundred
четырна́дцатый, fourteenth
четырна́дцать, fourteen
чини́ть, to mend
чино́вник, official
чири́кать, to twitter
число́, number, date
чисти́ть, to clean
чи́стый, clean, pure
чита́ть, to read
член, member
чорт, devil
что, what, that
что́бы, in order to
что бы то ни было́, whatever
что-нибу́дь, something
чу́вство, feeling
чужо́й, strange
чуло́к, stocking

Ш

шаг, step
шампа́нское, champagne
шар, ball
ша́хматы, chess
швейца́рский, Swiss
швея́, seamstress
шёлк, silk
шелуха́, husk, peelings
шерсть, wool
шерстянно́й, woollen
шестна́дцатый, sixteenth
шестна́дцать, sixteen
шесто́й, the sixth
шесть, six
шестьдеся́т, sixty
ши́на, tyre
ширина́, breadth, width
широ́кий, broad, wide
шить, to sew
шкаф, cupboard, wardrobe
шко́ла, school
шку́ра, hide
шля́па, hat
шокола́д, chocolate
шофёр, chauffeur
шум, noise
шу́мный, noisy

Щ

щека́, cheek
щётка, brush
щу́ка, pike

Э

эква́тор, equator
экску́рсия, excursion
экспеди́ция, expedition
электри́чество, electricity
эмбле́ма, emblem
эпо́ха, epoch
эта́ж, floor
э́ти, these
э́тот, this

Ю

юг, South
ю́жный, Southern

Я

я, I
я́блоко, apple
яви́ться, to appear
яд, poison
язы́к, tongue, language
яи́чница, fried eggs
яйцо́, egg
я́корь, anchor
янва́рь, January
я́ркий, bright
я́сно, clearly
я́сный, clear, bright
я́стреб, hawk
я́щик, box, drawer

KEY

Exercise 1

мир (m), живо́тное (n), же́нщина (f), ма́льчик (m), луна́ (f.), бума́га (f.), челове́к (m), вода́ (f.), де́вочка (f.), со́лнце (n.), газе́та (f.), оте́ц (m.), день (m.), окно́ (n.), ла́мпа (f.), вре́мя (n.), звезда́ (f.), брат (m.), край (m.), нож (m.), стол (m.), село́ (n.), тень (f.), мать (f.), рой (m.), ночь (f.), ды́ня (f.), мо́ре (n.), не́бо (n.), сестра́ (f.), чай (m.).

Exercise 2

страна́ (f.), ме́сяц (m.), приме́р (m.), у́жин (m.), каран-да́ш (m.), ска́зка (f.), кни́га (f.), кра́ска (f.), неде́ля (f.), ло́шадь (f.), зе́ркало (n.), де́рево (n.), гора́ (f.), яд (m.), соба́ка (f.), ко́мната (f.), пода́рок (m.), час (m.), пти́ца (f.), ту́ча (f.), хлеб (m.), река́ (f.), мину́та (f.), ве́чер (m.), пе́сня (f.), дом (m.), ма́сло (n.), письмо́ (n.), остро́в (m.), сад (m.), стул (m.), о́зеро (n.), учи́тель (m.), доро́га (f.).

Exercise 3

1. Kind father. 2. Kind mother. 3. Diligent boy. 4. Diligent girl. 5. Native country. 6. A new book. 7. An old horse. 8. A round mirror. 9. A pretty tree. 10. A faithful dog. 11. Blue sea. 12. A dark thunder-cloud. 13. Cheap butter. 14. A cloudy sky. 15. Fresh milk. 16. White paper. 17. A cold evening. 18. A deep river. 19. The native village. 20. A red pencil. 21. A good boy. 22. A new chair. 23. A rare animal. 24. A new world. 25. A strong horse. 26. A bright star. 27. A shaggy beard. 28. Cold water. 29. A deep lake. 30. A summer day. 31. A large window. 32. A new lamp. 33. Working time. 34. The elder brother. 35. A rich man. 36. A fresh root. 37. A little girl. 38. A poor woman. 39. A noisy swarm. 40. A poor country. 41. The younger sister. 42. Blue paint. 43. A good example. 44. A strong person. 45. A savage island. 46. A

new roof. 47. A high mountain. 48. Blue paper. 49. Bright sun. 50. A pretty song. 51. A summer month. 52. A winter evening. 53. A ripe melon. 54. A short letter. 55. A strange man. 56. A full basket.

1. Ста́рая пе́сня. 2. Ле́тняя ночь. 3. О́блачный день. 4. Ста́рая мать. 5. Кру́глое окно́. 6. Но́вая кни́га. 7. Ста́рое де́рево. 8. Ста́рый дом. 9. Высо́кая гора́. 10. Ста́рая соба́ка. 11. Больша́я ко́мната. 12. Я́ркая звезда́. 13. Дорого́й брат. 14. Си́няя ла́мпа. 15. Ле́тний ве́чер. 16. Зи́мняя ночь. 17. Хоро́шая ды́ня. 18. Большо́е село́. 19. Я́сное не́бо. 20. Бе́лая бума́га. 21. Краси́вая пе́сня. 22. Рабо́чая ло́шадь. 23. Ста́рое зе́ркало. 24. Си́льный ве́тер. 25. Бога́тое и си́льное госуда́рство. 26. Но́вая кры́ша. 27. Крута́я гора́. 28. Си́няя бумага́. 29. Я́ркое со́лнце. 30. Ста́рый сад. 31. Ле́тний ме́сяц. 32. Зи́мний ве́чер. 33. Дорого́й пода́рок. 34. Си́льный яд. 35. Глубо́кое о́зеро. 36. Большо́й о́стров. 37. Я́ркая кра́ска. 38. Рабо́чая неде́ля. 39. Ди́кий край. 40. Бе́дная же́нщина. 41. Коро́ткий день. 42. Ма́ленькая де́вочка. 43. Те́мная тень. 44. Си́нее не́бо. 45. Си́льное живо́тное. 46. Приле́жный ма́льчик. 47. Ле́тний день. 48. Сме́шная ска́зка. 49. О́стрый нож.

Exercise 4

1. What is this ? 2. This is a newspaper. 3. This is our house. 4. Where is our book ? 5. Here it is. 6. Who is that ? 7. That is my son. 8. Where is the tree ? 9. Here is the tree. 10. Where is the round window ? 11. Here is the round window. 12. I am here. 13. You and they are there. 14. Where are he and she ? 15. You are there but my brother is here. 16. Where is the child ? 17. It is here. 18. They are at home. 19. Your and our room. 20. My and his sisters are at home. 21. Your and my father. 22. Your and our house. 23. My ripe apple. 24. Your heavy table. 25. Your faithful dog. 26. What is your father ?* 27. He is a workman. 28. His cold milk. 29. His hot tea. 30. Each new word. 31. Your old address. 32. Their difficult task. 33. Their heavy stick. 34. What a long street ! 35. Which is your house ? 36. Whose is this strong horse ? 37. Her old father is a poor man. 38. This difficult word. 39. Who is here ? 40. We are here. 41. What is it ? 42. It is the morning paper. 43. What book is it ? 44. It is our book. 45. This work is difficult but that is easy. 46. Those girls are sisters. 47. Your cheap pencil. 48. Such a large house ! 49. His round table is there. 50. This book is mine. 51. This

* Note the different ways of expressing the same thing in Russian and in English, of which many cases will be found.

is my book. 52. The whole old roof. 53. My elder brother. 54. His younger sister. 55. Who is here ? 56. They are here. 57. Her Russian book. 58. That white paper is mine. 59. This rich country. 60. Her cheap lamp. 61. Our whole house. 62. Each new word. 63. Whose Russian newspaper is it ? 64. Our strong country. 65. The whole fresh milk. 66. We or you. 67. Her new address. 68. Each diligent boy. 69. Each wild bird. 70. Your empty house. 71. What warm weather ! 72. This apple is green but that one is ripe. 73. Which ribbon is it ? 74. It is the blue ribbon. 75. Whose hat is it ? 76. It is my hat. 77. Is it your newspaper ? 78. No, it is not my newspaper. 79. Your hat is grey. 80. His heavy hammer.

1. Где окно ? 2. Вот окно́. 3. Где зе́ркало ? 4. Зе́ркало здесь. 5. Газе́та там. 6. Оте́ц там. 7. Сестра́ здесь. 8. Где мать ? 9. Что э́то ? 10. Это тень. 11. Мо́ре там. 12. Где край ? 13. Стол здесь. 14. Что э́то ? 15. Э́то чай. 16. Где газе́та ? 17. То тру́дное вре́мя. 18. Весь го́род. 19. Его́ ста́рая мать. 20. Её а́дрес. 21. Вся́ кни́га. 22. Чья́ э́то па́лка ? 23. Его́ приле́жный учени́к. 24. Вся ночь. 25. Како́е краси́вое де́рево. 26. Э́та ру́сская газе́та. 27. Чьё э́то я́блоко ? 28. Ва́ша лёгкая рабо́та. 29. Всё мя́со. 30. Чья газе́та там ? 31. Твоё но́вое кольцо́. 32. Твоя́ ста́рая мать. 33. Э́та высо́кая гора́. 34. То кру́глое зе́ркало. 35. Ка́ждая ко́мната. 36. Вся́ неде́ля. 37. Весь ве́чер. 38. Всё вре́мя. 39. Ка́ждая я́ркая звезда́. 40. Их ло́шадь. 41. Э́тот кра́сный каранда́ш их. 42. Где его́ стул ? 43. Э́та ру́сская пе́сня. 44. Где све́жее ма́сло ? 45. Оно́ здесь. 46. Чья э́то там бума́га ? 47. Э́то моя́. 48. Э́то ре́дкое живо́тное. 49. Чей э́то большо́й дом ? 50. Э́то холо́дное молоко́ ваше, а тот чай мой. 51. Её мла́дшая сестра́. 52. Её си́няя ле́нта. 53. На́ша тёплая страна́. 54. Э́та пуста́я ко́мната. 55. Та желе́зная кры́ша. 56. Кака́я я́ркая мо́лния !

Exercise 5

1. The hour of rest. 2. The end of the concert. 3. The beginning of January. 4. The member of the club. 5. The building of the museum. 6. A glass of lemonade. 7. The captain of the steamer. 8. The force of wind. 9. The father's present. 10. The child's laughter. 11. The price of the coal. 12. The passenger's ticket. 13. The voice of the people. 14. Lenin Street. 15. The old man's grandson. 16. The bear's hide. 17. The colour of snow. 18. The number of the telephone. 19. The inhabitant of the town. 20. The time of arrival and departure of the train. 21. The address of the restaurant. 22. The new novel of the writer. 23. The length of the sleeve. 24. The stopping place of the tramway.

25. The teacher's question. 26. The pupil's answer. 27. The colour of the tea. 28. The rudder of the aeroplane. 29. The neighbour's garden. 30. The pupil's pencil. 31. The father's book. 32. A slice of bread. 33. The gardener's horse. 34. The watchman's room. 35. A remote island. 36. What is the stopping place for the tramway ? 37. A light wind. 38. Who is it ? 39. It is our gardener. 40. What is this ? 41. It is red paint. 42. Whose mirror is it ? 43. My father is at home. 44. The lemonade is here but the beer is there. 45. Who is there ? 46. It is I. 47. Where is the restaurant ? 48. It is there. 49. Where are they ? 50. Where is the captain ? 51. He is there. 52. Is our sister here ? 53. Yes, she is here. 54. Blue colour. 55. An old bear. 56. The pupil's penholder. 57. The gardener's clothes.

1. Соба́ка капита́на. 2. Телефо́н клу́ба. 3. Го́лос учи́теля. 4. И́мя писа́теля. 5. Вопро́с ученика́. 6. Си́ла медве́дя. 7. Цвет угля́. 8. Смех сестры́. 9. Вре́мя о́тдыха. 10. Я́блоко вну́ка. 11. Рабо́та садо́вника. 12. Па́лка сто́рожа. 13. Нача́ло ве́чера. 14. Па́лка ма́льчика. 15. Коне́ц дня. 16. Цвет сне́га. 17. Цена́ карандаша́. 18. Пода́рок геро́я. 19. Длина́ о́строва. 20. И́мя пассажи́ра. 21. Отве́т отца́. 22. Кто э́тот пассажи́р ? 23. Он писа́тель. 24. Холо́дное молоко́. 25. Краси́вый пода́рок. 26. Све́жий ве́тер. 27. Тёмное стекло́. 28. Чей э́то го́лос ? 29. Э́то го́лос учи́теля. 30. Коне́ц января́. 31. Где си́няя ле́нта ? 32. Она́ здесь. 33. Э́то холо́дное пи́во. 34. Кто она́ ? 35. Она́ моя́ сестра́. 36. Остано́вка трамва́я здесь. 37. Где ваш биле́т ? 38. Вот он. 39. Где руль парохо́да ? 40. Цена́ угля́. 41. Све́жее мя́со. 42. Холо́дный лимона́д.

Exercise 6

1. A bottle of water. 2. The colour of the cup. 3. The price of the cigarette. 4. Half of a match. 5. The building of the post office. 6. The end of the autumn and the beginning of the winter. 7. The summit of the mountain. 8. The bird's nest. 9. The restaurant of the hotel. 10. The teacher of history. 11. The number of the apartment. 12. The bank of the river. 13. The mother's voice. 14. The daughter's letter. 15. The rule of the game. 16. The wealth of the country. 17. The taste of the pear. 18. The colour of the cherry. 19. The border of the village. 20. The right side of the street. 21. The door of the flat. 22. The day of the week. 23. The width of the road. 24. The name of the newspaper. 25. The name of the capital. 26. A second is a part of a minute. 27. The end of a page. 28. The price of a knife, fork and spoon. 29. A branch

of a birch. 30. The aim of the journey. 31. A ray of hope. 32. The girl's head. 33. The solution of the problem. 34. The time of the walk. 35. The colour of the snow. 36. The feeling of love. 37. The mother's cup. 38. The water of the river. 39. The colour of the melon. 40. The shadow of the garden. 41. The factory watchman. 42. The aeroplane passenger. 43. The star's ray. 44. Dinner time. 45. The ceiling of the room. 46. The cabin door.

1. Страни́ца кни́ги. 2. Телефо́н сто́рожа. 3. Папиро́са старика́. 4. Коне́ц неде́ли. 5. Ка́рта столи́цы. 6. Назва́нье гости́ницы. 7. Длина́ у́лицы. 8. Ширина́ рукава́. 9. Назва́ние пти́цы. 10. Цвет шку́ры. 11. Прогу́лка ма́тери. 12. Кни́га до́чери. 13. Страни́ца исто́рии. 14. Газе́та о́тца. 15. Груша́ вну́ка. 16. Любо́вь ма́тери. 17. Путеше́ствие ге́роя. 18. Голова́ ма́льчика. 19. Разреше́ние капита́на. 20. Час рабо́ты. 21. Длина́ доро́ги. 22. Си́ла ло́шади. 23. Цена́ ножа́. 24. Гнездо́ пти́цы. 25. Наде́жда отца́. 26. Ко́рень берёзы. 27. Дом сто́рожа. 28. Учи́тель исто́рии. 29. Коне́ц зимы́. 30. Вкус воды́. 31. Цвет кра́ски. 32. Голова́ соба́ки. 33. Нача́ло о́сени. 34. Верши́на горы́. 35. Зе́ркало же́нщины. 36. Вкус ви́шни. 37. Край доро́ги. 38. Цвет звезды́. 39. Длина́ па́лки. 40. Луч звезды́. 41. Толщина́ бума́ги. 42. Недоста́ток воды́. 43. По́льза чте́ния. 44. Глубина́ реки́. 45. Величина́ о́зера. 46. Толщина́ де́рева. 47. Вкус ма́сла. 48. Цвет молока́. 49. Цена́ вина́. 50. Цвет ле́нты. 51. Пое́здка инжене́ра. 52. Грани́ца госуда́рства. 53. Здоро́вье садо́вника. 54. Коне́ц о́сени. 55. Назва́нье ме́ста. 56. Си́ла ве́тра. 57. Ла́па медве́дя. 58. Кварти́ра инжене́ра. 59. Цель путеше́ствия. 60. Луч со́лнца. 61. Ширина́ доро́ги. 62. Си́ла медве́дя. 63. Цвет лимона́да. 64. Бога́тство страны́. 65. Содержа́ние письма́. 66. Толщина́ па́лки. 67. Вре́мя рабо́ты. 68. Кры́ша гости́ницы. 69. Круто́й бе́рег реки́. 70. Красота́ ле́та. 71. Блеск пла́мени. 72. Разме́р кольца́. 73. Длина́ по́ля.

Exercise 7

1. The place of meeting. 2. The birthday. 3. A glass of beer. 4. A bottle of wine. 5. The root of the tree. 6. The beginning of a letter. 7. A piece of soap. 8. The taste of medicine. 9. The health of the population. 10. The use of electricity. 11. The man's heart. 12. The colour of the sky. 13. The shadow of the cloud. 14. The thickness of the cloth. 15. The price of the dress. 16. A cup of milk. 17. Lack of time. 18. The contents of a book. 19. The map of the country. 20. The number of the seat. 21. The pupil's answer.

22. The size of the stain. 23. An hour of reading. 24. The invention of the telephone. 25. The colour of the egg. 26. A lesson in drawing. 27. The meaning of the word. 28. The width of the street. 29. The border of the field. 30. The depth of the sea. 31. The name of the village. 32. The rising of the sun. 33. The child's laughter. 34. Rich extraction of gold and silver. 35. The exact meaning of the word. 36. The western border of the state. 37. A large cup of milk. 38. The name of the village. 39. The length of the log. 40. Intensive production of glass. 41. A pretty banner of the army. 42. The first reading lesson. 43. A serious heart disease. 44. The place of the nest. 45. The white shell of the egg. 46. The banks of the river. 47. The roof of the hotel. 48. The strength of the bear. 49. The thickness of the stick. 50. The wealth of the country. 51. The width of the road. 52 The force of the pressure.

1. За́пах мы́ла. 2. Цена́ сукна́. 3. Но́мер ме́ста. 4. Глубина́ о́зера. 5. Толщина́ де́рева. 6. Цена́ вина́. 7. Цвет пятна́. 8. Величина́ гнезда́. 9. Здоро́вье де́вочки. 10. Коне́ц ле́та. 11. Кварти́ра писа́теля. 12. Соба́ка капита́на. 13. Телефо́н клу́ба. 14. Го́лос учи́теля. 15. И́мя писа́теля. 16. Вопро́с ученика́. 17. Си́ла медве́дя. 18. Цвет угля́. 19. Смех сестры́. 20. Вре́мя о́тдыха. 21. Я́блоко вну́ка. 22. Рабо́та садо́вника. 23. Па́лка сто́рожа. 24. Нача́ло ве́чера. 25. Кни́га ма́льчика. 26. Коне́ц дня. 27. Цвет сне́га. 28. Цена́ карандаша́. 29. Пода́рок геро́я.

Exercise 8

1. He gave a present to his sister. 2. I am answering your brother. 3. This cat belongs to our neighbour. 4. We are answering the teacher. 5. What are you saying to your father ? 6. He is writing a letter to his brother. 7. I am going to a friend. 8. Give some milk to the cat. 9. The grandmother has told a fairy tale to her grandson and granddaughter. 10. He sends a newspaper to his teacher. 11. I am helping the gardener. 12. The father is explaining the lesson to his son. 13. The captain shows the ship's rudder to the passenger. 14. The woman has given some hay to the horse. 15. We are sending greetings to the hero. 16. Bad weather hinders the work of the gardener. 17. We presented the writer with a watch. 18. The soldiers obey their chief. 19. I have promised this book to your friend and his wife. 20. How much did you pay the porter ? 21. This Englishman gives lessons to my daughter. 22. The son helps his father in his work. 23. The mother has promised a doll to her little

daughter. 24. I am sending a letter to my grandfather. 25. Give this book to my sister. 26. Olga is going to her grandmother's. 27. The train is approaching the station.

Genitive case:

1. сóлнца. 2. бумагú. 3. человéка. 4. газéты. 5. нóчи. 6. крáя. 7. тéни. 8. селá. 9. мóря. 10. собáки. 11. птúцы. 12. дéрева. 13. слóва. 14. лéнты. 15. медвéдя. 16. прáвила. 17. истóрии. 18. óсени. 19. здорóвья. 20. сéрдца. 21. собрáния. 22. плáтья. 23. пóльзы. 24. инженéра. 25. лáпы. 26. пáлки. 27. бáбушки. 28. сы́на.

Dative Case:

1. сóлнцу. 2. бумáге. 3. человéку. 4. газéте. 5. нóчи. 6. крáю. 7. тéни. 8. селý. 9. мóрю. 10. собáке. 11. птúце. 12. дéреву. 13. слóву. 14. лéнте. 15. медвéдю. 16. прáвилу. 17. истóрии. 18. óсени. 19. здорóвью. 20. сéрдцу. 21. сóбранию. 22. плáтью. 23. пóльзе. 24. инженéру. 25. лáпе. 26. пáлке. 27. бáбушке. 28. сы́ну.

1. Мы предложúли нáшему гóстью и егó женé сáмую лýчшую кóмнату. 2. Насекóмые причинúли э́тому пóлю мнóго вредá. 3. Он послáл своéй невéсте часы́. 4. Мы напúшем Вéре зáвтра. 5. Он сказáл Мáше, что он бýдет дóма пóздно. 6. Мы дáли сиротé плáтье и пúщу. 7. Мой отéц продáл свой дом нашему сосéду. 8. Капитáн заплатúл жáлованье матрóсу. 9. Матрóс послáл дéньги своéй женé. 10. Больнóй благодáрен дóктору. 11. Мы посылáем писáтелю э́ти гáзеты. 12. Э́тот óстров принадлежúт Áнглии. 13. Мы послáли мёду учúтелю. 14. Садóвник продáл моéй сестрé цвéты. 15. Дáйте мáльчику сáхару. 16. Мать послáла сы́на к дóктору. 17. Э́тот кáменный дом принадлежúт нáшему дя́де. 18. Францýз спрáшивает нас по-францýзски, а мы отвечáем по-англúйски. 19. Мы понимáем его вопрóсы, но мы не говорúм по-францýзски. 20. Всё населéние помогáет в пострóйке шкóлы. 21. Мать позволя́ет дéтям игрáть на берегý мóря. 22. Дóктор совéтует больнóй пить молокó. 23. Дéдушка обещáл внýку кнúгу скáзок. 24. Отéц запрещáет сы́ну курúть, потомý что он ещё мóлод. 25. Онá чáсто противорéчит учúтельнице.

Exercise 9

1. Where is your book? 2. Here it is. 3. Where is my ticket? 4. Is your room downstairs or upstairs? 5. My sister will be abroad in the winter. 6. This large room was mine. 7. They were not here yesterday. 8. Have you been

abroad ? 9. Who is he ? 10. He is my pupil. 11. This book is a history text book. 12. He is Russian but his wife is an Englishwoman. 13. This ribbon is mine and that one is yours. 14. I am usually at home in the morning and in the evening. 15. He used to stay in London every winter. 16. Do you go often to the theatre ? 17. The pupils are sometimes lazy. 18. Is it my pencil or thine ? 19. Whose newspaper is it ? 20. This mirror is not ours. 21. Where is my key ? 22. This high building is not a hospital but a museum. 23. What is the number of your telephone ? 24. When wilt thou be at home ? 25. Where were you yesterday ? 26. She will not be here to-day. 27. The Thames is a very wide river. 28. Whose room is it ? 29. It will be a very hot day to-morrow. 30. The night was light. 31. The passenger's Christian name and surname are Michael Ivanov. 32. Who is the captain of the steamer " Rodina " ? 33. My father will not be at home during the day. 34. Have you the newspaper ? 35. Be patient ! 36. This Englishman is often here. 37. We seldom go abroad. 38. Who will be at home in the evening ? 39. Was she there in the morning ? 40. When will you be here ? 41. Be attentive ! 42. His room is upstairs. 43. Her book is here. 44. What date is to-day ? 45. He is my son. 46. The old man's grandson. 47. The inhabitant of the town. 48. The sister's health. 49. The army's banner. 50. The first geography lesson. 51. Michael's birthday. 52. The lack of water. 53. A half of a pear. 54. Who is this ? 55. This is our gardener. 56. Nobody was here yesterday evening.

1. Кусóк серебрá. 2. Вес зóлота. 3. Головá дитя́ти. 4. Тáкая интерéсная кни́га ! 5. Чья́ это ви́лка ? 6. Э́то моя́. 7. Моя́ роднáя странá. 8. Её нóвая лéнта. 9. Тёплая погóда. 10. Э́та ди́кая пти́ца. 11. Нáша стáрая лóшадь. 12. Дорогóе путешéствие. 13. Егó рéдкая кни́га. 14. Крáсное винó. 15. Óблачное нéбо. 16. Котóрый дом ваш ? 17. Пéрвый дом наш. 18. Какóй чай это ? 19. Пéрвый мéсяц гóда — янвáрь. 20. Хорóший примéр. 21. Их си́няя лéнта. 22. Большóе я́блоко. 23. Лёгкая задáча. 24. Он и́ли ты. 25. Конéц письмá. 26. Вкус лекáрства. 27. Изобрéтение автомоби́ля. 28. Сегóдня втóрник. 29. Бéлый снег. 30. Си́льный зáпадный вéтер. 31. Нóвый учéбник истóрии. 32. Ру́сский язы́к. 33. Жáркое лéто. 34. Кáкое сегóдня числó ? 35. Недéля óтдыха. 36. Дешё-вая кварти́ра. 37. Я здесь, а он там. 38. Где ваш дом ? 39. Мой брат был вчерá вечéром дóма. 40. Бы́ли-ли вы недáвно заграни́цей ? 41. Лóндон — столи́ца Великобритáнии. 42. Мать э́того мáльчика моя́ сестрá. 43. Погóда былá холóдная сегóдня у́тром. 44. Вáша сестрá здесь. 45. Что э́то ? 46. Э́то я́блоко. 47. Ты был здесь вчерá. 48. Какóй ваш áдрес ? 49. Э́то нáша

у́лица. 50. Кто она́? 51. Где́ вы бы́ли вчера́? 52. Мы не бы́ли до́ма. 53. Где вы бу́дете за́втра? 54. Мы бу́дем зимо́й заграни́цей. 55. Где моя́ соба́ка? 56. Кто э́тот молодо́й челове́к? 57. Он не здесь. 58. Он был здесь ле́том.

Exercise 10

1. My grandmother is old. 2. This large room was for a long time vacant. 3. This new house is high. 4. Foreign tobacco is expensive. 5. Your pipe is cheap. 6. She was ill. 7. That little girl was too curious. 8. The village is far from the town. 9. Hot milk is tasty. 10. The grass is high in the summer. 11. Our English book is very interesting, but it is somewhat difficult. 12. This river is wide. 13. He was always absent-minded. 14. Dinner is not ready yet. 15. She will be busy to-morrow. 16. Be reasonable! 17. Will she be free in the evening? 18. Be ready early in the morning. 19. She was pleased. 20. Your red and white roses are pretty. 21. The doctor is now free. 22. My brother is now quite well. 23. The Russian language is not difficult. 24. Your question is not clear. 25. Our task is difficult. 26. Their iron stick is heavy. 27. Her book is useful. 28. Thy lesson is easy. 29. The sea is deep. 30. He was not poor. 31. The boy is sick, but the girl is healthy. 32. His pupil is attentive and diligent, but her pupil is absent-minded and lazy. 33. The night is dark. 34. The air is fresh. 35. The sky is cloudy. 36. The tree is high. 37. This round mirror. 38. Our dog is faithful. 39. This bird is rare. 40. This country is rich. 41. The father is kind. 42. This underground railway is very long. 43. The donkey is silly and obstinate. 44. The flow of the river is very even. 45. The neighbour's ox is fat. 46. The patient needs rest. 47. This poison is very harmful. 48. He is always amiable.

1. Ко́мната пуста́. 2. Наш дом закры́т. 3. Э́та ле́нта длинна́. 4. У́лица широка́. 5. Яйцо́ све́жее. 6. Э́то изобре́тение о́чень ва́жное. 7. Больни́ца откры́та днём и но́чью. 8. Зда́ние Музе́я высо́ко. 9. Э́та ко́мната светла́. 10. Уче́бник исто́рии интере́сен. 11. Э́то де́рево молодо́е. 12. Э́та зада́ча проста́я. 13. Э́тот хлеб сла́док. 14. Бума́га тонка́. 15. Рабо́тник уста́л. 16. Я́блоко вку́сно. 17. Мой оте́ц за́нят. 18. На́ша мать о́чень терпели́ва. 19. Англи́йский язы́к лёгок. 20. Брат бо́лен. 21. Учи́тель дово́лен. 22. Обе́д бу́дет гото́в ра́но. 23. Зна́ние грамма́тики поле́зно. 24. Мой оте́ц бу́дет за́нят сего́дня ве́чером, но он бу́дет свобо́ден за́втра у́тром. 25. Вот ча́шка ча́ю. 26. Ваш оте́ц о́чень любе́зен. 27. Э́то лека́рство поле́зно. 28. День ко́роток. 29. Обе́д вку́сен. 30. Учи́тель терпели́в. 31. На́ша зада́ча трудна́. 32. Францу́зский язы́к

непро́ст. 33. Моя́ сестра́ рассе́яна. 34. Её го́лос прия́тен. 35. Больни́ца закры́та. 36. Ма́льчик упря́м. 37. Иностра́нная газе́та. 38. Инжене́р фа́брики всегда́ за́нят. 39. Чи́стый во́здух дере́вни здоро́в. 40. Подзе́мная желе́зная доро́га длинна́. 41. Трава́ мягка́. 42. Изве́стный писа́тель тепе́рь заграни́цей. 43. Ро́за прекра́сна. 44. Его́ отве́т был коро́ток. 45. Чай гото́в. 46. Прия́тная прогу́лка. 47. Сестра́ бу́дет здесь за́втра ра́но у́тром. 48. Э́то у́мное дитя́. 49. Любопы́тный ма́льчик. 50. Они́ ещё до́ма.

Exercise 11

1. The engineer is building a bridge. 2. The teacher is explaining a problem. 3. The dog accompanies its master. 4. The girl listens to the fairy tale. 5. The teacher praises the pupil. 6. The father gives advice to his son. 7. The gardener has a stick. 8. The cat likes milk. 9. The father sells the horse. 10. She shuts the window. 11. He reads the newspaper. 12. We are reading a novel. 13. The dog drinks water. 14. Our father likes tea. 15. She has an apple. 16. I know the name of the street. 17. He often visits the museum. 18. I know the name of the hero. 19. He has paper, an envelope and a stamp. 20. I ask the price of the book. 21. He listens to the song. 22. My father buys a motor car. 23. He has a little grandson. 24. The captain measures the depth of the water. 25. She has a fork, a spoon and a knife. 26. He hurries to finish his work. 27. I am sending a letter abroad. 28. We receive a newspaper daily. 29. They help their father. 30. This book belongs to the teacher. 31. The pupil understands the teacher's question. 32. We are dining at home. 33. You begin working early in the morning and finish late in the evening. 34. The boy listens attentively to the teacher's explanation. 35. We elect the chairman of the school council. 36. The girl is looking for the comb and brush. 37. Every pupil knows his lesson. 38. Our mother is mending our clothes. 39. The doctor accompanies the sick person. 40. We always listen gladly to this song. 41. The father writes a letter daily. 42. The workmen finish work early. 43. Do you close the window in the evening ? 44. Does she read English ? 45. Does your father live abroad ? 46. Do you understand the explanation of the teacher ? 47. Do you sing this song ?

1. Иностра́нец спра́шивает а́дрес музе́я. 2. Сто́рож име́ет соба́ку. 3. Мать покупа́ет стол и стул. 4. Я люблю́ цвет сне́га. 5. Моя́ сестра́ посыла́ет сосе́ду письмо́. 6. Дитя́ пи́шет письмо́ ка́ждое у́тро. 7. Где живёт твой друг тепе́рь ? 8. Он всегда́ живёт заграни́цей ле́том. 9. Иностра́нец спра́шивает,

где остановка трамвая? 10. Портной покупает сукно. 11. Птицы всегда улетают зимой. 12. Я читаю историю мира. 13. Девочка моет тарелку, блюдце, нож, вилку и ложку. 14. Мой отец починяет автомобиль. 15. Этот замок принадлежит садовнику. 16. Учитель объясняет изобретение инженера. 17. Я вижу вершину горы. 18. Медведь любит мёд. 19. Михаил знает название столицы. 20. Пассажир спрашивает время прихода и отхода парохода. 21. Она посылает письмо соседу. 22. Герой получает награду. 23. Этот англичанин понимает по-русски. 24. Где твоя щётка? 25. Учитель хвалит ученика. 26. Я спешу домой. 27. Я работаю вечером. 28. Отец объясняет игру. 29. Они посылают письмо. 30. Англичанка обедает здесь. 31. Девочка ищет гребень и щётку. 32. Инженер измеряет длину и ширину моста. 33. Я знаю имя и фамилию председателя. 34. Вот замок. 35. Где ключ? 36. Кончает-ли он работу рано? 37. Посылаешь-ли ты книгу учителю? 38. Моет-ли мать ребёнка? 39. Сопровождаете-ли вы вашего друга? 40. Строят-ли они автомобиль? 41. Кто избирает председателя? 42. Я не знаю.

Exercise 12

1. The colour of China tea. 2. The grammar of the English language. 3. The letter of the thankful son. 4. The roof of the high house. 5. The answer of the attentive pupil. 6. The present of a kind friend. 7. The length of a winter day. 8. The invention of a well-known engineer. 9. The apartment of the foreign captain. 10. The question of a curious boy. 11. The hour of evening rest. 12. The end of the symphonic concert. 13. A member of the workmen's club. 14. The building of the new museum. 15. A glass of cold lemonade. 16. The captain of a passenger steamer. 17. The force of the sea wind. 18. The present of the kind father. 19. The laughter of the healthy child. 20. The price of engine-coal. 21. The voice of a free people. 22. The street of the great Lenin. 23. The grandson of the blind old man. 24. The skin of the black bear. 25. The colour of the melting snow. 26. The number of the town telephone. 27. The inhabitant of a factory town. 28. The time of arrival and departure of the evening train. 29. The address of the vegetarian restaurant. 30. The new novel of the well-known writer. 31. The length of the right bank of the river. 32. The horse of the old gardener. 33. A slice of fresh bread. 34. The room of the night watchman. 35. A bottle of hot water. 36. The colour of a new cup. 37. The price of a foreign cigarette. 38. Half of a burning match. 39. The building of the village post office. 40. The end of a rainy autumn and the beginning of a cold winter.

41. The summit of a high mountain. 42. The nest of a wild bird. 43. The restaurant of a new hotel. 44. The teacher of Russian history. 45. The number of the old apartment. 46. The bank of a wide river. 47. The voice of the sick mother. 48. The letter of the kind daughter. 49. The rule of the children's game. 50. The taste of a ripe pear. 51. The colour of a green cherry. 52. The border of the neighbouring village. 53. The right side of the long street. 54. The door of the furniture factory. 55. The exact meaning of the foreign word. 56. A large piece of fresh cheese. 57. The name of the large village. 58. The length of the railway. 59. Intensive production of window glass. 60. The pretty banner of the brave army. 61. The shell of a chicken egg. 62. The south coast of the Black Sea. 63. Strong smell of machine oil. 64. The peelings of a ripe apple. 65. The length of the linen towel. 66. The shine of a bright flame. 67. The size of the ink spot. 68. The size of an iron ring. 69. The dislocation of the left knee. 70. The bone of the right shoulder. 71. The colour of the southern sky. 72. The sense of civil duty. 73. The length of the next field. 74. The beginning of last week. 75. The width of the village road. 76. The name of the English capital. 77. The end of the first page. 78. The price of the French grammar. 79. The weight of the silver fork. 80. The taste of cold water. 81. The branch of a young birch. 82. The purpose of an urgent journey. 83. The head of the small girl. 84. The time of the morning walk. 85. The sentiment of tender love. 86. The key of the wooden box. 87. The furniture of the new hotel. 88. The working of the air-pump. 89. The German Army soldier. 90. The right bank of the river.

1. Ча́шка горя́чей воды́. 2. Цвет серéбряной лóжки. 3. Ценá хорóшей трýбки. 4. Дом рýсского сосéда. 5. Письмó стáрой сосéдки. 6. Конéц холóдной óсени. 7. Начáло пéрвой страни́цы. 8. Окнó тёмной кóмнаты. 9. Вóйско большóй страны́. 10. Величинá гнездá ди́кой пти́цы. 11. Размéр желéзной кры́ши. 12. Назвáние интерéсной кни́ги. 13. Лéвая сторонá дорóги. 14. Цвет спéлой ви́шни. 15. Письмó стáршей дóчери. 16. Верши́на высóкой горы́. 17. Длинá лéвой руки́. 18. Вес тяжёлой пáлки. 19. Конéц рабóчего дня. 20. Температýра горя́чей воды́. 21. Тень стáрого дóма. 22. Конéц дли́нного путешéствия. 23. Истóрия вели́кого нарóда. 24. Шкýра чёрного медвéдя. 25. Начáло вечéрнего концéрта. 26. Расскáз англи́йского писáтеля. 27. Головá краси́вого попугáя. 28. Пáлка слепóго старикá. 29. Вид фабри́чного гóрода. 30. Длинá морскóго бéрега. 31. Вкус слáдкого чáя. 32. Прибы́тие инострáнного парохóда. 33. Назвáние англи́йской

ска́зки. 34. Отве́т рассе́янного челове́ка. 35. День занято́го учи́теля. 36. Населе́ние госуда́рства. 37. Цена́ дешёвого биле́та. 38. Стена́ высо́кого зда́ния. 39. Сове́т ста́рого дру́га. 40. Дом гостеприи́много хозя́ина. 41. Дверь кни́жного магази́на. 42. Длина́ пра́вого рукава́. 43. И́мя мла́дшего сы́на. 44. Во́здух жа́ркого дня. 45. Пода́рок до́брого дя́ди. 46. Зда́ние но́вого кинемато́графа. 47. Кре́пость весе́ннего льда. 48. Крова́ть ночно́го сто́рожа. 49. Карти́на знамени́того худо́жника. 50. Э́та кни́га — рома́н Толсто́го „Война́ и Мир". 51. Гнездо́ се́рого го́лубя. 52. Исто́рия родно́й страны́. 53. Ка́рта большо́го го́рода. 54. Назва́ние известной газе́ты. 55. Любо́вь не́жной ма́тери. 56. Зна́ние иностра́нного языка́. 57. Вкус спе́лой гру́ши. 58. Цвет кру́глого стола́. 59. Цена́ ста́рого журна́ла. 60. Полоте́нце и мы́ло до́чери. 61. Се́рдце ста́рого челове́ка. 62. Чте́ние ма́ленького ма́льчика. 63. Красота́ бе́лого сне́га. 64. Исто́рия вели́кого наро́да. 65. Голова́ чёрного медве́дя. 66. Цвет англи́йского пи́ва. 67. Вышина́ молодо́го де́рева. 68. Здоро́вье ма́ленького ребёнка. 69. Си́ла ста́рого медве́дя. 70. Ра́ма серебряного зе́ркала. 71. Кры́ша но́вого зда́ния. 72. Це́нность поле́зного изобре́тения. 73. Исто́рия англи́йского госуда́рства. 74. Величина́ желе́зного кольца́. 75. Ось ма́лого колеса́. 76. Продолжи́тельность жа́ркого ле́та. 77. Пове́рхность бу́рного мо́ря. 78. Вкус холо́дного мя́са. 79. Цвет горя́чего молока́. 80. Цена́ дешёвого мы́ла. 81. Но́мер свобо́дного ме́ста. 82. Ка́чество автомоби́льного ма́сла. 83. Цвет обла́чного не́ба. 84. Глубина́ большо́го о́зера. 85. Цвет око́нного стекла́. 86. А́втор интере́сного письма́. 87. Объясне́ние граммати́ческого пра́вила. 88. Теплота́ ю́жного со́лнца. 89. Значе́ние иностра́нного сло́ва. 90. Лече́ние сла́бого се́рдца. 91. И́мя изве́стного геро́я. 92. Назва́ние истори́ческого ме́ста.

Exercise 13

1. A heavy and dark thundercloud covers the sky. 2. The teacher rewards the diligent pupil. 3. The neighbour gives a ripe apple to the good boy. 4. I am reading an interesting English book. 5. My sick father spends the cold winter abroad. 6. We often buy the foreign newspaper. 7. The engineer is constructing a new machine. 8. We have a comfortable apartment. 9. The passenger is buying a cheap ticket. 10. The teacher orders the lazy pupil to work diligently. 11. He likes sweet tea. 12. The author of this historical novel is a well known writer. 13. The price of our English book is very dear. 14. The gardener sells a ripe melon. 15. The colour of this cherry is red. 16. I am writing a long letter to my old friend. 17. Children often look for the nest of the little bird.

18. The teacher tells an amusing story to the little boy and the little girl. 19. The chief of the railway informs the passenger of the time of the arrival of the passenger train. 20. We measure the depth of the river and the lake in the summer and in the winter. 21. The gardener of this beautiful park has a pretty white and red rose. 22. The chief of the motor-car factory always praises the work of the diligent workman. 23. The owner of the new vegetarian restaurant is my friend. 24. We are reading the latest number of the technical magazine. 25. The left sleeve of the new woollen dress is too long and too narrow.

1. Э́та фа́брика пла́тит иностра́нному инжене́ру большо́е жа́лование. 2. Англича́нин ежедне́вно даёт у́рок своего́ родно́го языка́ молодо́му рабо́чему фа́брики. 3. Они́ про́сят капита́на переда́ть э́то ва́жное письмо́ Нача́льнику Фло́та. 4. Мы пи́шем отцу́ э́того приле́жного ма́льчика. 5. Плоха́я пого́да меша́ет ста́рому садо́внику рабо́тать. 6. Мы ве́рим э́тому ста́рому челове́ку. 7. Учи́тель сове́тует ученика́м чита́ть рома́н знамени́того писа́теля. 8. Он всегда́ помога́ет иностра́нцу в изуче́нии ру́сского языка́. 9. Мы пока́зываем го́стью прекра́сный городско́й парк и но́вый „Дом О́тдыха". 10. До́ктор объясня́ет больно́му по́льзу лека́рства. 11. Вы расска́зываете интере́сную ска́зку ма́ленькой де́вочке на́шего сосе́да. 12. Заве́дующий прика́зывает ночно́му сто́рожу ка́ждый день закрыва́ть дверь фа́брики и передава́ть ключ садо́внику. 13. Оте́ц объясня́ет сы́ну пра́вило, кото́рое он не принима́ет. 14. Ма́ленькая де́вочка помога́ет ста́ршей сестре́ вари́ть обе́д. 15. Она́ дала́ учи́телю пра́вильный отве́т. 16. Шу́мный разгово́р меша́ет писа́телю писа́ть ва́жную статью́.

Exercise 14

1. The boy is eating an apple and a piece of bread without any butter. 2. Do you want a plate of meat? 3. Is your father at home? 4. It is not far from the sea-shore to our house. 5. My brother's English paper is here. 6. Where is my blue pencil? 7. I do not drink water. 8. What did you do yesterday evening? 9. We were reading a very interesting book. 10. Will your mother be at home this morning? 11. We shall play after the lesson until evening. 12. Give some chocolate to the children. 13. Does your sister speak Russian? 14. No, she does not speak, but she understands all that she reads. 15. My son does not understand this simple rule because he did not listen to the explanation of the teacher. 16. I have never smoked. 17. Give some milk to the sick woman. 18. I like Russian folk songs. 19. I have no friends abroad. 20. I rest in the evening after my work. 21. Do

you want some cigarettes ? 22. My sister likes Dickens' novels. 23. Have you any cherries, pears or apples ? 24. Our friends came to the quay to see us off. 25. My pupils have brought me a beautiful bunch of flowers. 26. I have promised to send postcards with the views of those places which we shall visit. 27. My mother has asked me to bring her a small carpet. 28. Whose house is it ? 29. It is the engineer's house. 30. Whose pictures did you see at the exhibition yesterday ? 31. We have seen the pictures of the young artist of whom you read in the paper. 32. I want some tea. 33. With whose pencil are you writing ? 34. I am writing with my sister's red pencil. 35. This is not the place for these books. 36. Why don't you put them on the shelf ? 37. Please pass me the newspaper, which is near you. 38. Their apartment is on the fifth floor. 39. She left her silk umbrella in the train. 40. She asked me to enquire whether there is a letter for her at our neighbour's. 41. We have sent our luggage by express train. 42. Their conversation lasted a whole hour. 43. Have you found your gloves ? 44. We do not know your address. 45. We have heard much about your work. 46. The teacher is not pleased with our progress. 47. I have no letter from my friend. 48. I believe your promise. 49. They have sold our horses without our consent. 50. There are always many motor cars in our street. 51. He went abroad without any luggage. 52. They seldom see their brother. 53. Their sister is an excellent artist. 54. Her pictures are liked by everybody who has seen them. 55. We are asking our friend to tell us about his journeys. 56. There are always many guests at their house. 57. Where did you buy this lamp ? 58. I bought it in Paris. 59. How much did you pay for it ? 60. It cost a hundred and forty francs.

1. Э́ти места́ нам не знако́мы. 2. Мой оте́ц не нашёл своего́ алма́за, и он не мо́жет наре́зать стекло́ для на́ших око́н. 3. Он иска́л его́ повсю́ду. 4. Он дал свое́й ма́тери отли́чный пода́рок. 5. Я слы́шал о ва́ших успе́хах, и я о́чень дово́лен ва́ми. 6. Она́ не може́т носи́ть э́то кольцо́ : оно́ сли́шком мало́. 7. На́ша дере́вня на холме́. 8. Я проводи́л сестру́ на при́стань. 9. Они́ пое́хали парохо́дом посети́ть на́шу ста́рую тёку. 10. Как до́лго вы ожида́ли меня́ ? 11. Не до́лго, не бо́льше десяти́ мину́т. 12. Встре́тили-ли вы свои́х друзе́й ? 13. Нет, их не бы́ло в па́рке. 14. Идёт-ли кто с на́ми ? 15. Никто́, мы все за́няты. 16. Мы о́чень мало зна́ем о ва́шей рабо́те. 17. Мы не ви́дели их стола́ и мы не зна́ем, кру́глый-ли он ? 18. Позади́ ее до́ма большо́е о́зеро. 19. Он потеря́л свои́ но́вые перча́тки. 20. Письмо́ под ва́шей кни́гой. 21. До́ктор оказа́л по́мощь больно́му. 22. Все магази́ны нахо́дятся на ле́вой стороне́

у́лицы. 23. Пожа́луйста, да́йте им их де́ньги, когда́ они́ ко́нчат рабо́ту в саду́. 24. Пожа́р разру́шил её дом и ей не́где жить. 25. Мы никода́ не чита́ем вслух, хотя́ э́то поле́зно. 26. Дире́ктор э́той фа́брики обеща́л свои́м рабо́чим ежего́дный ме́сячный о́тпуск, е́сли они́ бу́дут рабо́тать во́семь часо́в в день. 27. Она́ заплати́ла пять фу́нтов за своё пла́тье. 28. Ме́бель ва́шей ко́мнаты не стара́. 29. Она́ была́ в ней всего́ лишь не́сколько лет. 30. Бери́те варе́нье! 31. Учи́тель дал награ́ду на́шему сы́ну и хвали́л его́ пе́ред всем кла́ссом. 32. Их жа́лоба неоснова́тельна. 33. Вы́пейте пи́ва! 34. До́ктор в своём кабине́те. 35. Он проси́л не меша́ть ему́ рабо́тать. 36. Мы посыла́ем на́ших дете́й в шко́лу то́лько по утра́м. 37. Мы никого́ не зна́ем в дере́вне. 38. Э́ти англича́не на́ши друзья́. 39. Ли́стья э́того де́рева же́лты. 40. Да́йте мне, пожа́йлуйста, молока́. 41. Он дал на́шему сосе́ду три буты́лки вина́ и фунт табаку́. 42. Я был пять неде́ль заграни́цей. 43. Ско́лько книг вы чита́ете зимо́й? 44. Не тро́гайте э́тих цвето́в! 45. Иностра́нец спра́шивает нас по-англи́йски, а мы отвеча́ем по-ру́сски. 46. Бы́ли-ли вы заграни́цей? 47. Попуга́й не лю́бит свое́й кле́тки. 48. Кита́йский язы́к тру́ден. 49. Я никогда́ не ви́дел э́тих ди́ких птиц. 50. Я люблю́ слушать смех дете́й. 51. Кто снабжа́ет вас мя́сом, колбасо́й и ветчино́й? 52. Мясни́к. 53. Где вы покупа́ете кни́ги, газе́ты и журна́лы? 54. Он ничего́ не жела́ет. 55. Моя́ мать име́ет дю́жину сере́бряных ло́жек и ви́лок. 56. Я чита́ю три страни́цы в день. 57. Что де́лают ва́ши бра́тья и сёстры ве́чером? 58. Они́ чита́ют или пи́шут кра́сками. 59. Мы всегда́ говори́м по-ру́сски. 60. Я посеща́ю свои́х знако́мых о́чень ре́дко, потому́ что я всегда́ за́нят. 61. Яйца о́чень до́роги зимо́й. 62. Мы зна́ем мно́го ру́сских слов. 63. Больно́й всегда́ благодари́т до́ктора за кни́ги. 64. Где живёт ваш друг? 65. Вблизи́ по́чты. 66. Мой ста́рший брат обеща́л сёстрам не́сколько книг. 67. Э́ти магази́ны закры́ты. 68. Мы встаём ле́том о́чень ра́но. 69. Я ре́дко встреча́ю моего́ дру́га. 70. Кто э́тот ма́льчик? 71. Э́то мой сын. 72. Я бу́ду ча́сто писа́ть ма́тери. 73. Учи́тель даёт ка́ждому ученику́ два карандаша́, по чёрному и си́нему карандашу́. 74. Почему́ вы не чита́ете англи́йской газе́ты. 75. Я не зна́ю языка́ доста́точно хорошо́.

Exercise 15

1. The boy is not writing the letter, because he has neither a penholder nor a pencil. 2. To-day is Wednesday. 3. It is my elder brother's birthday. 4. A monkey imitates people. 5. I remind my father of the number of the bookshop telephone when he wishes to order books. 6. Children, do not make a noise and do not disturb me in my work! 7. Have you read the morning paper? 8. I never read the paper in the

mornings. 9. Our neighbour is old. 10. I do not know the words of this song. 11. Is it the last train ? 12. No, it is not the last ; there will still be two trains. 13. This article is too long. 14. Who is this tall young man ? 15. Peasants and workmen used to work hard but lived very poorly. 16. This seat is mine and that one is thine. 17. I have no ticket. 18. Nobody knows this man. 19. He is a stranger here. 20. I do not go out often because I am very busy. 21. Everybody is working but you do nothing. 22. The mother buys sugar, tea, flour, eggs, meat, cheese and butter. 23. The master of the house has very valuable pictures of well-known English, Italian and French artists. 24. I am standing at the window and I see the town, people, houses, shops, tramways, motor cars. 25. I sometimes meet my old friend. 26. I am buying various things for my mother, needles, threads, ribbons, envelopes and paper. 27. Have you any relations in this town ? 28. Yes, I have two brothers and three sisters. 29. My sister's husband is an engineer. 30. Do you know the names of the days of the week in English ?

1. Мы зна́ем значе́ние э́тих иностра́нных слов. 2. Знамёна э́того хра́брого во́йска о́чень краси́вы. 3. Ко́мнаты ста́рой гости́ницы име́ют больши́е кру́глые о́кна. 4. У́лицы больши́х городо́в широки́. 5. Ко́мнаты городски́х больни́ц высоки́. 6. Мы чита́ем у́тренние и вече́рние газе́ты. 7. Учи́тель пока́зывает ученика́м географи́ческие ка́рты. 8. Ученики́ изуча́ют больши́е и ма́лые ре́ки европе́йских стран. 9. Жизнь жи́телей жа́рких стран легка́. 10. Моя́ мать даёт холо́дного молока́ и ло́мти све́жего хле́ба ма́леньким вну́кам и вну́чкам на́шего ста́рого сосе́да. 11. Мой дя́дя покупа́ет загрaни́цей шку́ры живо́тных. 12. Я́ркие ла́мпы освеща́ют доро́гу. 13. Исто́рия европе́йских наро́дов интере́сна. 14. Мои́ бра́тья чита́ют рома́ны изве́стных иностра́нных писа́телей. 15. Зи́мние но́чи и ле́тние дни дли́нны. 16. Я люблю́ цвет кра́сных роз. 17. Вопро́сы любопы́тных дете́й ча́сто о́чень заба́вны. 18. Он лю́бит слу́шать наро́дные пе́сни. 19. Портно́й покупа́ет шерстя́ное сукно́. 20. И́гры дете́й иногда́ опа́сны. 21. Клю́чи фа́брики здесь. 22. Он покупа́ет дешёвые кни́ги. 23. Си́льные ве́тры ду́ют с мо́ря. 24. Война́ прино́сит тяжёлые времена́. 25. Не́которые стра́ны име́ют глубо́кие озера́. 26. Сосна́ и дуб — высо́кие де́ревья. 27. Вот спе́лые ви́шни. 28. Две́ри откры́ты. 29. За́падные стра́ны име́ют мно́го школ. 30. Э́то век поле́зных изобре́тений. 31. Я открыва́ю дверь, потому́ что в ко́мнате жа́рко. 32. У две́ри две ру́чки. 33. Они́ сде́ланы из желе́за. 34. Я повора́чиваю ключ и открыва́ю дверь. 35. Я ви́жу ковёр, шесть сту́льев, два стола́ и ла́мпу. 36. Потоло́к ко́мнаты бе́лый. 37. Сте́ны та́кже бе́лы.

Exercise 16

1. Fresh cheese. 2. The new address. 3. Sweet bread. 4. The English grammar. 5. A young English woman. 6. A long letter. 7. White paper. 8. A diligent pupil. 9. A rich country. 10. An iron stick. 11. A town hospital. 12. A well known writer. 13. An interesting journey. 14. The sick grandmother. 15. A silver ring. 16. A new hotel. 17. A foggy day. 18. A young tree. 19. A stormy wind. 20. A kind uncle. 21. A warm night. 22. The Western frontier. 23. A difficult task. 24. A bright glow. 25. The patient doctor. 26. An old nest. 27. A wooden door. 28. An evening in Spring. 29. A difficult time. 30. A green branch. 31. A ripe cherry. 32. A brave army. 33. A wild animal. 34. A hot morning. 35. A high building. 36. A red banner. 37. An iron lock. 38. The closed window. 39. The new museum. 40. An important invention. 41. Intensive work. 42. A round table. 43. A blue pencil. 44. A pretty child. 45. A true friend. 46. An unfortunate cripple. 47. A lonely orphan. 48. The Chinese army. 49. Bad quality. 50. A hen's egg. 51. Tender love. 52. A curious boy. 53. Correct treatment. 54. Fresh milk. 55. Cheap soap. 56. Soft grass. 57. The last week. 58. Cloudy sky. 59. A sad life. 60. A gay song. 61. A beautiful present. 62. A deep river. 63. A rare bird. 64. A useful plant. 65. An amusing fairy tale. 66. A symphonic concert. 67. The exact meaning. 68. A sweet apple. 69. An enormous rock. 70. A morning walk. 71. An interesting article. 72. An ink spot. 73. A diligent youth. 74. Southern climate. 75. A bright line. 76. The foreign engineer. 77. An old man.

Genitive singular :

1. свéжего сы́ра
2. нóвого áдреса
3. слáдкого хлéба
4. англи́йской граммáтики
5. молодóй англичáнки
6. дли́нного письмá
7. бéлой бумáги
8. прилéжного ученикá
9. богáтой страны́
10. желéзной пáлки
11. городскóй больни́цы
12. извéстного писáтеля
13. интерéсной поéздки
14. больнóй бáбушки
15. серéбряного кольцá
16. нóвой гости́ницы
17. тумáнного дня
18. молодóго дéрева
19. бýрного вéтра
20. дóброго дя́ди
21. тёплой нóчи
22. зáпадной грани́цы
23. трýдной задáчи
24. я́ркого блéска
25. терпели́вого дóктора
26. стáрого гнездá
27. деревя́нной двéри
28. весéннего вéчера

29. тру́дного вре́мени
30. зелёной ве́тви
31, спе́лой ви́шни
32. хра́брого во́йска
33. ди́кого живо́тного
34. жа́ркого у́тра
35. высо́кого зда́ния
36. кра́сного зна́мени
37. желе́зного замка́
38. закры́того окна́
39. но́вого музе́я
40. ва́жного изобре́тения
41. интенси́вной рабо́ты
42. кру́глого стола́
43. си́него карандаша́
44. краси́вого ребёнка
45. ве́рного дру́га
46. несча́стного кале́ки
47. одино́кого сироты́
48. кита́йской а́рмии
49. плохо́го ка́чества
50. кури́ного яйца́
51. не́жной любви́
52. любопы́тного ма́льчика
53. пра́вильного лече́ния
54. све́жего молока́
55. дешёвого мы́ла
56. мя́гкой травы́
57. после́дней неде́ли
58. о́блачного не́ба
59. гру́стной жи́зни
60. весёлой пе́сни
61. прекра́сного пода́рка
62. глубо́кой реки́
63. ре́дкой пти́цы
64. поле́зного расте́ния
65. заба́вной ска́зки
66. симфони́ческого конце́рта
67. то́чного значе́ния
68. сла́дкого я́блока
69. огро́мной скалы́
70. у́тренней прогу́лки
71. интере́сной статьи́
72. черни́льного пятна́
73. приле́жного ю́ноши
74. ю́жного кли́мата
75. я́ркого све́та
76. иностра́нного инжене́ра
77. ста́рого челове́ка

Genitive plural :

NOTE.—Where Nos. are missing, there is no plural in Russian.

1. све́жих сыро́в
2. но́вых адресо́в
3. сла́дких хлебо́в
4. англи́йских грамма́тик
5. молоды́х англича́н
6. дли́нных пи́сем
7. бе́лых бума́г
8. приле́жных ученико́в
9. бога́тых стран
10. желе́зных па́лок
11. городски́х больни́ц
12. изве́стных писа́телей
13. интере́сных пое́здок
14. больны́х ба́бушек
15. сере́бряных коле́ц
16. но́вых гости́ниц
17. тума́нных дней
18. молоды́х дере́вьев
19. бу́рных ветро́в
20. до́брых дя́дей
21. тёплых ноче́й
22. за́падных грани́ц
23. тру́дных зада́ч
24. (no plural)
25. терпели́вых доктор́ов
26. ста́рых гнёзд
27. деревя́нны́х двере́й
28. весе́нних вечеро́в
29. тру́дных време́н
30. зеле́ных ветве́й
31. спе́лых ви́шен
32. хра́брых войск
33. ди́ких живо́тных
34. жа́рких утр

35. высóких здáний
36. крáсных знамён
37. желéзных замкóв
38. закры́тых окóн
39. нóвых музéев
40. вáжных изобрéтений
41. интенси́вных рабóт
42. кру́глых столóв
43. си́них карандашéй
44. краси́вых ребя́т
45. вéрных друзéй
46. несчáстных калéк
47. одинóких сирóт
48. китáйских áрмий
49. плохи́х кáчеств
50. кури́ных яи́ц
51. (no plural)
52. любопы́тных мáльчиков
53–56. (no plurals in Russian)
57. послéдних недéль
58. (plural is not used in Russian)
59. гру́стных жи́зней
60. весёлых пéсен
61. прекрáсных подáрков
62. глубóких рек
63. рéдких птиц
64. полéзных растéний
65. забáвных скáзок
66. симфони́ческих концéртов
67. тóчных значéний
68. слáдких я́блок
69. огрóмных скал
70. у́тренних прогу́лок
71. интерéсных статéй
72. черни́льных пя́тен
73. прилéжных ю́ношей
74, 75. (no plurals in Russian)
76. инострáнных инженéров
77. стáрых людéй

Accusative singular:

1. свéжий сыр
2. нóвый áдрес
3. слáдкий хлеб
4. англи́йскую граммáтику
5. молоду́ю англичáнку
6. дли́нное письмó
7. бéлую бумáгу
8. прилéжного ученикá
9. богáтую страну́
10. желéзную палку́
11. городску́ю больни́цу
12. извéстного писáтеля
13. интерéсную поéздку
14. больну́ю бáбушку
15. серéбряное кольцó
16. нóвую гости́ницу
17. тумáнный день
18. молодóе дéрево
19. бу́рный вéтер
20. дóброго дя́дю
21. тёплую ночь
22. зáпадную грани́цу
23. тру́дную задáчу
24. я́ркий блеск
25. терпели́вого дóктора
26. стáрое гнездó
27. деревя́нную дверь
28. весéнний вечéр
29. тру́дное врéмя
30. зелёную ветвь
31. спéлую ви́шню
32. хрáброе вóйско
33. ди́кое живóтное
34. жáркое у́тро
35. высóкое здáние
36. крáсное знáмя
37. желéзный замóк
38. закры́тое окнó
39. нóвый музéй
40. вáжное изобрéтение
41. интенси́вную рабóту
42. кру́глый стол
43. си́ний карандáш
44. краси́вого ребёнка
45. вéрного дру́га
46. несчáстного калéку

47. одино́кого сироту́
48. кита́йскую а́рмию
49. плохо́е ка́чество
50. кури́ное яйцо
51. не́жную любо́вь
52. любопы́тного ма́льчика
53. прави́льное лече́ние
54. све́жее молоко́
55. дешёвое мы́ло
56. мя́гкую траву́
57. после́днюю неде́лю
58. о́блачное не́бо
59. гру́стную жизнь
60. весёлую пе́сню
61. прекра́сный пода́рок
62. глубо́кую реку́
63. ре́дкую пти́цу
64. поле́зное расте́ние
65. заба́вную ска́зку
66. симфони́ческий конце́рт
67. то́чное значе́ние
68. сла́дкое я́блоко
69. огро́мную скалу́
70. у́треннюю прогу́лку
71. интере́сную статью́
72. черни́льное пятно́
73. приле́жного ю́ношу
74. ю́жный кли́мат
75. я́ркий свет
76. иностра́нного инжене́ра
77. ста́рого челове́ка.

Accusative plural:

Where the numbers are omitted the plural is not used in Russian.

1. све́жие сыры́
2. но́вые адреса́
3. сла́дкие хлебы́
4. англи́йские грамма́тики
5. молоды́х англича́нок
6. дли́нные пи́сьма
7. бе́лые бума́ги
8. приле́жных ученико́в
9. бога́тые стра́ны
10. желе́зные па́лки
11. городски́е больни́цы
12. изве́стных писа́телей
13. интере́сные пое́здки
14. больны́х ба́бушек
15. сере́бряные ко́льца
16. но́вые гости́ницы
17. тума́нные дни
18. молоды́е дере́вья
19. бу́рные ве́тры
20. до́брых дя́дей
21. тёплые но́чи
22. за́падные грани́цы
23. тру́дные зада́чи
24. деревя́нные две́ри
25. терпели́вых доктор́ов
26. ста́рые гнёзда
27. деревя́нные две́ри
28. весе́нние вечера́
29. тру́дные времена́
30. зелёные ве́тви
31. спе́лые ви́шни
32. хра́брые войска́
33. ди́кие живо́тные
34. жа́ркие у́тра
35. высо́кие зда́ния
36. кра́сные знамёна
37. желе́зные замки́
38. закры́тые о́кна
39. но́вые музе́и
40. ва́жные изобре́тения
41. интере́сные рабо́ты
42. кру́глые столы́
43. си́ние карандаши́
44. краси́вых ребя́т
45. ве́рных друзе́й
46. несча́стных кале́к
47. одино́ких сиро́т
48. кита́йские а́рмии

49. плохие ка́чества
50. кури́ные я́йца
52. любопы́тных ма́льчиков
57. после́дних неде́ль
59. гру́стные жи́зни
60. весёлые пе́сни
61. прекра́сные пода́рки
62. глубо́кие ре́ки
63. ре́дкие пти́цы
64. поле́зные расте́ния
65. заба́вные ска́зки
66. симфони́ческие конце́рты
67. то́чные значе́ния
68. сла́дкие я́блоки
69. огро́мные ска́лы
70. у́тренние прогу́лки
71. интере́сные статьи́
72. черни́льные пя́тна
73. приле́жных ю́ношей
76. иностра́нных инжене́ров
77. ста́рых люде́й

Dative singular:

1. све́жему сы́ру
2. но́вому а́дресу
3. сла́дкому хле́бу
4. англи́йской грамма́тике
5. молодо́й англича́нке
6. дли́нному письму́
7. бе́лой бума́ге
8. приле́жному ученику́
9. бога́той стране́
10. желе́зной па́лке
11. городско́й больни́це
12. изве́стному писа́телю
13. интере́сной пое́здке
14. больно́й ба́бушке
15. сере́бряному кольцу́
16. но́вой гости́нице
17. тума́нному дню
18. молодо́му де́реву
19. бу́рному ве́тру
20. до́брому дя́де
21. тёплой но́чи
22. за́падной грани́це
23. тру́дной зада́че
24. я́ркому бле́ску
25 терпели́вому до́ктору
26. ста́рому́ гнезду́
27. деревя́нной две́ри
28. весе́ннему ве́черу
29. тру́дному вре́мени
30. зелёной ве́тви
31. спе́лой ви́шне
32. хра́брому во́йску
33. ди́кому живо́тному
34. жа́ркому у́тру
35. высо́кому зда́нию
36. кра́сному зна́мени
37. желе́зному замку́
38. закры́тому окну́
39. но́вому музе́ю
40. ва́жному изобре́тению
41. интере́сной рабо́те
42. кру́глому столу́
43. си́нему карандашу́
44. краси́вому ребёнку
45. ве́рному дру́гу
46. несча́стному кале́ке
47. одино́кому сироте́
48. кита́йской а́рмии
49. плохо́му ка́честву
50. кури́ному яйцу́
51. не́жной любви́
52. любопы́тному ма́льчику
53. пра́вильному лече́нию
54. све́жему молоку́
55. дешёвому мы́лу
56. мя́гкой траве́
57. после́дней неде́ле
58. о́блачному не́бу
59. гру́стной жи́зни
60. весёлой пе́сне
61. прекра́сному пода́рку
62. глубо́кой реке́
63. ре́дкой пти́це
64. поле́зному расте́нию
65. заба́вной ска́зке
66. симфони́ческому конце́рту

67. то́чному значе́нию
68. сла́дкому я́блоку
69. огро́мной скале́
70. у́тренней прогу́лке
71. интере́сной статье́
72. черни́льному пятну́
73. приле́жному ученику́
74. ю́жному кли́мату
75. я́ркому све́ту
76. иностра́нному инжене́ру
77. ста́рому челове́ку.

Dative plural:

Where the numbers are omitted the plural is not used in Russian.

1. (no plural)
2. но́вым адреса́м
3. сла́дким хлеба́м
4. англи́йским грамма́тикам
5. молоды́м англича́нкам
6. дли́нным пи́сьмам
7. бе́лым бума́гам
8. приле́жным ученика́м
9. бога́тым стра́нам
10. желе́зным па́лкам
11. городски́м больни́цам
12. изве́стным писа́телям
13. интере́сным пое́здкам
14. больны́м ба́бушкам
15. сере́бряным ко́льцам
16. но́вым гости́ницам
17. тума́нным дням
18. молоды́м дере́вьям
19. бу́рным ветра́м
20. до́брым дя́дям
21. тёплым ноча́м
22. за́падным грани́цам
23. тру́дным зада́чам
24. (no plural)
25. терпели́вым доктора́м
26. ста́рым гнёздам
27. деревя́нным дверя́м
28. весе́нним вечера́м
29. тру́дным времена́м
30. зелёным ветвя́м
31. спе́лым ви́шням
32. хра́брым войска́м
33. ди́ким живо́тным
34. жа́рким утра́м
35. высо́ким зда́ниям
36. кра́сным знамёнам
37. желе́зным замка́м
38. закры́тым о́кнам
39. но́вым музе́ям
40. ва́жным изобре́тениям
41. интенси́вным рабо́там
42. кру́глым стола́м
43. си́ним карандаша́м
44. краси́вым ребя́там
45. ве́рным друзья́м
46. несча́стным кале́кам
47. одино́ким сиро́там
48. кита́йским а́рмиям
49. плохи́м ка́чествам
50. кури́ным я́йцам
52. любопы́тным ма́льчикам
57. после́дним неделям
60. весёлым песням
61. прекра́сным пода́ркам
62. глубо́ким река́м
63. ре́дким пти́цам
64. поле́зным расте́ниям
65. заба́вным ска́зкам
66. симфони́ческим конце́ртам
67. то́чным значе́ниям
68. сла́дким я́блокам
69. огро́мным ска́лам
70. у́тренним про́гулкам
71. интере́сным статья́м
72. черни́льным пятна́м
73. при́лежным ю́ношам
76. иностра́нным инжене́рам
77. ста́рым людя́м

Meaning of words and Nominative singular and plural.

1. фона́рь, m., lantern, фонари́
2. тень, f., shade, shadow, те́ни
3. медве́дь, m., bear, медве́ди
4. о́блако, n., cloud, облака́
5. кни́га, f., book, кни́ги
6. больни́ца, f., hospital, больни́цы
7. шку́ра, f., hide, шку́ры
8. час, m., hour, часы́
9. чу́вство, n., sentiment, чу́вства
10. чте́ние, n., reading,
11. ча́шка, f., cup, ча́шки
12. челове́к, m., man, лю́ди
13. цвето́к, m., flower, цветы́
14. хозя́ин, m., master, host, хозяева́
15. у́голь, m., coal, угли́
16. у́тро, n., morning, утра́
17. ту́ча, f., thundercloud, ту́чи
18. столи́ца, f., capital, столи́цы
19. статья́, f., article, статьи́
20. се́рдце, n., heart, сердца́
21. ска́зка, f., fairy tale, ска́зки
22. сло́во, n., word, слова́
23. си́ла, f., strength, си́лы
24. стена́, f., wall, сте́ны
25. село́, n., village, сёла
26. сын, m., son, сыновья́
27. плечо́, n., shoulder, пле́чи
28. коле́но, n., knee, коле́ни
29. о́сень, f., autumn,
30. наде́жда, f., hope, наде́жды
31. брат, m., brother, бра́тья
32. англича́нин, m., Englishman, англича́не
33. длина́, f., length,
34. пода́рок, m., gift, present, пода́рки
35. зо́лото, n., gold,
36. зада́ча, f., task, problem, зада́чи
37. крестья́нин, m., peasant, крестья́не
38. трава́, f., grass, тра́вы
39. англича́нка, f., Englishwoman, англича́нки
40. газе́та, f., newspaper, газе́ты
41. вино́, n., wine, ви́на
42. грани́ца, f., frontier, грани́цы
43. дере́во, n., tree, дере́вья
44. стул, m., chair, сту́лья
45. аэропла́н, m., aeroplane, аэропла́ны
46. вышина́, f. height,
47. луч, m., ray, лучи́
48. лев, m., lion, львы
49. снег, m., snow, снега́
50. вишня, f., cherry, ви́шни
51. наро́д, m., people, наро́ды
52. автомоби́ль, m., motor-car, автомоби́ли
53. населе́ние, n., population
54. биле́т, m., ticket, биле́ты
55. вода́, f., water,
56. во́лос, m., hair, во́лосы, волоса́
57. ветвь, f., branch, ве́тви
58. рабо́та, f., work, рабо́ты
59. число́, n., number, чи́сла
60. ло́жка, f., spoon, ло́жки
61. наде́жда, f., hope, наде́жды
62. прогу́лка, f., walk, прогу́лки
63. бога́тство, n., riches, wealth, богатства
64. река́, f., river, ре́ки
65. гора́, f., mountain, го́ры
66. о́зеро, n., lake, озёра
67. а́втор, n., author, а́вторы
68. госуда́рство, n., state, госуда́рства
69. гру́ша, f., pear, гру́ши
70. гнездо́, n., nest, гнёзда
71. ве́тер, m., wind, ве́тры
72. го́лос, m., voice, голоса́

Number and case.

1. фонари́ (pl. nom. or accus.)
2. те́ни (pl. nom. or accus.)
3. медведе́й (pl. gen. or accus.)
4. облако́в (pl. gen.)
5. кни́гам (pl. dat.)
6. больни́цу (sing. accus.)
7. шку́ру (sing. accus.)
8. часы́ (pl. nom. or accus.)
9. чу́вство (sing. nom. or accus.)
10. чте́ния (sing. gen.)
11. ча́шку (sing. accus.)
12. лю́ди (pl. nom.)
13. цветы́ (pl. nom. or accus.)
14. хозя́ина (sing. gen. or accus.)
15. угля́ (sing. gen.)
16. у́тра (sing. gen.)
17. ту́чам (pl. dat.)
18. столи́цы (pl. nom. or accus.)
19. стате́й (pl. gen.)
20. се́рдца (sing. gen.) се́рдца (pl. nom.)
21. ска́зок (pl. gen.)
22. слова́м (pl. dat.)
23. си́лу (sing. accus.)
24. сте́нам (pl. dat.)
25. сёла (pl. nom. or accus.)
26. сыновья́м (pl. dat.)
27. плечи (pl. nom. or accus.)
28. коле́но (sing. nom. or accus.)
29. о́сени (sing. gen.)
30. наде́жды (sing. gen. or pl. nom. or accus.)
31. бра́тьев (pl. gen. or accus.)
32. англича́нам (pl. dat.)
33. длину́ (sing. accus.)
34. пода́рки (pl. nom. or accus.)
35. зо́лота (sing. gen.)
36. зада́чу (sing. accus.)
37. крестья́нина (sing. gen. or accus.)
38. трав (pl. gen.)
39. англича́нкам (pl. dat.)
40. газе́ты (pl. nom. or accus.)
41. вина́ (sing. gen. or ви́на pl. nom.)
42. грани́ц (pl. gen.)
43. дере́вьев (pl. gen.)
44. сту́льям (pl. dat.)
45. аэропла́нов (pl. gen.)
46. вышину́ (sing. accus.)
47. луче́й (pl. gen.)
48. льво́в (pl. nom. or accus.)
49. сне́га (sing. gen. or снега́ pl. nom.)
50. ви́шен (pl. gen.)
51. наро́ду (sing. dat.)
52. автомоби́лей (pl. gen.)
53. населе́ния (sing. gen.)
54. биле́тов (pl. gen.)
55. воды́ (sing. gen.)
56. волоса́м (pl. dat.)
57. ветве́й (pl. gen.)
58. рабо́те (sing. dat.)
59. чи́сел (pl. gen.)
60. ло́жек (pl. gen.)
61. наде́ждам (pl. dat.)
62. прогу́лок (pl. gen.)
63. бога́тства (sing. gen. or pl. nom.)
64. рек (pl. gen.)
65. гор (pl. gen.)
66. озёрам (pl. dat.)
67. а́второв (pl. gen. or accus.)
68. госуда́рства (sing. gen. or pl. nom. or accus.)
69. груш (pl. gen.)
70. гнёзда (pl. nom. or accus.)
71. ветра́м (pl. dat.)
72. го́лоса (sing. gen. or голоса́ pl. nom. or accus.)

Exercise 17

Два́дцать три, три́дцать семь, со́рок четы́ре, пятьдеся́т шесть, шестьдеся́т де́вять, се́мьдесят два, во́семьдесят пять, девяно́сто во́семь, сто двена́дцать, сто девятна́дцать, сто три́дцать два, сто со́рок шесть, сто пятьдеся́т во́семь, сто шестьдеся́т четы́ре, сто девяно́сто четы́ре, сто девяно́сто шесть, две́сти два, девятсо́т четы́ренадцать, шестьсо́т восемна́дцать, восемьсо́т со́рок шесть, две́сти девяно́сто четы́ре, три́ста со́рок семь, четы́реста пятьдеся́т шесть, шестьсо́т се́мьдесят пять, семьсо́т девятна́дцать, восемьсо́т со́рок два, девятьсо́т три́дцать оди́н, ты́сяча четы́ре, ты́сяча сто де́вять, ты́сяча четы́рнадцать, две ты́сячи три́дцать де́вять, ты́сяча девяно́сто, ты́сяча сто оди́ннадцать, две ты́сячи четы́реста со́рок шесть, шесть ты́сяч восемьсо́т со́рок три, во́семь ты́сяч три́ста со́рок шесть, де́вять ты́сяч со́рок пять, де́сять ты́сяч пятьсо́т двена́дцать, трина́дцать ты́сяч шестьсо́т восемна́дцать, два́дцать семь ты́сяч две́сти три́дцать четы́ре, сто ты́сяч девятьсо́т со́рок три, две́сти ты́сяч де́вять, оди́н миллио́н.

1. He receives five newspapers daily. 2. This cloth costs twenty-five roubles. 3. We read forty-two pages a day. 4. I know one hundred and fifty English words. 5. This hotel has seventy rooms. 6. An hour has sixty minutes. 7. A week has seven days. 8. A month has thirty or thirty-one days. 9. February has twenty-eight or twenty-nine days. 10. A year has three hundred and sixty-five days.

Exercise 18

1. He is the owner of six houses. 2. London has more than seven million inhabitants. 3. These three boys are my pupils. 4. Four girls are playing in the garden. 5. We spent two nights in the garden. 6. One newspaper is mine. 7. We open five windows. 8. We see seven stars. 9. He has nine books. 10. Here are ten cherries. 11. They have three round tables. 12. There are in the nest five small birds. 13. I have been waiting here for twelve minutes. 14. He works eleven hours a day. 15. There are fifteen white horses in the field. 16. There are twenty young trees in our garden. 17. Both gardens are his. 18. This is the payment for thirty working days. 19. Here are forty ripe apples. 20. I know sixty foreign words. 21. There are seventy-five English motor cars in this town. 22. He sold eighty-two green pears. 23. The ninety winter days were difficult. 24. The Town Council is building a hundred and fifty-seven houses. 25. This building is one hundred and fifty years old. 26. " Three men in a boat." 27. We have seen twenty-one soldiers. 28. Five and six make eleven. 29. Have you one pen or two ? 30. I have only one.

1. Я сего́дня купи́л семь книг. 2. Э́та корзи́на ве́сит два́дцать три фу́нта. 3. Он — пе́рвый учени́к в кла́ссе. 4. У них пя́теро дете́й, два сы́на и три до́чери. 5. Наполео́н вторгну́лся в Росси́ю в ты́сяча восемьсо́т двена́дцатом году́. 6. Э́тот дом сто́ит шестьсо́т фу́нтов. 7. Где шесто́й том э́того словаря́. 8. Тро́е из нас рабо́тают на фа́брике. 9. Два́дцать семь и со́рок шесть составля́ет се́мьдесят три. 10. Сего́дня семь гра́дусов моро́за. 11. Он жил в А́нглии два́дцать шесть лет. 11. Он купи́л э́тот костю́м за сто два́дцать рубле́й. 12. В библиоте́ке семь ты́сяч пятьсо́т шестьдеся́т книг. 14. Да́йте мне, пожа́луйста, конве́ртов, деся́ток откры́ток, два́дцать четы́ре листа́ хоро́шей бума́ги и шесть ма́рок. 15. Я ежедне́вно покупа́ю три́дцать папиро́с и коро́бку спи́чек. 16. Э́та у́лица име́ет в длину́ пятьсо́т се́мьдесят три ме́тра, а в ширину́ шестьдеся́т четы́ре ме́тра. 17. Четы́ре-пя́тых населе́ния э́той дере́вни рабо́тают на́ поле. 18. Две-седьмы́х и пять-восьмы́х равня́ются пяти́десяти одно́й пятьдеся́т-шесты́х. 19. Он пи́шет два́дцать восьму́ю страни́цу. 20. У́лицы Нью-Йо́рка нумеро́ваны и называ́ются, наприме́р, Пя́тое Авеню́, Две́сти седьма́я у́лица. 21. Э́то моя́ четве́ртая ча́шка ча́ю.

Exercise 19

1. Has my younger son answered the teacher's questions? 2. The chief offers a week's rest to the workmen. 3. We have always remembered the tender love of our kind mother. 4. If the moon had not lit up the sea, the captain would not have known his way. 5. I would have read a Russian newspaper, if I had had a good dictionary. 6. This youth would have worked diligently, if he had not been ill. 7. We would have eaten these cherries if they had been ripe. 8. Does the little girl put on warm clothes in the winter? 9. The teacher would have praised his pupil, if he had been diligent. 10. I would have gone for a walk in the morning, if I had not been busy. 11. I would have smoked, if I had had a cigarette. 12. I would have sent you some books, if I had known your address. 13. You often come late to the lesson. 14. Don't be late, it hinders the work. 15. Do you smoke a pipe, or cigarettes? 16. You would have known the lesson, if you had listened to the teacher's explanation. 17. Don't shut the window! 18. Work quickly! 19. Love and respect your father and mother! 20. Do not disturb father in his work! 21. Let the children play! 22. Listen to an interesting story! 23. Read the English newspaper! 24. Do not hurt an orphan! 25. Do

not build a house here, because the street is too narrow. 26. Do you understand the teacher's question? 27. Answer, if you know this rule. 28. Don't drink cold lemonade! 29. Study foreign languages! 30. He is hurrying to the station. 31. Do they know the names of famous Russian writers? 32. Give assistance to this blind man and accompany him when he goes for a walk. 33. Do not forget the promise given by you. 34. Does your father meet his old friend? 35. Hold this heavy stick! 36. He does not understand this simple question. 37. Be careful, don't make ink spots! 38. He does not wish to have drawing lessons. 39. Our old neighbour was always foretelling correctly the advent of fine weather. 40. The captain did not see the lighthouses, because the fog was too thick. 41. Do they know the address of the new hotel? 42. My sister likes red roses. 43. Our gardener has no white flowers. 44. The colour of this cloth is grey.

1. Я не зна́ю э́той игры́. 2. Мы не ви́дели э́того зда́ния. 3. Портно́й покупа́ет сукно́ ра́зных цвето́в. 4. Люби́ свою́ родну́ю страну́ (ро́дину). 5. Мы не посыла́ем пи́сем свои́м ста́рым друзья́м, потому́ что мы не зна́ем, где они́ живу́т. 6. Матро́сы не мо́ют па́лубы, ко́гда пого́да плоха́. 7. Переписыва́ет-ли ма́льчик свой уро́к? 8. По́здно-ли рабо́тал ваш ста́рший брат? 9. Да, до полу́ночи. 10. Моя́ мать не лю́бит тёмных ноче́й. 11. Мы изуча́ли иностра́нные языки́, когда́ мы жи́ли за-грани́цей. 12. До́ктор не разреша́ет э́тим же́нщинам рабо́тать. 13. Име́ете-ли вы кру́глый стол? 14. Не дава́йте э́того фонаря́ де́тям. 15. Мы не зна́ем имён э́тих геро́ев. 16. Будь дово́лен! 17. Инжене́р заказа́л шесть желе́зных коле́ц. 18. Мать не позволя́ет своему́ ю́ному сы́ну име́ть о́стрый нож. 19. Где пти́цы устра́ивают свои́ гнёзда? 20. Не нака́зывай э́ту соба́ку. 21. Мы око́нчили свою́ рабо́ту. 22. Чита́ете-ли вы у́треннюю и ве́чернюю газе́ту? 23. Они́ не покупа́ют бе́лой бума́ги. 24. Я бу́ду гуля́ть у́тром. 25. Я рассказа́л-бы тебе́ ска́зку, е́сли я име́л-бы вре́мя. 26. Мы посла́ли-бы тебе́ рома́ны э́того знамени́того писа́теля, если-бы ты знал англи́йский язы́к. 27. Мы чита́ем ка́ждый день два́дцать страни́ц. 28. Любопы́тные де́ти спра́шивают мно́го вопро́сов. 29. Э́ти ту́чи предска́зывают плоху́ю пого́ду. 30. Быва́ете-ли вы ча́сто в Истори́ческом Музе́е? 31. Я быва́л там ка́ждый четве́рг, но тепе́рь у меня́ нет свобо́дного вре́мени. 32. Моя́ мать покупа́ет пла́тья для ма́леньких ма́льчиков и де́вочек. 33. Изме́рил-ли капита́н длину́, ширину́ и глубину́ э́той реки́? 34. Инжене́р объясня́л три часа́ свое́ изобре́тение. 35. Зна́ешь-ли ты назва́ние э́той игры́? 36. Не забу́дь пра́вил, кото́рые учи́тель объясни́л нам вчера́. 37. Бу́дешь-ли ты отдыха́ть по́сле рабо́ты? 38. Мы посети́ли-бы тебя́, если мы не бы́ли-бы за́няты.

Present, Past and Future Tenses, etc.

1. я бéгаю, ты бéгаешь, он, онá бéгает, мы бéгаем, вы бéгаете, они́ бéгают.
2. я благодарю́, ты благодари́шь, он, онá благодари́т, мы благодари́м, вы благодари́те, они́ благодаря́т.
3. я браню́, ты брани́шь, он, онá брани́т, мы брани́м, вы брани́те, они́ браня́т.
4. я вéрю, ты вéришь, он, онá вéрит, мы вéрим, вы вéрите, они́ вéрят.

1. БЕГАТЬ :
   a) я, ты, он бéгал, онá бéгала, онó бéгало, мы, вы, они́ бéгали.
   b) я бу́ду, ты бу́дешь, он, онá, онó бу́дет, мы, вы, они́ бу́дут бéгать.
   c) бéгай, бéгайте, бу́дем бегать, пусть он, онá, онó бéгает, пусть они́ бéгают.
   d) я, ты, он бéгал-бы, онá бéгала-бы, онó бéгало-бы, мы, вы, они́ бéгали-бы.

2. БЛАГОДАРИТЬ :
   a) я, ты, он благодари́л, онá благодари́ла, онó благодари́ло, мы, вы, они́ благодари́ли.
   b) я бу́ду, ты бу́дешь, он, онá, онó бу́дет, мы бу́дем, вы бу́дете, они́ бу́дут благодари́ть.
   c) благодари́, благодари́те, бу́дем благодари́ть, пусть он, онá, онó благодари́т, пусть они́ благодаря́т.
   (*d*) я, ты, он благодари́л-бы, она благодари́ла-бы, оно благодари́ло-бы, мы, вы, они благодари́ли-бы.

3. БРАНИТЬ :
   a) я, ты, он брани́л, онá брани́ла, оно брани́ло, мы, вы, они́ брани́ли.
   b) я бу́ду, ты бу́дешь, он, онá, онó бу́дет брани́ть, мы бу́дем, вы бу́дете, они́ бу́дут брани́ть.
   c) брани́, брани́те, пусть он, онá, онó брани́т, бу́дем брани́ть, пусть они́ браня́т.
   d) я, ты, он брани́л-бы, онá бранли́а-бы, онó брани́ло-бы, мы, вы, они́ брани́ли-бы.

4. ВЕРИТЬ :
   a) я, ты, он, вéрил, онá вéрила, онó вéрило, мы, вы, они́ вéрили.
   b) я бу́ду, ты бу́дешь, он, онá, онó бу́дет вéрить, мы бу́дем, вы бу́дете, они́ бу́дут вéрить.
   c) верь, вéрьте, пусть он, онá, онó вéрит, бу́дем вéрить, пусть они́ вéрят.
   d) я, ты, он вéрил-бы, онá вéрила-бы, онó вéрило-бы, мы, вы, они́ вéрили-бы.

Exercise 20

1. The father and the son walk every morning along the bank of the river. 2. Near our house is a large factory. 3. The hut of the watchman is in the middle of the forest. 4. A log lies across the road. 5. Every day after dinner I write an article for the editor of the English newspaper. 6. Here is a letter from your old friend. 7. Will you be here to-morrow ? 8. Yes, from morning until dinner time ; after dinner I shall be at home. 9. Owing to the bad weather, the steamer is lying at the quay. 10. The chemical laboratory is opposite the old hospital. 11. Near the bed there is a chair. 12. My sister will be abroad until the end of the month. 13. There is a pretty park in front of the theatre. 14. Our father will not be home until evening. 15. The whole family is seated round the table dining. 16. He buys a motor car without any preliminary test. 17. There is in the centre of the banner a sickle and a hammer, the emblem of the Soviet Union. 18. Owing to lack of time the painter only works outside the house. 19. This writer does not live far from the Handicrafts Museum. 20. This courageous flyer often flies from Moscow to New York. 21. He is eating bread without butter. 22. Tea without sugar is not tasteful. 23. There is a deep lake in the middle of the park. 24. Owing to the rainy weather we seldom go for a walk. 25. We shall watch the eclipse of the moon in the middle of the night. 26. The father persuades his son to work diligently. 27. He picks up a book from under the table. 28. I am doing it willingly for the sake of a friend. 29. The chief allows smoking within the factory only after work. 30, Where is the hostel ? Behind the laboratory. 31. The workmen of this factory are making tyres from rubber. 32. He has a razor made of good English steel. 33. The watchman's hut stands at the summit of the mountain. 34. A little bird fell out of the nest. 35. Is this your book ? 36. Yes, it is one of my English books. 37. We lived abroad from the end of the Winter till the beginning of the Summer. 38. In the middle of the room stands a table. 39. I met the engineer at the factory door. 40. He works without rest from early morning till late at night. 41. We have to-day had a drawing lesson instead of a history lesson. 42. They lived without coal in the winter. 43. After the symphonic concert, we shall dine at the restaurant. 44. No animal can live without water. 45. We pass our friend's house every morning.

1. Кро́ме учёбника он та́кже име́ет по́лный а́нгло-ру́сский слова́рь. 2. Он покупа́ет аэропла́н вме́сто автомоби́ля. 3. До́ктор не быва́ет в больни́це по боле́зни. 4. Ка́рта ми́ра внутри́ кни́ги. 5. Ка́ждый ма́льчик име́ет ло́жку, ви́лку и

нож. 6. Ла́вка напро́тив по́чты. 7. Кто сде́лал э́то жи́рное пятно́ попере́к страни́цы? 8. Ма́рка вну́три конве́рта. 9. Где рестора́н? 10. О́коло гости́ницы. 11. У вхо́да в музе́й име́ется ка́рта. 12. Я бу́ду здесь до вто́рника; по́сле понеде́льника я бу́ду свобо́ден. 13. Из окна́ мое́й кварти́ры я могу́ ви́деть прекра́сный сад. 14. Вокру́г столи́цы име́ется подзе́мная желе́зная доро́га. 15. Кака́я прия́тная пое́здка! 16. Учи́тель не разреша́ет свои́м ученика́м игра́ть вне шко́лы из-за́ недоста́тка ме́ста. 17. Председа́тель собра́ния о́чень терпели́в. 18. Я не люблю́ ча́я без са́хару. 19. Я ка́ждый день покупа́ю газе́ту для отца́. 20. Река́ вблизи́ больни́цы. 21. Э́та ко́мната для иностра́нного го́стя. 22. Инжене́р измеря́ет пло́щадь по́ля. 23. Мать даёт свое́й до́чери в пода́рок щётку и гре́бень. 24. Я бу́ду в Ло́ндоне до зимы́. 25. Попуга́й — шу́мная пти́ца. 26. Больни́ца про́тив по́чты. 27. Попере́к моста́ стои́т автомоби́ль. 28. За́пах ва́шей ро́зы прия́тен. 29. Вне за́падной грани́цы повсю́ду леса́. 30. Э́та гру́ша для моего́ бра́та. 31. Кро́ме жа́лованья он получа́ет награ́ду. 32. Я заказа́л э́тот стол для моего́ отца́. 33. Вдоль э́той дли́нной у́лицы име́ются фонари́. 34. Э́та ма́ленькая де́вочка пьёт молоко́ из большо́й ча́шки. 35. Мы сиде́ли вокру́г стола́ и обсужда́ли собы́тия дня. 36. Позади́ э́той стены́ стоя́т три высо́ких де́рева. 37. Мы живём недалеко́ от шко́лы. 38. С уро́ка я поспешу́ домо́й. 39. Он всегда́ ве́сел, когда́ он среди́ друзе́й.

Exercise 21

1. The sons of this seaman are at the front; one is in the Army and the other is in the Navy. 2. The chief engineer is now in Moscow. 3. There are many foreign workmen at this mill. 4. I have ordered by telegram two rooms with two beds in each. 5. I shall have breakfast at the hotel, but I shall dine and sup with my friends. 6. Go to the Hotel Europa! 7. It is an excellent hotel. 8. I lived there for two months and I was pleased with everything; with the room, the food and the service. 9. After breakfast we shall all go to the Museum of Fine Arts. 10. The best furs: beaver, sable, ermine, come from Siberia. 11. You will find envelopes and paper on the writing desk in the smoking room. 12. Take me to the nearest post office! 13. By which tram must one go there? You take tram No. 7. 14. There were no newspapers to be had in Town yesterday. 15. This journalist lived in England for a long time. 16. He speaks excellent English. 17. I was sitting in the drawing room with friends drinking a cup of coffee, when this letter was brought to me. 18. My wife and I wish to go with an excursion to the U.S.S.R. 19. Here are our

passports with the forms filled in and the photographs. 20. Please let me know by post or by telephone when our visas are ready. 21. We shall go by sea in a Soviet steamer from the London wharf direct to Leningrad through the Kiel Canal. 22. Books, music, newspapers, magazines and all kinds of papers were scattered all over the room. They were everywhere; on chairs, tables, under the tables, on the grand piano. 23. It seemed that nobody had entered the room for a year. 24. There was no carpet in the room. 25. Behind the wardrobe there was a picture in a gilded frame. 26. On the wall over the grand piano hung a portrait of a young flyer. 27. I went to the window. 28. It was calm in the street. 29. At the door of the church a few men were standing. 30. The mother put the child into the cradle and put the cradle under a shady tree. 31. He put his watch under the pillow.

1. На поля́х ещё мно́го сне́га. 2. Я иду́ в парк. 3. Куда́ иду́т э́ти крестья́не? 4. В лес. 5. В на́шем саду́ прекра́сные цветы́. 6. Де́ти иду́т со свои́м учи́телем в музе́й. 7. Е́дете-ли вы в конто́ру по́ездом и́ли трамва́ем? 8. Ва́ша руба́шка и воротни́к в шкафу́, а ваш галсту́к здесь на столе́ под ва́шей шля́пой. 9. Я всегда́ покупа́ю свои́ папиро́сы в той таба́чной ла́вке, а мои́ газе́ты в кио́ске напро́тив. 10. В Росси́и пью́т чай из стака́нов, а не из ча́шек, ча́сто с лимо́ном и, коне́чно, без молока́. 11. Я узна́л из газе́ты, что библиоте́ка бу́дет закры́та с пе́рвого ию́ля до деся́того сентября́. 12. Я оста́вил свой бино́кль на своём ме́сте. 13. Э́то наш после́дний день у мо́ря. 14. Пе́ред на́шим отъе́здом мы бу́дем обе́дать с не́сколькими друзья́ми. 15. По́сле обе́да мы уло́жим на́ши чемода́ны. 16. В Росси́и рабо́тникам у парикма́хера не даю́т чаевы́х. 17. Пра́вильны-ли Ва́ши часы́? 18. Мои (карма́нные) часы́ в почи́нке. 19. Молодо́й учёный рабо́тает в свое́й лаборато́рии при больни́це. 20. Я жела́ю поговори́ть с заве́дующим. 21. В э́той ко́мнате нет телефо́на. 22. Я живу́ на Пу́шкинской у́лице. 23. Моя́ мать де́лает свои́ заку́пки на но́вом ры́нке. 24. Заключённым в Сове́тских тю́рьмах ча́сто разреша́ется рабо́тать в огоро́дах, на фа́бриках и на по́ле вне тюрьмы́. 25. Трамва́и и автомоби́ли де́ржатся в ру́сских города́х пра́вой стороны́. 26. Пойдём на по́чту! 27. Положи́те свои́ перча́тки в я́щик. 28. Парохо́д полу́чит запа́сы прови́зии и угля́ в сле́дующем порту́. 29. Слы́шали-ли вы о но́вых города́х, бы́стро расту́щих по всей Сове́тской Росси́и? 30. В са́мом це́нтре Нью-Йо́рка есть огро́мный парк. 31. Есть-ли среди́ ва́ших друзе́й архите́ктор? 32. Никто́ из нас не архите́ктор. 33. Посреди́ на́шего огоро́да есть руче́й. 34. Мы подняли́сь в ли́фте на кры́шу зда́ния и наблюда́ли движе́ние на у́лицах. 35. Густо́й тума́н над мо́рем рассе́ялся. 36. Пе́ред на́ми откры́лся прекра́сный

вид. 37. Кабине́т моего́ отца́ позади́ столо́вой. 38. Тепе́рь я иду́ на ста́нцию. 39. Ско́лько сто́ит биле́т в Эдинбу́рг? 40. Я всегда́ за́втракал в полови́не восьмо́го. 41. Обыкнове́нно я ем два яйца́, всмя́тку и́ли вкруту́ю и́ли яи́чницу, оди́н или два ло́мтя хле́ба с ма́слом, и пью́ две ча́шки ко́фе. 42. Сего́дня седьмо́е ноября́ — годовщи́на Октя́брской Револю́ции и над все́ми зда́ниями го́рода развева́ются кра́сные фла́ги.

Exercise 22

1. This young pupil writes with a pencil because he is not yet able to hold the penholder correctly. 2. In class we write with chalk on a blackboard. 3. The gardener is cutting the trees with a sharp axe. 4. The engineer is pleased with the work of his assistant. 5. Every year the teacher rewards his diligent pupils with interesting books. 6. There is very thick grass in this shady park. 7. We like to sit on the grass. 8. I have read in the evening paper that there will be a symphonic concert to-morrow in the Museum building. 9. My father didnot find his diamond and he cannot cut the glass for our windows. 10. I heard of your progress and am very pleased with you. 11. Our village is on a high hill. 12. I accompanied my sister to the station. 13. My brother is going by train because his wife does not like to travel by sea. 14. Where did you meet your friend? 15. I met him at the park. 16. Who is going with us to the restaurant? 17. She lost her gloves. 18. The doctor is at the hospital now. 19. He will be at home this evening. 20. The letter is lying on the table under the book. 21. All the shops are on the right side of the street. 22. The chief of this factory has promised three weeks rest to all the workmen if they work eight hours a day. 23. She paid £5 for her dress. 24. My mother rendered assistance to this sick woman. 25. My sister is at school. 26. I am going to the park. 27. I read a newspaper in the park. 28. There is a bird on the roof. 29. A ripe pear fell to the ground. 30. The soldiers have entered the fortress. 31. They will remain at the fortress until Saturday. 32. He put his suit case under the bed. 33. There is also a bundle of books under the bed.

1. Наш дом был разру́шен огнём. 2. Он зажига́ет папиро́су спи́чкой. 3. Садо́вник нагрева́ет свою́ избу́шку больши́м поле́ном. 4. У него́ нет угля́. 5. Матро́с ма́шет фла́гом, когда́ он ви́дит друго́й парохо́д. 6. Э́та ме́стность мне незнако́ма. 7. Я нико́гда не был здесь пре́жде. 8. Мать мо́ет дете́й горя́чей водо́й и мы́лом. 9. Де́ти игра́ют больши́м мячо́м. 10. Весь бе́рег был освещён я́рким пла́менем от горя́щего парохо́да.

11. Мы кóрмим нáших лошадéй сéном. 12. Я éду в контóру трамвáем. 13. У судьи́ мнóго книг. 14. Э́тот стáрый человéк хóдит без пáлки. 15. Я не довóлен твоéй рабóтой. 16. В э́той кóмнате пять пусты́х буты́лок. 17. Мы всегдá помогáем нáшим бéдным сосéдям. 18. Пóмните-ли вы назвáние у́лицы? 19. Потолóк э́той кóмнаты бéлый. 20. Недéля имéет семь дней. 21. Я никогдá не ви́дел э́того метáлла. 22. Он вытирáет ру́ки полотéнцем. 23. Дóктор приказáл сестрé дать больнóму дéсять кáпель э́того лекáрства. 24. Мы имéем конвéрты, но у нас нет бумáги. 25. Он закрывáет я́щик ключём. 26. Они́ изучáют два инострáнных языкá. 27. Скóлько страни́ц в э́том словарé? 28. Три́ста сéмьдесят четы́ре страни́цы. 29 Пти́цы в óзере. 30. Не бросáй кáмней в óзеро. 31. Пчелá сиди́т на спéлой ви́шне. 32. В ви́шне есть червь. 33. Мáльчики ещё в пáрке? 34. Нет, они пошли́ в кинематóграф. 35. Нáша собáка пошлá на у́лицу. 36. На нáшей у́лице мнóго собáк.

Instrumental and Prepositional singular.

1. свéжим сы́ром, о свéжем сы́ре
2. нóвым áдресом, о нóвом áдресе
3. слáдким чáем, о слáдком чáе
4. англи́йской граммáтикой, об англи́йской граммáтике
5. молоды́м англичáнином, о молодóм англичáнине
6. дли́нным письмóм, о дли́нном письмé
7. бéлой бумáгой, о бéлой бумáге
8. прилéжным ученикóм, о прилéжном ученикé
9. богáтой странóй, о богáтой странé
10. желéзной пáлкой, о желéзной пáлке
11. городскóй больни́цей, о городскóй больни́це
12. извéстным писáтелем, об извéстном писáтеле
13. интерéсной поéздкой, об интерéсной поéздке
14. больнóй бáбушкой, о больнóй бáбушке
15. серéбряным кольцóм, о серéбряном кольцé
16. нóвой гости́ницей, о нóвой гости́нице
17. тумáнном днем, о тумáнном дне
18. молоды́м дéревом, о молодóм дéреве
19. бу́рным вéтром, о бу́рном вéтре
20. дóбрым дя́дей, о дóбром дя́де
21. тёплой нóчью, о тёплой нóчи
22. зáпадной грани́цей, о зáпадной грани́це
23. тру́дной задáчей, о тру́дной задáче
24. я́рким блéском, о я́рком блéске
25. терпели́вым дóктором, о терпели́вом дóкторе
26. стáрым гнездóм, о стáром гнездé
27. деревя́нной двéрью, о деревя́нной двéри

28. весе́нним ве́чером, о весе́ннем ве́чере
29. тру́дным вре́менем, о тру́дном вре́мени
30. зелёной ве́твью, о зелёной ве́тви
31. спе́лой ви́шней, о спе́лой ви́шне
32. хра́брым во́йском, о хра́бром во́йске
33. ди́ким живо́тным, о ди́ком живо́тном
34. жа́рким у́тром, о жа́рком у́тре
35. высо́ким зда́нием, о высо́ком зда́нии
36. кра́сным зна́менем, о кра́сном зна́мени
37. желе́зным замко́м, о желе́зном замке́

Instrumental and Prepositional plural.

38. закры́тыми о́кнами, о закры́тых о́кнах
39. новы́ми музе́ями, о но́вых музе́ях
40. ва́жными изобре́тениями, о ва́жных изобре́тениях
41. интенси́вными рабо́тами, об интенси́вных рабо́тах
42. кру́глыми стола́ми, о кру́глых стола́х
43. си́ними каранда́шами, о си́них карандаша́х
44. краси́выми ребя́тами, о краси́вых ребя́тах
45. ве́рными друзья́ми, о ве́рных друзья́х
46. несча́стными кале́ками, о несча́стных кале́ках
47. одино́кими сирота́ми, об одино́ких сиро́тах
48. кита́йскими а́рмиями, о кита́йских а́рмиях
49. плохи́ми каче́ствами, о плохи́х ка́чествах
50. кури́нными я́йцами, о кури́нных я́йцах
51. (no plural)
52. любопы́тными ма́льчиками, о любопы́тных ма́льчиках
53–59 (no plural)
60. весёлыми пе́снями, о весёлых пе́снях
61. прекра́сными пода́рками, о прекра́сных пода́рках
62. глубо́кими река́ми, о глубо́ких ре́ках
63. ре́дкими пти́цами, о ре́дких пти́цах
64. поле́зными расте́ниями, о поле́зных расте́ниях
65. заба́вными ска́зками, о заба́вных ска́зках
66. симфони́ческими конце́ртами, о симфони́ческих конце́ртах
67. то́чными значе́ниями, о то́чных значе́ниях
68. сла́дкими я́блоками, о сла́дких я́блоках
69. огро́мными ска́лами, об огро́мных ска́лах
70. у́тренними прогу́лками, об у́тренних прогу́лках
71. интере́сными статья́ми, об интере́сных статья́х
72. черни́льными пя́тнами, о черни́льных пя́тнах
73. приле́жными ю́ношами, о приле́жных ю́ношах
74 и 75. (no plural)
76. иностра́нными инжене́рами, об иностра́нных инжене́рах
77. ста́рыми людьми́, о ста́рых лю́дях

Exercise 23

1. Both these boys are my pupils. 2. They are brothers. 3. The elder of them is more capable. 4. He has an excellent memory, he is more diligent and punctual than his brother. 5. He is the most industrious boy. 6. The wind is to-day stronger than yesterday. 7. This is the cheapest carpet. 8. I saw at least a dozen carpets, but I did not see one cheaper. 9. This garden is more shady than that one. 10. The smell of a rose is more pleasant than that of a tulip. 11. I think that the rose is the prettiest of all flowers. 12. Swiss cheese is fresher and more tasty than Dutch. 13. The cars of the London tramways are more comfortable than those of the Paris tramways. 14. They are wider and quicker. 15. Their seats are soft and those in the Paris cars are hard. 16. My friend's motor-car is prettier than mine. 17. England has the richest stocks of coal. 18. Your paper is whiter than this. 19. Which is the poorest country in Europe? 20. The rooms of this apartment are darker than ours. The dining room is the darkest room. 21. London is the largest city in Europe. 22. Our garden is the smallest of all the gardens but it is the prettiest. 23. This is the shortest road to the factory. 24. His voice is louder than mine. 25. The air is purer here, because it is an open locality where there are neither mills nor factories. 26. Which is the highest mountain in Asia? 27. The hottest countries are on the equator. 28. This star is brighter than that. 29. This lock is stronger than thine. 30. All thought that the last war was the most cruel, but the present war is still more cruel. 31. This girl is quieter and more modest than her neighbour at the class. 32. All the teachers consider her as the quietest and most modest pupil. 33. This game is jollier and more amusing than that which you are playing. 34. Let us play this game! 35. It is cooler at the seaside than in town. 36. Mice believe that there is no animal more terrible than the cat. 37. I have seen the rarest pictures in this museum. 38. Socrates was the wisest man in Ancient Greece. 39. Some streets of Paris are dirtier than the streets in the cities of Egypt.

1. За́втра бу́дет жа́рче чем сего́дня. 2. Э́то зда́ние ни́же чем больни́ца. 3. Велича́йший писа́тель Росси́и был Толсто́й. 4. Во́лга широча́йшая из всех ру́сских рек. 5. Её здоро́вье тепе́рь ху́же. 6. Мой оте́ц моло́же ва́шего. 7. Ближа́йшая остано́вка трамва́я нахо́дится про́тив почто́вой конто́ры. 8. Э́та зима́ гора́здо холодне́е чем после́дняя. 9. Я ду́маю, что э́то са́мая холо́дная зима́ за после́дние два́дцать лет. 10. Библиоте́ка Бри́танского Музе́я са́мая бога́тая в Евро́пе. 11. Ка́че-

ство э́тих груш лу́чше тех ; э́то са́мые лу́чшие гру́ши в ла́вке. 12. Капита́ны неме́цких парохо́дов стро́же чем капита́ны англи́йских. 13. Коне́ц э́того рома́на бо́лее интере́сен, чем его́ нача́ло. 14. Сего́дня молоко́ гу́ще и сла́же. 15. Газе́ты тепе́рь деше́вле чем они́ бы́ли во вре́мя войны́. 16. Серебряные ло́жки и ви́лки доро́же, чем про́стые. 17. Грани́т са́мый твёрдый минера́л. 18. У́голь из э́той ме́стности мя́гче ру́сского угля́. 19. Ва́ша зада́ча про́ще мое́й. 20. Река́ глу́бже о́зера. 21. В э́том парохо́де желе́зо — са́мая тяжёлая часть гру́за. 22. Чья ло́шадь лу́чше и сильне́е, ло́шадь твоего́ отца́ или на́шего сосе́да? 23. Учи́тель спроси́л моего́ сы́на не́сколько са́мых просты́х вопро́сов. 24. Да́йте мне, пожа́луйста, образе́ц са́мой чи́стой во́ды. 25. Пчела́ са́мое трудолюби́вое насеко́мое. 26. Она́ рабо́тает с утра́ до ве́чера. 27. Зимо́й но́чи длинне́е, а дни коро́че. 28. Шёлковая нить то́ньше шерстяно́й. 29. Кра́сная ле́нта коро́че чёрной. 30. Э́то са́мая несча́стная же́нщина, она́ бедна́ и одино́ка. 31. Мешки́ с песко́м тяжеле́е мешко́в с углём. 32. Населе́ние э́той дере́вни бога́че, потому́ что она́ бли́же к го́роду. 33. Э́ти рабо́чие получи́ли са́мые лу́чшие награ́ды, потому́ что они́ са́мые трудолюби́вые и спосо́бные рабо́чие всей фа́брики. 34. Э́ти одея́ла то́ньше на́ших.

Exercise 24

1. I have given him a book. 2. He promised me that he would be diligent. 3. He is not pleased with himself. 4. He injured himself. 5. The children behave very well. 6. Bring a chair for yourself from the next room. 7. Who owned this house before you? 8. It belonged to our neighbours. 9. Have you asked about my books at the bookshop? 10. Yes, I was told that they have forgotten to send them to you. 11. Have you my newspaper? 12. No, I have not one. 13. He gave me the address of the bookshop. 14. My friends have invited me for dinner. 15. This letter was written by me. 16. My neighbour remembered me. 17. You are not attentive enough and the teacher is not pleased with you. 18. I have not received any letters from him. 19. Uncle has sent you a box of cigarettes. 20. My brother will teach you the English language. 21. He has spoken to me about you. 22. He received three newspapers from her. 23. Our friends met us at the pier. 24. They gave us the map of the town. 25. My brothers will dine with us to-day. 26. We were longing for you. 27. We bought this pastry for you. 28. What will you give your daughter for a present? I will give her a golden ring. 29. This woman loves children and she is always spoiling them. 30. We have not heard of

him for a long time. 31. They have many books. 32. His brother has no cigarettes. 33. He is a very experienced physician, and sick people come to him from distant places. 34. We see ourselves in the mirror. 35. He speaks much of himself. 36. We have ordered dinner for ourselves. 37. You do not deny yourselves anything. 38. Nobody is a foe to himself. 39. He has no books. 40. I advise him to go abroad for the sake of his health. 41. Help her with what you can. 42. These tools will be very useful to me. 43. I wanted to buy them long ago. 44. His father did not allow him to go hunting. 45. I congratulate you on your birthday. 46. I was at the doctor's but did not find him in. 47. I was told that he had gone on leave and that he will be back in three weeks. 48. My sister meets her friends very seldom, because she seldom visits her mother. 49. I have nothing to do here. 50. The captain entrusts them with the sailing of the vessel. 51. We know your family well. 52. Give her some bread and butter. 53. I do not know either his Christian name or his surname. 54. He has forgotten to leave me his address. 55. His sister was with me at the theatre. 56. We shall be with you to-morrow at our teacher's (fem.) house. 57. She was at our house yesterday morning. 58. My father asked me whether I knew the address of our joiner? 59. Do you visit them often? 69. No, we seldom see them. 61. Neither they nor we have much free time. 62. Have they not been at my house? 63. Yes, they have been at your house several times.

1. Садóвник дал нам цветóв. 2. Я егó не вúдел. 3. Объяснúте мне, пожáлуйста, э́тот урóк. 4. Дéти сидя́т вокрýг своéй мáтери. 5. Мы бы́ли недалекó от дóма, но мы не моглú вúдеть егó из-за тумáна. 6. Моя́ собáка подбежáла ко мне, леглá óколо меня́ и полóжила гóлову ко мне на колéни. 7. Я взял кусóк бýмаги, заградúл дорóгу муравья́м. 8. Нéкоторые из них переползли чéрез неé, а другúе проползлú под ней. 9. Бáбочка с жёлтыми кры́лышками летáла нáдо мной. 10. Когдá я попытáлся поймáть её, онá улетéла и сéла на цветóк. 11. Что сказáла тебé твоя́ мать? 12. Она купúла себé красúвую шля́пу. 13. Мы рéдко получáем от неé пúсьма. 14. Мы стоя́ли на верхýшке высóкого холмá, у поднóжья котóрого бы́ло глубóкое óзеро. 15. У неё нет дéнег. 16. Я послáл им нéсколько пúсем, но не получúл от них отвéта. 17. Он причинúл себé боль. 18. Не хвалú себя́ самогó. 19. Контóра на вторóм этажé, а под ней магазúн. 20. Нáши друзья́ не моглú быть у нас сегóдня вéчером. 21. У них мнóго рабóты. 22. Кáждый отвечáет за себя́. 23. Мы вúдим себя́ в окнé. 24. Дéти подложúли под собóй одея́ла. 25. Они купúли для себя́ обéд. 26. Вы не должны́ беспокóить её, онá óчень зáнята.

27. Слепо́й пришёл к ним и спроси́л у них доро́гу в дере́вню. 28. Они ду́мают лишь о себе́. 29. Я принёс ему́ его́ кни́ги от его́ отца́. 30. Да́йте мне буты́лку пи́ва. 31. О чем ты спроси́л его́? 32. Укажи́те нам, пожа́луйста, доро́гу в теа́тр. 33. Я купи́л тебе́ па́ру боти́нок. 34. Встре́тили-ли вы матро́са? 35. Нет, мы не встрети́ли его́. 36. Для вас эти кни́ги? 37. Нет, они́ не для нас, они́ для них. 38. Что он сказа́л ей? 39. Кому́ принадлежи́т э́тот дом? 40. Он принадлежи́т не мне, а мое́й сестре́. 41. Где ты купи́л эти сла́сти и ско́лько ты запла́тил за них? 42. Я купи́л их в той ла́вке. 43. Они́ о́чень дёшевы, но они́ о́чень хороши́. 44. Э́ти я́блоки спе́лы? 45. Не́которые из них еще зелены́. 46. Э́та кни́га интере́сна? 47. Да, она о́чень заба́вна. 48. Когда́ ты повида́ешь своего́ дя́дю? 49. Я пови́даю его́ и его́ дру́га в клу́бе. 50. Я заплати́л за боти́нки сли́шком до́рого. 51. Я купи́л их для себя́ сего́дня у́тром. 52. Не порть бума́ги! 53. Бы́ли-ли вы у меня́? 54. Да, я был у вас на про́шлой неде́ле. 55. Мы бы́ли с ва́ми на уро́ке. 56. Он ча́сто получа́ет пи́сьма от меня́ и от неё. 57. Их мать обеща́ла им пода́рки, если они бу́дут приле́жны. 58. Я слы́шал о нем. 59. Они да́ли ка́ждому из нас по две таре́лки, по стака́ну, по ло́жке, ви́лке и ножу́. 60. У него́ в до́ме мно́го карти́н. 61. Она́ не совсе́м терпели́ва с детьми́. 62. У неё совсе́м нет терпе́ния.

Exercise 25

1. This is my book. 2. My brother is working at home. 3. Have you seen my sister at the park? 4. No, I have not seen her. 5. We know our lesson. 6. Where is his dictionary? 7. On the table. 8. Here is your text-book of English history. 9. I was with my brother at the museum. 10. I always remember our life in the country. 11. The grandfather sent Christmas presents to his grandsons. 12. Here are letters, this is yours and that one is mine. 13. I was abroad with my sister. 14. Share this apple with Petia; give him half! 15. We always buy our books at this bookshop. 16. Where is your luggage? 17. It is still on the steamer. 18. The doctor has told my father that he has a weak heart. 19. Please give me a match. 20. We were with your sister at the circus. 21. I am hurrying to my father. 22. In my opinion it was an excellent concert. 23. Do it your own way. 24. Everybody writes the letter "g" in his own way. 25. In our opinion he is right. 26. We were on a walk with our parents, brothers and sisters. 27. He spoke about me to the director of the factory. 28. He often visits us. 29. It is light in our room. 30. I was at the club. 31. Your father was not there. 32. Pass

on this telegram to your brother. 33. There is always a blind old man near our school who begs for alms. 34. I often write to my friends. 35. Tell us of your life in the country. 36. We seldom meet our acquaintances. 37. There are many mistakes in our English dictionaries. 38. I have not seen your new house. 39. They read our newspaper every morning. 40. There is a large ink spot on his jacket. 41. Their house is at the very sea shore. 42. There is a large garden behind the house. 43. They have their own cherries, apples, pears and various other fruits. 44. My father has not his own motor-car. 45. He loves his work. 46. Have you already written to your friends ? 47. I always write them very punctually twice a week. 48. Is she pleased with her apartment ? 49. I put your papers on your table. 50. A bird made her little nest under my window. 51. I have known this young man since he was a child.

1. Вот твоё я́блоко. 2. Он хорошо́ зна́ет свой родно́й язы́к. 3. Почему́ ты не ешь своего́ яйца́ ? 4. День моего́ рожде́ния в январе́. 5. На́ша ла́мпа даёт доста́точно хоро́ший свет. 6. Их наме́рения мне не совсе́м ясны́. 7. Чего́ вы и́щете в мо́ем я́щике ? 8. Я ищу́ но́жницы, они́ мне нужны́. 9. Я́корь э́того судна́ о́чень тяжёл. 10. На́ша кварти́ра на пе́рвом этаже́. 11. Ма́льчики потеря́ли свой мяч в саду́. 12. Где её шерстяно́е пла́тье ? 13. Дво́е из его́ ученико́в получи́ли награ́ды. 14. Не де́лай шу́ма, ты меша́ешь твоему́ отцу́ рабо́тать. 15. Четве́рг наш люби́мый день, потому́ что учи́тель расска́зывает нам о дре́вней Гре́ции. 16. Они́ са́ми мо́ют свои́ чулки́. 17. Э́тот край нам чужд. 18. Мы вы́разили сего́дня свою́ благода́рность на́шему учи́телю за его́ забо́ту о нас, когда́ мы бы́ли в шко́ле. 19. Чте́ние не должно́ занима́ть всё твоё вре́мя ; ты до́лжен помо́чь отцу́. 20. Почему́ ты не пьёшь своего́ ча́я ? 21. Она́ дала́ мне свою́ чёрную, кра́сную и си́нюю ле́нту. 22. Чьи э́то часы́ ? 23. Э́то не мои́. 24. Я полага́ю, что мой друг оста́вил свои́ часы́ на твоём столе́. 25. Никто́ не зна́ет свое́й судьбы́. 26. Кака́я была́ цель их пое́здки в Москву́ ? 27. Я не ду́маю, что она́ была́ ясна́ им сами́м. 28. Он не зна́ет цены́ э́той прекра́сной карти́ны.

Exercise 26

1. The weather is fine to-day. 2. I have been working the whole day. 3. Have you read the paper ? 4. I have had no time to read this article. 5. We have spent all the summer abroad. 6. Which comb is yours, this one or that one ? 7. Every morning we hear the singing of the birds. 8. Whose

novel are you reading ? 9. I am reading the novel of the famous writer, about whom everybody is talking. 10. The writer himself gave me this book. 11. With whom have you been for a walk ? 12. I was walking in the park with my old friend. 13. Whose scissors are these ? 14. They are quite blunt. 15. With what are you writing, with a pen or pencil ? 16. To whom did she give supper ? 17. She gave supper to these little children. 18. They have been playing for a long time and now they are hungry. 19. How many books have you ? 20. Whom did the doctor visit ? 21. He visited our sick mother. 22. Which of your pupils is the youngest ? 23. This boy is healthier than his brother. 24. What papers are they reading ? 25. To how many children did he give toys ? 26. Each child received one toy. 27. They read this English newspaper in the morning and that Russian one in the evening. 28. I have to-day visited the chief of the factory himself. 29. He lives in this house by himself and he himself cooks his food. 30. Where do his two sisters live ? 31. They live in that new house. 32. Our father himself mends our shoes. 33. The doctor himself gives the medicine to the sick man. 34. All these books belong to him. 35. All the factory workmen attend the evening school. 36. Our neighbour has given presents to all the children. 37. The teacher (f.) is pleased with all her pupils. 38. They all make good progress. 39. I do not know the names of all the members of the club. 40. To how many pupils were rewards given ? 41. To three. 42. He used up all the paper and all the envelopes. 43. He himself never has either paper or envelopes. 44. Those plants are very useful, because very valuable medicines are extracted from them. 45. How many chairs are in this room ? 46. Six chairs and two armchairs. 47. I have asked the teacher himself the meaning of these words. 48. You do not work yourself and you hinder others from working. 49. With what is she busy the whole day ? 50. She mends the children's clothes, cooks food for them and washes them. 51. She does everything herself without the help of a servant. 52. Indeed she has much work. 53. How many persons have you invited for dinner ? 54. All my friends, in all, seven persons. 55. The doctor has forbidden the patients to eat mustard. 56. I am writing a letter with a pencil because I have not a good pen. 57. How do you spend the evenings ? 58. I read scientific journals the whole evening and sometimes I play chess with my friend. 59. Meat is not tasty without salt or mustard. 60. I cannot cut this stale bread with such a blunt knife. 61. My neighbour is a very cheerful man ; he is one of the most industrious workers of our office. 62. He is a great lover of good books, music and the theatre, and he often goes to the theatre and concerts. 63. In the town library I have found all the books which I need. 64. The captain pays their wages to the crew every Saturday. 65. The grandfather and grandmother have given presents to their grandsons and grand-daughters. 66. I have dreamt a dream. 67. We hear the singing of the nightingale every night in our garden. 68. This novel has no end. 69. The tramway stop is near our school.

1. Во всем до́ме не бо́лее шести́ ко́мнат. 2. Э́та кварти́ра доста́точно велика́, но её ку́хня и ва́нная сли́шком малы́. 3. О́кна не широки́. 4. Э́то не совсе́м но́вый дом. 5. Он был постро́ен о́коло двадцати́ лет тому́ наза́д. 6. Кварти́ры о́чень ре́дко свобо́дны в э́том до́ме. 7. Америка́нцы ча́сто говоря́т : вре́мя — де́ньги. 8. Берега́ э́той глубо́кой реки́ о́чень круты́е. 9. Дома́ на э́той у́лице ни́же, чем на други́х у́лицах. 10. Леса́ По́льши изоби́луют волка́ми. 11. Гла́вный врач э́той больни́цы о́чень спосо́бный врач. 12. По́езд прибыва́ет на ста́нцию в четы́ре часа́ утра́. 13. У меня́ ма́ло свобо́дного вре́мени. 14. Я за́нят це́лый день. 15. Куда́ вы идёте ? 16. Я иду́ домо́й. 17. Я е́ду сего́дня во Фра́нцию. 18. Он е́здит в Шотла́ндию ка́ждый год ле́том. 19. Я сиде́л у окна́ и чита́л газе́ту, когда́ почтальо́н постуча́л в дверь. 20. Я не име́ю карти́н. 21. Э́тот пиро́г для вас. 22. Ве́тер ду́ет с мо́ря. 23. У вас хоро́шая библиоте́ка. 24. Мои́ бра́тья до́ма. 25. Э́ти кни́ги для ва́шей сестры́. 26. Вот пода́рок для вас от меня́. 27. Он живёт у меня́ со вчера́шняго дня. 28. Я живу́ вблизи́ фа́брики. 29. Оте́ц пошёл в суд вме́сто сы́на. 30. В до́ме не бы́ло ме́бели. 31. Пе́ред гости́ницей о́зеро, а позади́ неё те́нисная площа́дка. 32. Мы ка́ждое у́тро прохо́дим ми́мо па́рка. 33. Среди́ нас нет ни одного́ холостяка́. 34. Ра́ди своего́ здоро́вья вы не должны́ кури́ть. 35. Они сиде́ли в трамва́е про́тив меня́. 36. Мы лю́бим гуля́ть по на́бережной. 37. Он о́чень хорошо́ знал моего́ ру́сского дру́га. 38. Я встре́тил его́ вчера́ на конце́рте. 39. Куда́ он пое́хал ? 40. Он пое́хал в Москву́ и́ли Ленингра́д ? 41. Он пое́хал отсю́да в Пра́гу. 42. Куда́ вы поста́вили ча́шку ? 43. На по́лку. 44. Газе́та под столо́м. 45. Он провёл неде́лю у меня́. 46. Мы ви́дели его́ сего́дня у́тром за рабо́той. 47. Я всегда́ теряю́ свой носово́й плато́к. 48. Позади́ на́шего до́ма большо́е по́ле. 49. Учени́к стоя́л пе́ред учи́телем и молча́л, потому́ что он не мог отве́тить на вопро́с учи́теля. 50. Я никогда́ не был там. 51. Он жил со свои́м дру́гом в Ирла́ндии. 52. Над мо́ей кварти́рой живёт музыка́нт. 53. Он це́лый день игра́ет на скри́пке. 54. У меня́ всегда́ под нога́ми ковёр. 55. Мы мо́ем ру́ки пе́ред обе́дом. 56. Он был с жено́й на конце́рте.

Exercise 27

1. He had three sons. 2. I have not a copeck. 3. Who has my newspaper ? 4. Mother has it. 5. We have not got a dictionary. 6. Our neighbour has a great sorrow. 7. These children have many toys. 8. The father has much work. 9. The doctor has no time. 10. We are often at our grandmother's house. 11. He lives with us. 12. He had an excellent gun. 13. She has a good pronunciation. 14. A motor-car is near our house. 15. I was at your house. 16. I was not at the doctor's. 17. They have no garden. 18. Have you any wine ? 19. I never drink wine. 20. I have two brothers and one sister. 21. I have not my own apartment, I am living with my son. 22. We shall have guests to-day. 23. I have left my things with Maria Petrovna. 24. I am writing a letter to Alexey Nikolaevitch. 25. I received a telegram from Peter Vasilievitch Trutnev. 26. Give my greetings to Constantin Constantinovitch and to his wife. 27. I often visit Scotland. 28. My friend lives in Aberdeen. 29. The carpenter has new tools. 30. He has no ticket. 31. Have you any English cigarettes ? 32. I do not know anybody in this town. 33. Whose microscope is it ? 34. It is this student's microscope. 35. Whose golden chain is it ? 36. Whose overcoat hangs in the wardrobe ? 37. In whose motor-car did your aunt go to the country ? 38. Whose newspaper is your brother reading ? 39. Mine. 40. Whose coin is it ? 41. (It is) his father's. 42. Whose grave is it ? 43. (It is that) of the courageous flyer. 44. They do not know whose gloves these are. 45. Somebody's tie is lying on the sofa. 46. I have taken somebody's umbrella by mistake. 47. I do not know whose flower it is. 48. Whose money is it ? 49. Whose gramophone records are these ? 50. These are mine but those belong to my friend. 51. With whose camera did you take these snapshots ? 52. Of whose children is she taking care ? 53. With whose axe are you cutting trees ? 54. With whose scissors is the seamstress cutting the lace ? 55. In whose laboratory is he making experiments ? 56. On whose field is there much hay ? 57. Whose stocks of meat and bread did the enemy seize ? 58. The parrot does not like his cage. 59. Whose mistake was it ? 60. Give us somebody's guarantee. 61. With whose key did she open the door ? 62. I have found somebody's glasses. 63. I have heard somebody's cries for help. 64. Knock at somebody's door and ask for a glass of water. 65. On whose paper is she writing a note ? 66. I like to hear the laughter of children. 67. Where are you buying your books, newspapers and magazines ? 68. Many holes were made in this wall by the splinters of a

bullet. 69. They are playing chess. 70. Whose move is it? 71. I have found somebody's penknife. 72. She is not content with anything. 73. They did not tell anybody of their sorrow. 74. Nobody knows this musician. 75. Children often imitate grown-up persons.

1. Бы́ли-ли вы у меня́? 2. Я бу́ду за́втра у ва́шего отца́. 3. Я ча́сто быва́ю у Сми́та. 4. Кого́ вы встре́тили у Петра́ Алекса́ндровича? 5. У вас хоро́шая ка́рта ми́ра. 6. В э́той ко́мнате нет часо́в. 7. Пожа́луйста, пошли́те э́тот паке́т Ве́ре Ива́новне. 8. Я жил до́лгое вре́мя на Во́лге. 9. Я никогда́ не ви́дел Испа́нии. 10. Мы зна́ем хорошо́ рома́ны Льва́ Никола́евича Толсто́го. 11. И́мя Пу́шкина — Алекса́ндр Серге́евич. 12. Лю́бите-ли вы му́зыку Чайко́вского? 13. Слы́шали-ли вы Шаля́пина в „Бори́се Годуно́ве"? 14. Ско́лько у вас чемода́нов? 15. Како́й но́мер ва́шей ко́мнаты? 16. Име́ете-ли вы корреспонде́нцию для меня́? 17. Как ва́ше и́мя? 18. Принеси́те мне перо́, черни́л и бума́ги. 19. Вот оши́бка в моё́м счё́те! 20. Э́та страна́ име́ет большо́е населе́ние. 21. У нас удо́бная кварти́ра. 22. Кому́ вы пи́шете письмо́? 23. Кто заплати́л его́ долг? 24. Он проси́л указа́ть ему́ доро́гу. 25. Никого́ нет в саду́. 26. Э́то пряма́я ли́ния, а э́то крива́я. 27. Учи́тель объясни́л нам, что углы́ быва́ют прямы́е, косы́е и тупы́е. 28. Чей это пиджа́к? 29. Э́то его́. 30. Где моя́ шля́па? 31. Я не ви́дел её́. 32. Како́й каранда́ш ваш — си́ний и́ли кра́сный? 33. Си́ний мой, а кра́сный его. 34. Чьим карандашо́м пи́шете вы? 35. Я пишу́ карандашо́м моéй сестры́. 36. Чью кни́гу вы чита́ете? 37. Мы чита́ем на́шу кни́гу. 38. У кого́ они́ живу́т? 39. Они́ живу́т у своего́ отца́. 40. Чьё э́то ме́сто? 41. Э́то его́ ме́сто. 42. Чьи́ э́то стака́ны? 43. Э́ти стака́ны мои́. 44. Чей э́то биле́т? 45. Э́то её́ биле́т. 46. Чьи перча́тки у неё? 47. У ней её́ со́бственные перча́тки. 48. Чьим ученика́м принадлежи́т э́та ка́рта? 49. Э́та ка́рта принадлежи́т э́тим ученика́м. 50. С чьи́ми детьми́ игра́ют ва́ши де́ти? 51. С детьми́ моего́ сосе́да. 52. В чьéй ко́мнате оста́вили вы газе́ту? 53. В ва́шей. 54. Чьи э́то апельси́ны? 55. Э́то апельси́ны моéй ма́тери. 56. О чьей телегра́мме вы говори́те? 57. Я говорю́ о телегра́мме моего́ отца́. 58. О чьих пи́сьмах он спроси́л? 59. Он спроси́л о их пи́сьмах. 60. Чей это рома́н „Война́ и Мир"? 61. Э́тот рома́н принадлежи́т ему́. 62. Чью мать видели вы́? 63. Я ви́дел её́ мать. 64. Я встре́тил моего́ дру́га в па́рке. 65. Они́ спроси́ли меня́ о вас. 66. Когда́ вы пойдё́те со мно́й в парк? 67. Я не ви́дел ва́ших англи́йских книг. 68. Где вы их положи́ли? 69. Кому́ вы посыла́ете э́ти пода́рки? 70. Я посыла́ю их мои́м сё́страм и бра́тьям. 71. До́ктор спроси́л его́, ско́лько часо́в в день он рабо́тает. 72. Отвеча́йте на мой вопро́с: како́й са́мый бы́стрый парохо́д? 73. Э́тот быстре́е, чем тот, хотя он и старе́е.

74. Садо́вник не дово́лен э́тими цвета́ми. 75. Он ду́мает, что они́ сли́шком малы́. 76. Пьёте-ли вы чай с молоко́м? 77. Да, но без са́хара. 78. Лимона́д сде́лан из лимо́на, воды́ и са́хара. 79. Я ежедне́вно чита́ю две газе́ты, у́тром ру́сскую, а ве́чером англи́йскую. 80. Мы копа́ем зе́млю больши́ми лопа́тами. 81. Мы не мо́жем посла́ть э́то письмо́, потому́ что мы не име́ем ма́рок. 82. Что вы жела́ете чита́ть — кни́гу и́ли газе́ту? 83. Я не хочу́ чита́ть ни кни́ги, ни га́зеты. 84. Я никогда́ не чита́ю в по́езде. 85. Я нико́го не заста́л до́ма. 86. Все пое́хали автомоби́лем в дере́вню. 87. Мы прихо́дим в шко́лу в де́вять часо́в утра́ и ухо́дим в четы́ре. 88. Ка́ждый уро́к продолжа́ется пятьдеся́т мину́т.

Exercise 28

1. As a factory workman, my father earned a small wage, not more than £3 a week. 2. I earned £10 last month. 3. I used to get up at 6 a.m. and I worked until 1 p.m. without a break. 4. We got up late this morning because we were at a party. 5. I ordered a suit of clothes and an overcoat at your tailor's. 6. I paid my teacher for each lesson. 7. His father paid all his debts. 8. My mother used to get letters from my sister twice a week. 9. I have received a letter from my friend. 10. I used to meet him often at the library. 11. I met him in the park. 12. I used to borrow an English newspaper from my friend. 13. He borrowed my maps. 14. I was talking to Andrew at the restaurant. 15. I told him of the death of my father. 16. We were lying on the grass and listening to the singing of birds. 17. We went to bed at 10 p.m. 18. He loves life in the country. 19. He grew fond of this village. 20. My friend was always helping your scientists. 21. He helped this young doctor to complete his studies. 22. The ice broke under him. 23. I sent my brother to fetch the doctor. 24. He often used to lose his books. 25. He has lost his watch. 26. My father was painting his boat the whole day yesterday. 27. He painted the doors and the windows with white paint. 28. The teacher praises children who come to school punctually. 29. He praised my son yesterday for his drawing. 30. I often used to talk with him about the pleasant times we passed on the river. 31. I remembered a long forgotten poem. 32. I usually open my letters after dinner. 33. I opened my brother's letter by mistake. 34. He throws cigarette ashes everywhere. 35. She said that she will give up music, because she has left the town for the country. 36. When we lived in that house, we used to cross the river every day.

Exercise 29

1. This engineer specialised in the construction of Diesel motors. 2. We enquired at the station the time of the arrival of the Moscow train. 3. We ascended the mountain in the early morning and descended in the evening. 4. We refer to your letter of yesterday. 5. Two large steamers collided in the middle of the ocean in a fog. 6. Try to be in time for dinner to-day. 7. The captives are languishing in captivity. 8. We have arranged to meet to-morrow morning. 9. I apologise for the disturbance. 10. The children were frightened by the thunder. 11. The aeroplanes appeared high in the sky. 12. The boy stumbled over a stone. 13. On some stations of the London "Underground" there are notices: "Beware of pickpockets." 14. This young scientist is absorbed in his work. 15. We enjoyed ourselves very much at the party. 16. Children develop rapidly in infancy. 17. We were amazed at this young hero's courage. 18. The day of peace is approaching. 19. He pretends not to know Russian. 20. They confessed their guilt. 21. The temperature varies between 12 and 14 degrees Réaumur. 22. We are indignant because of the injustice of the judge. 23. The raids of the enemy aeroplanes were borne by the population calmly and steadfastly although the country was subjected to extreme danger daily for several months. 24. This old professor is engaged in the study of tropical diseases. 25. The United States are considered to be the richest country in the world. 26. In the quiet of the garden suddenly somebody's steps were heard.

1. Они нужда́ются в но́вом пла́тьи. 2. Вода́ и ма́сло не сме́шиваются легко́. 3. Мы смея́лись его шу́тке. 4. Де́ти ка́ждый день купа́ются в реке́. 5. Я подружи́лся с ру́сским лётчиком. 6. Пусты́ня но́чью освеща́ется звёздами. 7. Облака́ отража́ются в воде́. 8. Кре́пость берётся шту́рмом. 9. Ра́зные экспеди́ции организу́ются сове́тскими иссле́дователями. 10. Рабо́та не прекраща́ется в А́рктике да́же зимо́й. 11. Когда́ заби́ла трево́га, пассажи́ры бро́сились к ло́дкам. 12. Де́ти ки́нулись за мячо́м. 13. Мой друг всегда́ торо́пится у́тром. 14. Не торопи́те меня́. 15. Котёл нагрева́ется электри́чеством. 16. Шерстяна́я промы́шленность бы́стро разви́лась в Сове́тской Росси́и. 17. В Ура́льских гора́х нахо́дится мно́го драгоце́нных мета́ллов. 18. Мой сын забавля́ется моде́лями аэропла́нов. 19. Студе́нты помеща́ются в общежи́тиях, находя́щихся при техни́ческих шко́лах. 20. Когда́ он уста́л, он легко́ раздра-

жáется. 21. Мёртвые телá быстро разлагáются в жáрких стрáнах. 22. Сáхар легкó растворя́ется в водé. 23. Дон разливáется, когдá тáет снег.

Exercise 30

1. This is a non-smoker carriage. 2. Steamers, sailing along the coast, are usually small. 3. The manager of this warehouse comes to work very early. 4. All those who are sitting at that table are foreigners. 5. The hat which is hanging in the hall is mine. 6. Persons who have not a member's ticket will not be admitted to this meeting. 7. The motor-car which stands near our house belongs to the doctor. 8. My sister, who was sitting in the second row, could see the ballet very well. 9. People who have not normal sight are either short or long sighted. 10. Steel made of this iron will be very brittle. 11. The doctor who visited the sick woman thinks that she needs absolute rest. 12. The artist who is painting this picture studied painting in Italy. 13. Drivers who have not been riding on these roads should not be entrusted with a car. 14. The solo-violinist who played at yesterday's concert is a rising star. 15. Nobody of those who took part in the excursion spoke Russian. 16. Those desirous of going abroad must ask for the issue of a foreign passport. 17. In order to obtain a passport it is necessary to fill in two forms, so-called questionnaires, which contain certain questions regarding the personality of the applicant. 18. In those forms the following particulars must be given: the name, patronymic name and the surname of the applicant, the year, month and date of birth, the applicant's present address, his nationality, his occupation or profession and the purpose of the journey. 19. In the forms which are issued by the consulates of some States, besides the questions mentioned, the applicant must also state the religion professed by him, whether he is married or single. 20. Two photographs must be attached to the forms. 21. Excellent sanatoria for convalescent people have been built along the whole coast of the Crimea and the Caucasus. 22. Medical assistance is very well organised in the Soviet Union. 23. Those who have lost their capacity for work and workmen who have become old receive a pension which secures them a comfortable existence. 24. Birds, frightened by the rattle of the thunder, hid themselves quickly in their nests. 25. All who take part in this game must obey the established rules. 26. We have become acquainted abroad with many newly invented machines. 27. We enjoyed a rest in the mountains of Scotland after a long year of work. 28. This house caught fire through an unknown cause. 29. In

badly ventilated pits workmen often become suffocated owing to the presence of harmful gases. 30. The concert usually ends at about eleven o'clock. 31. The International Medical Congress opened with the chairman's speech. 32. Soviet explorers annually organise expeditions to the Arctic. 33. The brave army staunchly resisted the enemy's attacks. 34. We lost our way in the impassable forest and we set out to look for the little house of the forester. 35. You ought not to strain yourself, you will become too tired and you will not be able to finish the work at the required time. 36. Many unsuccessfully attempted to fly over the Atlantic Ocean. 37. Now such flights are made without any particular difficulties owing to the improvements attained in the last twenty-five years.

1. Зна́ющие ру́сский язы́к не нужда́ются в проводнике́, когда́ они́ путеше́ствуют по Росси́и. 2. В Австра́лии есть пти́ца, называ́емая „смею́щийся осёл". 3. Пи́сьма, адресо́ванные вам, бу́дут по́сланы в Москву́. 4. Э́то соверше́нно подходя́щее выраже́ние. 5. Его́ вре́мя вполне́ посвящено́ рабо́те. 6. Э́тот инжене́р незамени́мый рабо́тник на на́шей фа́брике. 7. До́ктор нахо́дит, что больно́й страда́ет неизлечи́мой боле́знью. 8. Её наказа́ние незаслу́женно. 9. Офице́ры, понима́ющие иностра́нные языки́, получа́ют специа́льные назначе́ния. 10. Ли́ца, жела́ющие прису́тствовать на собра́нии, должны́ обрати́ться к секретарю́ за биле́тами. 11. Парохо́д, нагру́женный зерно́м, уда́рился о скалу́ и утону́л. 12. Цвету́щий го́род был уничто́жен пожа́ром. 13. Мы слы́шим весёлый смех купа́ющихся дете́й. 14. Мы ви́дели пла́чущую же́нщину и успоко́или её. 15. Инжене́р, прове́ривший маши́ну, нашёл, что она́ бу́дет хорошо́ рабо́тать. 16. Снеговы́е го́ры, окружа́ющие о́зеро, прекра́сны при захо́де со́лнца. 17. Худо́жник, рису́ющий иллюстра́ции для э́тих книг, мой хоро́ший друг. 18. Мы ви́дели разва́лины го́рода, разру́шенного землетрясе́нем.

Exercise 31

1. Sitting in the armchair I fell asleep. 2. By reading the English newspapers I learnt that language. 3. Not knowing the Russian language, I went to the U.S.S.R. 4. I remained all the time on deck, admiring the view of the sea. 5. Looking at you, I remember my sons. 6. Working diligently every day, we learn the Russian language in a very short time. 7. Leaving this country, he wrote to his friends how pleasant and interesting was the time spent with them. 8. Having washed and dressed, we had breakfast and set out to see the town. 9. Having read the letter from my father, I

immediately went to Moscow. 10. Having learnt that my friend was in London, I asked him to visit me. 11. Having decided to settle down in Soviet Russia, we started to study the Russian language. 12. Knowing two foreign languages, we find the Russian grammar fairly easy. 13. Standing at the bedside of the sick man, the doctor explained to the students how to treat his illness. 14. Having listened to what he said, the students noted the doctor's explanations. 15. Reading aloud, you will acquire a good pronunciation. 16. Returning home, I dropped in at my friend's. 17. Seeing me, my friend left his work and went out with me into the street. 18. Having arrived in Moscow, we started looking for our friends. 19. Walking along the streets of Moscow, we compared the life in that town with the life in London.

1. Я нашёл свою́ кни́гу, и могу́ продолжа́ть свою́ рабо́ту. 2. Зна́я, что он в Москве́, я пое́хал туда́, что́бы провести́ свой о́тпуск с ним. 3. Гуля́я в па́рке, моя́ мать встре́тила моего́ дру́га. 4. Получи́ли-ли вы моё письмо́? 5. Я получи́л письмо́ от ва́шего бра́та, но не от вас. 6. Записа́ли-ли вы мой а́дрес? 7. Кто потеря́л э́ти часы́? Я нашёл их в саду́. 8. Сде́лай свою́ рабо́ту тепе́рь, е́сли ты хо́чешь пойти́ гуля́ть со мной. 9. Я уже́ око́нчил рабо́ту. 10. Вы обыкнове́нно о́чень бы́стро отвеча́ете на пи́сьма свои́х друзе́й. 11. Мой друг пи́шет так бы́стро, что мне тру́дно понима́ть его́ пи́сьма. 12. Помоги́ мне перенести́ ме́бель из столо́вой в гости́ную. 13. Вот хлеб, сыр и ма́сло. 14. Ешь, е́сли ты голо́ден. 15. Ско́лько он заплати́л за э́то кольцо́? 16. Я иска́л ключ повсю́ду, но не мог найти́ его́. 17. Прочита́ли-ли вы газе́ту? 18. Хо́лодно-ли вам? 19. Возьми́те пе́рвый поворо́т напра́во. 20. Он был оди́н в ко́мнате. 21. Мы пойдём гуля́ть сего́дня ве́чером, е́сли не бу́дет о́чень хо́лодно. 22. Мы не слы́шали, что он сказа́л. 23. Мы не могли́ доста́точно хорошо́ ви́деть игру́, потому́ что мы сиде́ли сли́шком далеко́. 24. Мы не мо́жем прийти́ у́тром. 25. Бу́дете-ли вы свобо́дны в полови́не двена́дцатого? 26. Нашли́-ли вы свою́ записну́ю кни́жку? 27. Я ожида́л здесь це́лый день, но никто́ не пришёл. 28. Вернётесь-ли вы в Москву́ в конце́ ию́ля?

Exercise 32

1. Wages were paid to-day to the workmen and they were told that the factory would be closed for two weeks. 2. We invited several friends to dinner. 3. With the advent of cold weather, the birds flew away to warmer countries. 4. "Do not put off till to-morrow what you can do to-day." 5. A proposal was made at the meeting regarding the re-election of the chairman and the vice-chairman. 6. The thieves broke off the lock, penetrated into the apartment and carried away many valuable things. 7. I ran to the station to-day in five minutes, but nevertheless I was late for the train. 8. A fire which started from a burning cigarette carelessly thrown on the carpet, destroyed all the furniture in the house. 9. Divers examined the bottom of the ship, which had been damaged during a collision. 10. The doctor relieved the suffering of the wounded by applying a narcotic. 11. We spent the summer at the seaside. 12. We crossed the river by boat. 13. I cannot make out the name of the person who signed this letter. 14. It is supposed that the exhibition will be opened in the spring. 15. A rumour spread that the Government had repealed the tax on sugar. 16. It is thought that after the war the peoples of the United Kingdom and the U.S.S.R. will come nearer to each other and will help each other.

1. Он порабо́тал шесть часо́в, пообе́дал и пошёл погуля́ть. 2. Как подвига́ется ва́ша рабо́та? 3. Е́сли но́вые перча́тки те́сны, их сле́дует растяну́ть. 4. Сталь нака́ливается до́-красна. 5. Загляни́те, когда́ вы бу́дете проходи́ть ми́мо на́шего до́ма. 6. Они́ прекрати́ли разгово́р, когда́ я вошёл в ко́мнату. 7. Солда́ты преодоле́ли все препя́тствия и взя́ли го́род. 8. Я иду́ на ста́нцию узна́ть вре́мя прихо́да Моско́вского поезда. 9. Куда́ дева́лась моя́ кни́га? 10. Вы оста́вили её в моей ко́мнате. 11. В Ло́ндо́не стро́ят больши́е дома́, но там всё ещё большо́й недоста́ток в кварти́рах. 12. Мы посиде́ли в рестора́не, поболта́ли и пошли́ домо́й о́коло десяти́ часо́в ве́чера. 13. Когда́ вы встаёте? 14. Я обыкнове́нно встаю́ в семь. 15. Когда́ я был моло́же, я ежедне́вно встава́л в шесть часо́в утра́ и ходи́л на прогу́лку пе́ред за́втраком. 16. Он не узна́л меня́. 17. Мы не ви́делись де́сять лет. 18. Он разобра́л свой автомоби́ль на ча́сти. 19. Все биле́ты на э́тот спекта́кль разо́браны. 20. Снеси́ все э́ти кни́ги вниз. 21. Сними́те пальто́ и шля́пу и пове́сьте их в пере́дней. 22. Войди́те ко мне в кабине́т. 23. Почита́йте газе́ты. 24. Я верну́сь че́рез полчаса́. 25. Я написа́л ему́ не́сколько слов. 26. Я уже́ слы́шал э́ту печа́льную но́вость.

Exercise 33

1. The wind dispersed the clouds. 2. The neighbour is proud of the progress of his son. 3. This coal burns very quickly. 4. Our friend will stay with us for two weeks. 5. We are preparing stores for the winter expedition. 6. Do not be sad about the past. 7. We pushed the sofa from the wall into the corner of the room. 8. He acted in accordance with the doctor's directions. 9. Keep to the right side. 10. I value his friendship. 11. Fetch this book from the upper shelf and read the preface. 12. She complains of toothache. 13. I am awaiting a letter from my brother. 14. I lived in Stalingrad for about two years. 15. I did not find the doctor in. 16. Ring up on the telephone and ask if he is at home now. 17. I became acquainted with the achievements in chemistry of the scientists of this Institute. 18. What does this sign signify ? 19. We are interested in the history of the literature of European countries. 20. I am looking for a small apartment in the centre of the town. 21. It seems to me that he forgot my address. 22. Water boils at 80 degrees Réaumur. 23. The children shout and make a noise when they go out of school. 24. I am smoking too much. 25. This clock lies, it is much earlier now. 26. We often lie on the grass and rest after our work. 27. He climbed up the wall. 28. The birds have flown away to warm countries. 29. The children are catching butterflies. 30. I go to bed late. 31. We admire the sunrise. 32. The girl is enticing the pigeons with breadcrumbs. 33. The passengers started waving their handkerchiefs when the steamer started to move slowly out of the harbour. 34. He takes care of his clothes. 35. The children are running along the river bank. 36. Do you want tea or coffee ? 37. Do you eat meat ? 38. The clock struck ten. 39. Look at this picture. 40. Do not believe rumours. 41. We saw at a distance a fast moving motor-car. 42. My mother herself made this dress. 43. He felt a pain in his right arm. 44. I am spending much time in looking for an apartment. 45. My father is seldom angry with me. 46. Take the train and come to us in the country. 47. The children laughed loudly, when they saw the grimaces of the little monkey. 48. I am hurrying to work. 49. I advise you to take care of your health. 50. We were badly shaken on that uneven road. 51. Do you hear a strange noise ? 52. Look at this map and find on it the position of our hotel.

Exercise 34

1. We seldom go to the theatre. 2. He always speaks loudly. 3. My sister knows this poem by heart. 4. Our grandmother is almost deaf. 5. My son runs quicker than Vanya. 6. These cigarettes are not too strong. 7. This hat is too expensive. 8. This is quite an unnecessary tool. 9. This is quite a warm overcoat. 10. Speak more quietly, mother is asleep in the next room. 11. Walk quicker; you will be late for the lesson. 12. Take more milk, your tea is too strong. 13. All hope that after the war life will go quite a new way. 14. In my opinion, you have made a wrong move, yet you seem to be a good chess player. 15. Buy somewhat dearer gloves, you would find them wear much longer. 16. Why do you come so late to the lesson? 17. Your apartment is more comfortable than ours. 18. A dog is more intelligent than a cat. 19. This pupil is more capable than that one. 20. Our roses are fresher than yours. 21. The summer is more pleasant than winter. 22. He is more lucky than I am. 23. Dickens is the best known writer in England. 24. He is healthier than I. 25. The tea is hotter than the milk. 26. It is cooler here than there. 27. This book is more interesting than that one. 28. He is the most educated among the engineers of this factory. 29. A cat is more stupid than a dog. 30. "Mice believe that there is no beast stronger than the cat." 31. You have a most beautiful house. 32. Italy is poorer than France. 33. There is nothing more terrible than war. 34. The Russian language is more difficult than English. 35. He works quicker than I do. 36. Your hat is newer than mine. 37. My father is older than yours. 38. This white ribbon is longer than that blue one. 39. The pear is tastier than the apple. 40. The fairy tales of the Danish writer Andersen are the most interesting and amusing. 41. My brother is a most careful driver. 42. The dog is the most faithful friend of the man. 43. This engine is slower than that one. 44. Gold is the most precious metal. 45. This girl is the laziest pupil in the class. 46. Iron is heavier than wood. 47. This street is the dirtiest street in the town. 48. Ice is colder than snow. 49. This boy is the most modest among the pupils of our class. 50. The Volga is longer than the Dnieper. 51. The light of the sun is brightest. 52. London is the greatest town in Europe. 53. This lamp is prettier than ours. 54. My room is the lightest in the whole house.

1. Э́та доро́га длинне́е той. 2. Те́мза одна́ из длинне́йших рек А́нглии. 3. Како́й язы́к трудне́е, ру́сский и́ли англи́йский? 4. Кита́йский язы́к трудне́е англи́йского. 5. Вече́рный по́езд удо́бнее у́треннего. 6. Э́тот ма́ленький о́стров са́мый краси́вый.

7. Э́то са́мый дорого́й магази́н в го́роде. 8. Це́рковь — старе́йшее зда́ние го́рода. 9. Са́мые тёплые дни го́да в ию́ле. 10. Э́та зада́ча трудне́е той, кото́рую я име́л вчера́. 11. Си́ний каранда́ш длинне́е кра́сного. 12. Во́лга длинне́йшая река́ в Сове́тском Сою́зе. 13. Ленингра́д, Ки́ев и Ха́рьков — больши́е города́, но Москва́ — са́мый большо́й из всех ру́сских городо́в. 14. Во́здух у мо́ря бо́лее прия́тен, чем во́здух го́рода. 15. Э́то я́блоко спеле́е, чем та гру́ша. 16. Больни́ца старе́е университе́та. 17. Населе́ние э́той дере́вни бедне́е, чем населе́ние други́х дереве́нь. 18. Желе́зо са́мый поле́зный мета́лл. 19. За́пах э́того мы́ла прия́тнее, чем за́пах того́. 20. Боле́знь э́того ребёнка серьёзнее, чем до́ктор полага́л. 21. Ма́сло пита́тельнее маргари́на. 22. Изобре́тение парово́й маши́ны о́чень поле́зно. 23. Э́то са́мый коро́ткий день го́да. 24. Ара́бы — са́мый гостеприи́мный наро́д. 25. Моя́ мать купи́ла мно́го мя́са, сы́ра, ма́сла и яи́ц, потому́ что мы ожида́ем госте́й. 26. Приди́ ра́но домо́й, не опозда́й к обе́ду! 27. Купи́те бо́лее дешёвые сига́ры, эти сли́шком до́роги. 28. Бу́дущим ле́том мы бу́дем жить где-нибу́дь на ю́жном берегу́. 29. Добы́ча угля́ и мно́гих це́нных минера́лов в С.С.С.Р. расте́т из го́да в год. 30. Я спешу́, потому́ что мой друг ожида́ет меня́. 31. Что сего́дня идёт в Наро́дном Теа́тре? 32. Когда́ начина́ется спекта́кль? 33. Да́йте мне два биле́та в четвёртом ряду́ кре́сел 34. Пошли́те Ко́лю в апте́ку заказа́ть э́то лека́рство. 35. Я потеря́л свой ключ. 36. Где буфе́т? 37. Покажи́те мне на ка́рте, где Ва́ша гости́ница?

Exercise 35

1. I know that it is true. 2. My friend writes me that he is ill. 3. The eagle was flying so high that he was scarcely seen. 4. What is the matter with you? 5. What a noise! 6. I feel somehow unwell. 7. Do not speak so loud. 8. He has written a letter to his father. 9. He is so busy that he has not time to write letters to his friends. 10. I demand that he should do this. 11. Whatever may happen to you, do keep your spirits up. 12. Paul also wishes to go to the circus. 13. He deserves a reward as well as you. 14. I was also at the museum, and I saw the same as *you*! 15. I am as surprised as you are. 16. We also go to Moscow to-morrow and we shall be there at the same time as you. 17. He worked hard, but he attained his end. 18. Hide yourself behind that tree. 19. It is not far from that town to the border. 20. We came late because we had to finish our work. 21. Apply to him about this matter. 22. Our motor car is being repaired and therefore we walk to the factory. 23. This boy has sketched a blacksmith and by that sketch one could judge of this young artist's talent. 24. It was necessary to finish the work and we therefore worked

without resting. 25. I was so busy yesterday that I even did not dine. 26. Even a child would understand this. 27. But this is known to everybody. 28. Then answer! 29. Now what shall I do ? 30. Did you not receive a letter ? 31. The sailors have often received letters from their relations. 32. I received a registered letter this morning.

1. Вот кни́га для вас от ва́шего дру́га. 2. Мы ви́дели его́ там. 3. Э́то его́ моро́женое. 4. Он сказа́л мне, что он не получи́л письма́ от своего́ бра́та. 5. Я ду́мал, что я верну́сь ра́но. 6. Я написа́л ему́, потому́ что я хоте́л, что́бы он посла́л мне фотографи́ческий аппара́т. 7. Мой друг проси́л меня́ посла́ть ему́ не́сколько англи́йских книг. 8. Я проси́л мать купи́ть мне тё́плых перча́ток, потому́ что здесь хо́лодно зимо́й. 9. Мы проси́ли его́ поигра́ть на пиани́но. 10. Да́же он пришё́л помо́чь! 11. Все помога́ли в устро́йстве вы́ставки. 12. Он помо́г мне в моё́й рабо́те. 13. Он ча́сто помога́л мне пре́жде, когда́ я был в затрудне́нии. 14. Лё́тчик верну́лся благополу́чно. 15. В про́шлую зи́му он обыкнове́нно возвраща́лся домо́й по́сле полу́ночи. 16. Капита́н уви́дел мая́к на большо́м расстоя́нии. 17. Я уви́жу вас за́втра. 18. Я прочита́л газе́ту с нача́ла до конца́. 19. Он потеря́л свой па́спорт. 20. Когда́ я был ма́льчиком, я всегда́ теря́л свои́ кни́ги. 21. Он посту́пит с ва́ми, как вы заслу́живаете. 22. Он всегда́ посту́пит, как справедли́вый челове́к. 23. Е́сли состоя́ние ма́тери ухудши́тся, мы позовё́м до́ктора. 24. Мы бу́дем регуля́рно посыла́ть вам изве́стия. 25. Мы живё́м в дере́вне ра́ди на́шей ма́тери, её́ здоро́вье плохо́е, и до́ктор приказа́л ей быть, наско́лько возмо́жно, на чи́стом во́здухе. 26. Он лю́бит стро́ить возду́шные за́мки. 27. Мы реши́ли постро́ить фа́брику вблизи́ реки́.

Exercise 36

1. Can you tell me what is the time now ? 2. My watch has stopped. 3. I have not a watch. 4. My watch is being repaired. 5. Your watch is slow. 6. At what time will the doctor come ? 7. He promised to come at six. 8. I get up exactly at six and I go to town by train, which leaves at seven forty. 9. I finish work at six p.m. and I return home at about seven o'clock. 10. I shall be at your house to-morrow morning, between ten and eleven. 11. At what time do you go to the concert ? 12. I shall leave the house at twenty past seven. 13. The concert begins at a quarter to eight. 14. I shall be back at about ten. 15. I worked very late yesterday. 16. I went to bed at two a.m. 17. My friend lives within a few minutes walk of the station. 18. The telegram was sent at six forty eight and arrived at a quarter to nine 19 It is ten minutes past nine now.

1. Пробило девять часов. 2. Он пришёл в час. 3. Теперь восемь часов. 4. Когда вы уезжаете из Лондона? 5. В среду в половине восьмого вечера. 6. Могу-ли я получить завтрак в четверть девятого? 7. Могу-ли я пользоваться телефоном ночью? 8. Не позже часа ночи. 9. В какие дни открыта Румянцевская Галлерея? 10. Ежедневно от половины одиннадцатого утра до половины пятого вечера. 11. Когда отходит поезд в Москву? 12. Имеются три поезда; один рано утром в 5.25, другой в 1.25 пополудни и третий в 9.40 вечера. 13. Он родился пятого июля тысяча девятьсот двенадцатого года. 14. Когда открытие выставки? 15. Второго сентября этого года. 16. Он обещал быть здесь без четверти шесть. 17. Теперь уже десять минут седьмого, но его ещё нет. 18. В котором часу начинается собрание? 19. Ровно в восемь. 20. В августе в Крыму очень жарко. 21. В котором часу вы обедаете? 22. В четыре часа. 23. Когда он приезжает в контору? 24. В десятом часу. 25. Мы будем здесь в половине шестого или без четверти шесть. 26. Давно-ли он ушёл? 27. Он ушёл без двадцати восемь. 28. Мы будем в Лондоне на Рождестве, а после Нового Года мы поедем в Шотландию. 29. Когда Пасха в этом году, в марте или в апреле? 30. Я подожду здесь четвергь часа. 31. Я буду в Лондоне через неделю. 32. Мы обедаем в половине восьмого. 33. Я буду на станции без пяти минут час. 34. Мой отец пробудет заграницей от пятого марта до двадцать второго мая. 35. Он был в Александрии с 30-го октября. 36. Ленин умер двадцать второго января. 37. День Конституции шестого июля. 38. Мы пробыли в Крыму трое суток. 39. Приходите в пягь вместо четырёх. 40. Я ожидал мою сестру от пяти до шести. 41. Теперь почти половина пятого. 42. Он будет здесь в субботу, восьмого февраля, около семи часов вечера.

Exercise 37

1. Nobody knows what will happen to him to-morrow. 2. It is usually cold during September evenings. 3. I am pleased to spend a day in the country. 4. The children are bored when they have no toys. 5. Sit down near the fire, you will feel warmer. 6. We have missed the train. 7. It is necessary to finish this work towards the evening. 8. One is requested to keep quiet (Silence, please!). 9. Smoking is forbidden. 10. This seat is free. 11. There are many people in the street. 12. It is always noisy in this coffee-room. 13. It was hazy all the time on the sea. 14. It is said that the construction of a tramway line from the embankment to the centre of the town will begin shortly. 15. Can one send a

telegram by telephone? 16. No beer can be obtained here. 17. The children wish to eat. 18. It seems to me that it is time for us to go. 19. Is it known to you that the train leaves at 11.30? 20. The sick man must not go out in damp weather. 21. We were merry at the evening party. 22. In the South of France the winter is fairly warm. 23. It is unpleasant to sit in a stuffy carriage. 24. Are you comfortable sitting at the window? 25. Our mother now feels much better. 26. We did not feel dull in the country. 27. The children feel cold running about in the garden. 28. When we were going home, a strong wind sprang up and it began to pour with rain. 29. He is not getting on badly. 30. Much snow fell this morning. 31. The rain stopped. 32. There is a rumour that a Technical High school will open soon. 33. Entrance to the factory is forbidden to outsiders. 34. I like this pipe tobacco. 35. It seems to me that I know that shop. 36. I may have to go to Moscow to-morrow. 37. You need rest, you have been working hard.

Exercise 38

1. Excuse me, how shall I go to Sverdlov Square? 2. Take autobus No. 4. 3. It runs from your hotel as far as the Square. 4. How shall I go to Petrovka? 5. Take the third street on the right and the second on your left. 6. Would you, please, tell me where is the nearest chemist's shop? 7. At the cross roads, in the corner house. 8. Good evening, can I see the factory manager? 9. Here is a letter of introduction from the Secretary of the Printers' Trade Union. 10. Please tell me where is the Enquiry office? 11. Sit down, please. 12. Do you require an interpreter? 13. No, thank you, I speak Russian. 14. Telephone me! 15. Here is my number, 1-72-83, one-seventy two-eighty three. 16. Call Peter Sergeevitch Barlov to the telephone. 17. Speak more slowly and louder. 18. Allo, do you hear me? 19. Good night, we shall meet at breakfast. 20. I shall ring you up early in the morning. 21. I have lost my way, take me to the State Bank (Gosbank). 22. I shall leave a note for citizen Perov. 23. Please if somebody should ask for me, say that I shall be back at half past two. 24. Ask him to wait.

1. Где ближа́йшая почто́вая конто́ра? 2. Как мне пройти́ туда́? 3. Како́й трамва́й я до́лжен взять, что́бы прое́хать туда́? 4. Иди́те пря́мо, зате́м поверни́те нале́во у перекрёстка у́лиц. 5. Вы уви́дите по́чту на углу́ сле́дующей у́лицы. 6. Почто́вая конто́ра нахо́дится про́тив Всесою́зного Центра́льного

Сове́та Профессиона́льных Сою́зов (ВЦСПС). 7. Моё и́мя Джон Смит. 8. Я — англи́йский тури́ст. 9. Могу́-ли я обменя́ть англи́йские де́ньги? 10. Где мне опла́тят э́тот чек? 11. В ближа́йшем отделе́нии Госуда́рственного Ба́нка (Го́сбанка). 12. Како́й сего́дня курс? 13. Где Брита́нское Ко́нсу́льство? 14. Пе́рвая у́лица напра́во, втора́я нале́во. 15. Я хочу́ побри́ться и постри́чься. 16. Укажи́те мне пожа́луйста, доро́гу в Этнографи́ческий Музе́й. 17. Где мне почини́ть свои́ очки́? 18. Ско́лько сто́ит э́та записна́я кни́жка? 19. Где гардеро́б? 20. Я потеря́л свой ключ. 21. Где я могу́ купи́ть путеводи́тель? 22. Свобо́дны-ли вы сего́дня ве́чером? 23. Я загляну́ к вам о́коло полови́ны седьмо́го. 24. Пойдём в Худо́жественный Теа́тр и́ли в О́перу. 25. Я предпочита́ю ви́деть бале́т. 26. Когда́ начина́ется спекта́кль? 27. Пожа́луйста, купи́те четы́ре биле́та в кре́слах. 28. Жена́ и я бу́дем ра́ды, если Вы и Ва́ша жена́ придёте провести́ ве́чер с на́ми. 29. Благодарю́ за любе́зное приглаше́ние, кото́рое, я уве́рен, моя́ жена́ при́мет с больши́м удово́льствием. 30. Ита́к, до свида́ния, до полови́ны восьмо́го.

1. The Book.

Two men found a book in the street at the same moment and began to quarrel as to who should have it. A third man was going past and asked: "Which of you knows how to read?" "Neither." "Then why do you want the book? You are quarrelling in just the same way as two bald men fought for a comb, though they themselves had nothing to comb."

2. The Rich Man and the Poor Man.

In one house there lived a rich man upstairs and a poor tailor downstairs. The tailor sang songs all the time at work and prevented the rich man from sleeping. The rich man gave a sack of money to the tailor, so that he should not sing. The tailor became rich and watched his money all the time but had ceased to sing. He had grown dull; he took the money and carried it back to the rich man and said: "Take your money back and let me sing my songs again; for depression has befallen me."

3. The King and the Shirt.

A King was ill and said: "I will give half of my kingdom to the man who will cure me." Then all the wise men assembled and began to consider how to cure him. No one knew. Only one wise man said that it was possible to cure the king. He said: "If a happy man can be found and the shirt be taken off him and put on to the king, he will recover."

The king sent people to search up and down his kingdom for a happy man, but his envoys travelled a long time over the whole country and could not find a happy man. There was not a single one contented with everything. He who was rich, was unwell ; he who was healthy, was poor. If anyone was healthy and rich, too, then his wife was no good ; yet another had children who were no good. All complained of something or other.

Once, late in the evening, the king's son was going past a hut and heard someone saying : " There now, I have worked hard and eaten my fill and shall lie down to sleep. What more do I need ? " The king's son was delighted ; he ordered the shirt to be taken off the man, money to be given him for it—as much as he wanted—and the shirt to be taken to his father. The envoys came to the happy man and wanted to take his shirt off ; but the happy man was so poor that he had not even a shirt on him.

4. Winter Morning.

By A. S. Pushkin.

In that year autumnal weather stayed a long time in the open. Nature waited—waited for winter ; only in January did the snow come down : during the third night. Awakening early, Tatiana saw through the window in the morning the yard become white, also the flower-beds, roofs and hedge ; light frosted patterns on the window panes ; the trees clad in wintry silver ; gay magpies in the yard ; and the mountains softly covered with winter's glistening carpet. All was bright ; everything around was white.

5. Town Life.

Family Happiness, by L. N. Tolstoy.

Our journey to Petersburg ; a week in Moscow, his, and my relatives ; the settling in a new flat ; the way ; new towns, faces—all these passed like a dream. It was all so varied, new, and gay ; it was all so warmly and brightly lit by his presence, his love, that the quiet country life seemed to me (a thing) of long ago, insignificant. To my great surprise, instead of society pride and the coldness which I was expecting to find in people, every one met me with such genuine tenderness and delight (not only relatives but strangers, too) so that it appeared as though they had all been thinking solely of me and had only been waiting for me in order to feel happy themselves. Also unexpectedly for me my husband discovered, also in the Society circle which seemed to me the best, many acquaintances about whom he never used to speak to me ; and it was strange and unpleasant to me to hear from him harsh judgments on some of these people, who appeared to me to be so kind. I could not understand why he treated them so coldly and tried to avoid many acquaintances, whom I thought flattering. The more kind people you knew, it seemed to me, the better, and they were all kind.

6. A Card Party.

The Queen of Spades, by A. S. Pushkin.

One day they were playing cards at the house of the Horse Guard Narumov. The long winter night passed unnoticed. They sat down to have supper towards five o'clock in the morning. Those who had won ate with a big appetite. The others sat listless, confronting their empty plates and glasses. But champagne appeared, the conversation livened up, and all took part in it. " How did you get on, Surin ? " asked the host. " I lost as usual. One must confess that I am unlucky. When I play I never get heated ; you cannot upset me with anything, but still, all the time I lose. And you were not even once tempted ? You did not once stake on the red ? To me your firmness is surprising." " But look at Hermann ! " said one of the guests, pointing to a young engineer." " He has never taken a card into his hand in his life, and there he sits with us till five o'clock and watches our play." " The play interests me extremely," said Hermann ; "but I am not in a position to sacrifice what is necessary in the hope of gaining what would be superfluous."

7. A Love Poem.

By A. S. Pushkin.

I loved you. Love still, perhaps, has not entirely perished in my heart. But let it trouble you no more. I do not wish to sadden you with anything. I loved you silently, hopelessly ; now pining from joy and now through jealousy. I loved you so sincerely, so tenderly, as God may grant that you be loved by another.

8. The Inspector-General.

By N. V. Gogol.

Act 5. Scene 8.

The Postmaster (in haste, with an unsealed letter in his hand.)

Postmaster : A surprising thing, gentlemen. The official whom we have taken for an inspector was not an inspector.

All : What, not an inspector ?

POSTMASTER: Not an inspector at all. I learned this from a letter.

THE MAYOR: What's that? What do you say? From what letter?

POSTMASTER: Why, from his own letter. They brought a letter to the post to me. I glanced at the address and saw: "To Post Office Street." I was simply dumbfounded. Well, I thought to myself, certainly he has found irregularities in the postal service and is informing the authorities. I took and unsealed it.

MAYOR: What! ?

POSTMASTER: I do not know myself. Some unnatural force impelled me.

9. "LISTENING TO THE HORRORS OF WAR . . ."

By N. A. Nekrassov.

Listening to the horrors of war, with each new victim of the fight, I pity not the friend and not the wife. I do not pity the hero himself. Alas, the wife will console herself, and the best friend will forget a friend. But there is a soul somewhere who will remember till death. Amidst our hypocritical deeds and every triviality of our prosaic life, I perceived the only sacred, sincere tears in the world—the tears of the poor mothers. They cannot forget their children who have perished on the field of the bloody harvest, like unto the weeping willow that cannot raise its drooping boughs.

10. WE SHALL STILL BE FIGHTING.

By I. S. Turgenev.

What an insignificant trifle can at times rebuild the whole man. Lost in thought, I was going once along a main road. Heavy presentiment oppressed my heart. Sadness was taking possession of me. I raised my head. Before me, between two rows of tall poplars, the road stretched away into the distance straight as an arrow. And across it, across this very road, ten paces from me, all gilded with the bright summer sun, a whole family of sparrows was hopping in line. hopping perkily, amusingly, self-confidently. One of them especially was pressing along sideways, swelling out its crop and twittering cheekily, as if it feared not the devil himself. A conqueror. But, all the time, high in the sky circled a hawk, who was, perhaps, destined to devour just this very conqueror. I took a look, laughed out, and shook myself. In a moment, my sad thoughts had flown away; I felt courageous daring, and a wish to live. Let my hawk circle over me. We shall still keep fighting, Devil take it!

11. "How Fine, How Fresh The Roses Were."

Somewhere, at some time, long, long ago I read a poem. I forgot it soon, but the first line has remained in my memory :

"How fine, how fresh the roses were . . ."

It is winter now ; frost has powdered the window panes ; in the dark room a single candle burns. I am sitting, cowering in the corner, and all the time there rings and rings in my head :

"How fine, how fresh the roses were . . ."

And I see myself before the low window of a suburban Russian house. The summer evening is quietly fading and melting away into night ; in the warm air there is a scent of mignonette and lime ; and at the window, leaning on her straightened arm and bending her head on her shoulder a girl is sitting, silently and fixedly gazing at the sky, as if awaiting the appearance of the first stars. How simply inspired are the thoughtful eyes, how untouchingly innocent the parted, enquiring lips, how evenly her breast, still undeveloped, is breathing, still untroubled ; how pure and tender the contour of her youthful face. I dare not begin to speak with her, but how dear she is to me, how my heart is beating—

"How fine, how fresh the roses were . . ."

But the room gets darker and darker. The burning candle splutters ; fleeting shadows flicker over the low ceiling ; the frost is angrily creaking behind the wall, and I dream of a dull, old man's whisper :

"How fine, how fresh the roses were . . ."

Other images rise before me. I hear the gay noise of country family life. Two little fair heads, leaning one against the other, are looking cheekily at me with bright little eyes ; crimson cheeks are trembling with suppressed laughter ; hands have been affectionately interlocked ; in interruption (of each other) young, kindly voices sound, and, somewhat further off, in the depths of the cosy room, other hands, also young, with nimble fingers are running over the keys of a piano, past its prime, and the Lanner waltz cannot drown the grumbling of the patriarchal samovar :

"How fine, how fresh the roses were . . ."

The candle fails and dies away. Who is it coughing there so hoarsely and dully ? Curling himself into a round bundle, the old dog, my sole companion, presses himself against my feet and shivers. I feel chilly . . . And they have all died . . . died . . .

"How fine, how fresh the roses were . . ."

БУМА́ГА ВМЕ́СТО ТКА́НИ

Древеси́на име́ет други́е примене́ния, поми́мо вы́делки бума́ги. В докла́де, неда́вно прочи́танном в Ло́ндонском Отделе́нии О́бщества Краси́льщиков и Москате́льщиков, бы́ло ука́зано, что из древеси́ны была́ пригото́влена бума́га, кото́рая была́ разре́зана, прока́тана и скру́чена в ни́ти. (Бы́ло посту́плено так, потому́ что обы́чное пряде́ние бы́ло невозмо́жно всле́дствие того́, что волокно́ коро́ткое). Из э́тих ни́тей бы́ли изгото́влены ска́терти, ле́нты для шляп, ковры́, мате́рии для оде́жды, цыно́вки и предме́ты украше́ния. Де́рево, сто́ившее три ши́ллинга, представля́ло собо́ю бума́жную ткань, сто́ившую два фу́нта и пять ши́ллингов или иску́сственный шелк, сто́ивший семь фу́нтов и де́сять ши́ллингов.

ТЕРМО́МЕТР

Термо́метр представля́ет собо́ю инстру́мент для измере́ния си́лы теплоты́ посре́дством сво́йства жи́дкостей и́ли га́зов расширя́ться. Жи́дкость, при́знанная наибо́лее подходя́щей и обы́чно применя́емая, есть ртуть. Термо́метр обы́чного ти́па состои́т из сфери́ческого стекля́нно́го по́лого ша́рика, находя́щегося в конце́ то́нкой тру́бки. Ша́рик э́тот и часть тру́бки наполня́ются рту́тью. Переме́на температу́ры обознача́ется подня́тием и́ли паде́нием рту́ти в тру́бке. Шка́ла, разделённая на гра́дусы и калибри́рованная так, что она́ пока́зывает то́чки кипе́ния и замерза́ния воды́, прикреплена́ к термо́метру; промежу́ток ме́жду э́тими двумя́ то́чками име́ет определённое число подразделе́ний. На термо́метре Це́льсия расстоя́ние ме́жду двумя́ то́чками разделено́ на сто гра́дусов; на термо́метре Реомю́ра, кото́рым по́льзуются гла́вным о́бразом в се́веро-за́падной Евро́пе, расстоя́ние ме́жду то́чками кипе́ния и замерза́ния разделено́ на во́семьдесять гра́дусов, а на термо́метре Фа́ренгейта (ука́занное) расстоя́ние разделе́но на сто во́семьдесят гра́дусов, приче́м то́чка замерза́ния стои́т на три́дцать второ́м гра́дусе, а то́чка кипе́ния на две́сти двена́дцатом гра́дусе.

МО́ЖЕТ ЛИ АМЕ́РИКА КУЛЬТИВИ́РОВАТЬ СВОЮ́ СО́БСТВЕННУЮ РЕЗИ́НУ

„Гиэйю́лэ", — тузе́мный америка́нский куста́рник, даю́щий рези́ну, в настоя́щее вре́мя культиви́руется в широ́ких разме́рах в Калифо́рнии. Лишь со второ́й полови́ны девятна́дцатого столе́тия рези́на (каучу́к) нашла́ себе́ дальне́йшее примене́ние, когда́ е́ю ста́ли по́льзоваться для (вы́делки) дождевы́х пальто́, боти́нок, водяны́х шланг и други́х предме́тов. Одна́ко, на неё не бы́ло значи́тельного спро́са до того́, что ста́ли